Verglas

Des mêmes auteurs, dans la collection Polar
Chimères, Libre Expression, 2006.

Normand Lester
Les secrets d'Option Canada (avec Robin Philpot), Les Intouchables, Montréal, 2006.
Mom (avec Guy Ouelette), Les Intouchables, Montréal, 2005.
Le Livre noir du Canada anglais 3, Les Intouchables, Montréal, 2003.
Le Livre noir du Canada anglais 2, Les Intouchables, Montréal, 2002.
Le Livre noir du Canada anglais 1, Les Intouchables, Montréal, 2001.
Prisonnier à Bangkok (avec Alain Olivier), Éditions de l'Homme Montréal 2001.
Enquêtes sur les services secrets, Éditions de l'Homme, Montréal, 1998.
L'affaire Gérald Bull. Les canons de l'apocalypse, Éditions du Méridien, Montréal 1991.

Littérature jeunesse
Alerte dans l'espace. Antoine Catherine et leur hélicoptère spatial (avec Michèle Bisaillon), Les Intouchables, Montréal, 2000.

Corinne De Vailly
Littérature jeunesse
Le concours Top-Model, Éditions Trécarré, coll. Intime, 2005.
La Falaise aux trésors, Éditions SMBi, coll. Aventures & Cie, 1997.
Une étrange disparition, Éditions SMBi, coll. Aventures & Cie, 1997.
L'Amour à mort, Éditions SMBi, coll. S.O.S., 1996.
Miss Catastrophe, Éditions du Raton-Laveur, 1993.

Normand Lester
et Corinne De Vailly

Verglas

Libre Expression
QUEBECOR MEDIA

Catalogage avant publication de Bibliothèque et Archives Canada

Lester, Normand

  Verglas

  (Polar)

  Comprend des réf. bibliogr.

  ISBN 2-7648-0126-2

  I. Vailly, Corinne De. II. Titre.

PS8573.E789V47 2006   C843'.6   C2006-940079-2
PS9573.E789V47 2006

Verglas est une œuvre de fiction qui s'inspire de la réalité. Les dialogues et les scènes d'action constituent l'interprétation des auteurs de situations qui auraient pu se passer. Les auteurs ne prétendent pas que les événements décrits se sont réellement produits avec les causalités qu'ils leur attribuent.

Directrice littéraire
MONIQUE H. MESSIER
Maquette de la couverture
FRANCE LAFOND
Infographie et mise en pages
ÉDISCRIPT ENR.

Remerciements
Les Éditions Libre Expression reconnaissent l'aide financière du gouvernement du Canada par l'entremise du Programme d'aide au développement de l'industrie de l'édition (PADIÉ) pour ses activités d'édition. Nous remercions le Conseil des arts du Canada, la Société de développement des entreprises culturelles du Québec (SODEC) du soutien accordé à notre programme de publication. Gouvernement du Québec – Programme de crédit d'impôt pour l'édition de livres – gestion SODEC.

Les Éditions Libre Expression
7, chemin Bates
Outremont (Québec) H2V 4V7
Tél. : (514) 849-5259

Dépôt légal – Bibliothèque et Archives nationales du Québec, 2006

ISBN-10 : 2-7648-0126-2
ISBN-13 : 978-2-7648-0126-0

Prologue

**Transcription d'une déclaration
enregistrée le 29 octobre 1938**
Je m'appelle Anthony Gibbs, je suis citoyen américain et
j'ai travaillé pendant une bonne partie de ma vie comme
électricien dans la ville de Québec. Je suis originaire du
New Hampshire, où j'ai épousé une Canadienne française. Nous sommes revenus nous installer à Québec
afin que ma femme puisse s'occuper de ses deux parents
âgés qui étaient rentrés au Québec après s'être établis
aux États-Unis. Je travaillais régulièrement pour le con-
sulat américain dans cette ville.

Un jour, le consul, monsieur James Bennett, m'a
demandé d'accompagner un riche Américain qui possédait une propriété au Québec afin d'effectuer pour lui
des travaux d'électricité. Il m'a fait jurer de ne jamais
parler à quiconque de ce que j'allais voir.

C'était à la fin de l'été 1928, monsieur Bennett m'a
expliqué que le major Henry Sanford, du War Department, venait au Québec avec des amis pour une partie de
chasse et de pêche dans son domaine. Le major était
l'héritier d'une riche famille de la Nouvelle-Angleterre
qui avait fait fortune dans le textile. De nombreux
Canadiens français travaillaient dans les usines de la
famille, à Worchester et à Fall River. Sanford avait une

formation d'ingénieur militaire et faisait partie d'une section du War Department qui s'intéressait à l'amélioration des transmissions. J'ai découvert que les parties de pêche n'étaient que des prétextes pour couvrir la véritable raison des séjours de Sanford au Québec.

Cette fois-là, il était accompagné d'un homme qu'il me présenta comme son meilleur ami, Nikola Tesla. J'ai appris par la suite qu'il s'agissait d'un célèbre inventeur. C'était un curieux petit homme, de tempérament plutôt solitaire, malhabile, mais somme toute sympathique.

La propriété que le major avait acquise était située dans la région du lac Édouard, le long du chemin de fer entre Québec et le lac Saint-Jean. Sanford était arrivé à Québec de New York à bord de son train privé en compagnie de Tesla. Il a été rejoint ici par deux hommes. J'ai découvert plus tard qu'il s'agissait de l'attaché militaire américain à Ottawa et de son adjoint.

Le train du major était constitué de trois wagons dont l'un destiné aux bagages. Ce dernier était rempli d'équipement électrique comprenant un générateur de soixante-quinze kilowatts actionné par un moteur à essence.

Nous avons quitté Québec vers huit heures du matin. Nous sommes arrivés au lac Édouard au début de l'après-midi. Le train a été placé sur une voie de garage et déchargé par une douzaine d'Indiens. J'ai appris que ces hommes avaient déjà travaillé pour le major lors de séjours précédents au lac Édouard et ailleurs au Québec. Notre groupe comprenait le major Sanford, madame Sanford, une femme sèche et renfrognée, miss Jones, l'infirmière, Nikola Tesla et sept autres hommes, des amis du major. Même s'ils n'ont jamais dévoilé devant moi leur profession, il m'a semblé qu'ils étaient tous militaires ou ingénieurs, ou peut-être les deux.

La propriété du major Sanford étant située à plusieurs milles de la gare de chemin de fer, la seule façon de l'atteindre était d'utiliser des embarcations sur une partie du trajet, puis d'emprunter un sentier à travers la forêt. Tout devait donc être transporté à dos d'homme. L'équipement lourd comme le générateur a dû être démonté et transporté en pièces détachées.

Nous sommes arrivés à la propriété du major au cours de la soirée. La noirceur n'arrive que vers dix heures, en été, sous cette latitude. C'est là que j'ai compris pourquoi on avait besoin d'un électricien. Le générateur servait en partie à alimenter en électricité l'imposante maison en bois rond du major, mais il devait surtout servir à des expériences auxquelles devait se livrer le professeur Tesla.

Ma première mission, une fois arrivé au camp, a donc été d'assembler le générateur. Avec l'aide de Tesla et de deux autres hommes, on a ensuite monté le transformateur. L'appareil devait être utilisé pour transmettre de l'énergie à travers le sol sans utiliser de fils. Pour une raison qu'il ne m'a jamais expliquée, mais qui avait à voir avec la position particulière de cette région par rapport au géomagnétisme terrestre, Tesla croyait pouvoir utiliser les lignes magnétiques terrestres pour transmettre de l'énergie à travers la Terre.

Sur les indications de Tesla, un récepteur avait déjà été installé dans un petit village nommé Sainte-Hedwidge, dans la région du Lac-Saint-Jean. Un autre récepteur avait été installé beaucoup plus au nord, dans un campement indien sur le lac Mistassini.

***

Sean Flagerty déposa le document. Il n'en revenait pas. Comment Tesla avait-il pu savoir, dès la fin des années vingt, que les lignes magnétiques terrestres de l'hémisphère Nord aboutissaient exactement dans cette région ? Ce n'est qu'en 1958, durant l'Année géophysique internationale, que le phénomène devait être découvert. Trente ans auparavant, ce vieux bougre de Tesla, inventeur de génie, mi-savant mi-charlatan, le savait déjà. Flagerty remit le document dans la chemise. Un vague sourire étira ses lèvres en une moue dubitative.

Depuis des années, Sean Flagerty rêvait d'écrire la biographie définitive de Tesla. Il avait acquis plusieurs boîtes de documents se rapportant au savant croate, mis aux enchères chez Sotheby's, à New York : des notes consignées dans des cahiers d'écolier, des croquis, des esquisses d'appareils étranges accompagnés de formules et de symboles électriques, des livres scientifiques annotés en marge qui lui avaient appartenu, des coupures de presse d'époque et ce document étrange.

Comment Tesla l'avait-il obtenu ? Il était sans doute destiné à un service officiel dans le cadre d'une enquête sur les activités de Tesla au Canada. Pourtant, il ne portait aucune indication de provenance. Quelqu'un l'avait-il remis à Tesla, qui l'avait rangé avec ses papiers ? En tout cas, cela confirmait que le Croate avait déjà entrepris les recherches que lui-même poursuivait aujourd'hui. Cela justifiait le prix payé pour l'acquisition des documents Tesla avec des fonds de l'entreprise de Flagerty, Ultimate Systems Providers, même si ce n'était qu'à des fins et pour des raisons personnelles. Ces renseignements serviraient à la rédaction de la biographie de Tesla qu'il avait commencé à écrire alors qu'il étudiait en génie à l'Université McGill, à Montréal, plus de vingt-cinq ans auparavant.

1

Le 28 juillet 1985
Bulletin
WASHINGTON (AFP) – L'Agence spatiale américaine a réussi à 21 h (HE) le lancement de la navette spatiale Challenger, *annonce un porte-parole de la NASA. Le lancement initial de* Spacelab 2, *prévu pour le 12 juillet dernier au Centre spatial Kennedy, avait été annulé à trois secondes du départ en raison du dysfonctionnement de l'un des moteurs principaux.*

Cette nouvelle mission de Challenger *permettra de réaliser plusieurs expériences dans les domaines de la physique solaire, des études atmosphériques, de la physique de la magnétosphère et des hautes énergies.*

La mission de Challenger *comportera également des aspects militaires au sujet desquels aucun détail n'a été fourni, ni par la NASA ni par le Pentagone.*

* * *

Le lendemain, à bord de la navette spatiale *Challenger*. Altitude : 242 milles ; inclinaison orbitale : 49,5°
Par la fenêtre latérale du cockpit, le pilote de la navette spatiale, le commandant Charles Gordon Fullerton, observa au clair de lune la forme caractéristique du lac

Saint-Jean qui apparaissait à plusieurs centaines de kilomètres sous lui. Il consulta le système de navigation pour s'assurer que l'appareil se trouvait à l'endroit prévu pour entreprendre l'expérience. Il ouvrit un système de communication ultrasecret installé à bord uniquement pour cette expérience par la National Security Agency. Pour la première fois depuis le lancement, il entra en contact avec un interlocuteur qui ne relevait pas de la NASA, mais du Pentagone, tel que convenu dans le plan de vol de la mission 51F-Spacelab 2. À Siple Station, base américaine située en Antarctique, un militaire prit la communication.

La conversation entre le commandant de la navette et le capitaine Weaver ne dura que quelques secondes. Le capitaine lui demanda de confirmer sa position et les conditions ionosphériques locales. L'astronaute transmit les données par télémétrie vers Siple Station. Fullerton se rappela qu'en Antarctique, c'était le milieu de l'hiver à cette époque-ci de l'année. Il se demanda comment des types pouvaient passer des mois sur une base perdue dans les neiges éternelles du pôle Sud. Les primes devaient y être pour quelque chose.

Le reflet de la lune miroitait sur le lac Saint-Jean par cette nuit sans nuages. Fullerton voyait scintiller l'éclairage des agglomérations qui l'entouraient. Tout donnait l'impression d'une nuit d'été calme, mais le commandant de bord songea que son interlocuteur en Antarctique était, lui, au plus profond de la longue nuit polaire australe, peut-être même au cœur d'une épouvantable tempête de neige. Le grésillement de la voix du technicien de Siple Station le tira de ses pensées en l'avisant qu'il allait procéder aux émissions prévues.

Le signal radio d'ultra-basse fréquence fut capté presque instantanément par les appareils ultrasensibles de *Challenger*. D'un signe de tête, la physicienne Loren Acton confirma la bonne réception. À son tour elle envoya un signal radio semblable vers la Terre. Grâce à des appareils au sol, des équipes scientifiques de l'Advanced Research Projects Agency (ARPA) du Pentagone allaient maintenant pouvoir comparer les effets des deux signaux, celui de la navette et celui venant de l'Antarctique.

Le commandant de la navette procéda ensuite à la seconde expérience militaire secrète. Cette fois, il se mit en communication avec la base spatiale de l'U.S. Air Force de Vanderberg, en Californie, qui lui confirma l'ordre de mettre à feu son système de manœuvre orbital. Pendant près de cinquante secondes, des gaz se dégagèrent du système de propulsion de la navette. Celle-ci se trouvait dans l'ionosphère et cette injection de gaz allait considérablement diminuer la concentration de plasma dans un rayon de plusieurs dizaines de kilomètres.

En remettant les feuilles plastifiées contenant les instructions secrètes dans une mallette noire portant la mention «TOP SECRET», Fullerton se demanda à quoi pouvait rimer cette expérience du Pentagone. Puis il la ferma à clé et la rangea. La partie militaire secrète de la mission 51 de Spacelab 2 était terminée.

Sur Terre, à plus de trois cent cinquante kilomètres sous la navette, Bill Napesh, un Amérindien corpulent d'une trentaine d'années, sortit du paisible village de Sainte-Hedwidge-de-Roberval dans un nuage de poussière soulevé par les roues arrière de son pick-up. Le village était calme ; il était presque minuit et la plupart des résidences étaient maintenant plongées dans le noir.

Napesh roula une dizaine de minutes sur un chemin pierreux en rase campagne, puis arriva en vue d'un corps de bâtiments qui semblaient avoir connu de meilleurs jours. Le camion s'arrêta net à une quinzaine de mètres de l'entrée d'une maison.

Napesh scruta les alentours de la ferme isolée, pour ainsi dire abandonnée. Il prit tout son temps pour examiner le paysage, en panoramique sur trois cent soixante degrés, puis vers le ciel, pour s'assurer que le calme plat régnait. Satisfait, il ramassa son sac à dos sur le siège du passager et descendit de son véhicule. Il préleva un trousseau de clés dans la pochette ventrale du sac. Il en sélectionna une en s'approchant de la porte d'entrée de l'habitation principale. Il connaissait bien l'endroit. Il agissait sans hésitation, mais sans précipitation. Le clair de lune lui rendait la tâche facile.

D'un mouvement de tête, le Cri vérifia que toutes les fenêtres de la ferme étaient bien obturées et qu'on ne pouvait voir à l'intérieur, un mica noir empêchant toute visibilité. Il entra ensuite rapidement dans la maison, jeta un dernier coup d'œil de précaution derrière lui et referma méticuleusement la porte. Il alluma la lumière. Du bout des doigts, il tapa un code d'accès sur le pavé numérique du système d'alarme dissimulé derrière un calendrier jauni de la Banque Provinciale du Canada. Tout dans la maison semblait à l'abandon depuis plusieurs années. Napesh se dirigea vers un thermostat qui semblait dater des années soixante, posé sur un mur de la cuisine. Il régla la température minutieusement à dix degrés Celsius. Un léger sifflement se fit entendre en provenance du sous-sol. L'Indien souleva le prélart usé dans un coin de la pièce. Il ouvrit ensuite une trappe qui donnait accès à un escalier.

Une fois au sous-sol, Napesh se retrouva devant une série d'appareils électroniques. Il inspecta l'équipement et s'assura que tout fonctionnait normalement. Il fit quelques réglages sur les panneaux de certains instruments. Ensuite, il se dirigea vers deux magnétoscopes et en retira deux cassettes VHS qu'il glissa dans une boîte de carton ; il déposa celle-ci dans son havresac d'où il retira deux cassettes vierges qu'il glissa dans l'appareil.

Bill Napesh consulta sa montre. Il était dans les temps. Il s'approcha d'un clavier et tapa une suite de chiffres et de lettres qui désactivèrent aussitôt le système d'alarme qui aurait pu retentir à des milliers de kilomètres de là, quelque part aux États-Unis, s'il ne s'était pas présenté au rendez-vous, et ainsi avertir ceux qui le payaient qu'il n'accomplissait pas correctement son travail. Puis il tapa un autre code alphanumérique sur le clavier. La prochaine alarme retentirait à minuit quinze le lendemain, à moins qu'il n'effectue sa tournée d'inspection comme prévu.

Il remonta au rez-de-chaussée et commença la vérification des fenêtres. Derrière les micas noirs, de solides barres de fer empêchaient toute effraction. Rien n'avait bougé depuis sa dernière visite. L'Amérindien récupéra son sac, arma le système d'alarme, inspecta une nouvelle fois les alentours et repartit dans son pick-up.

Le 30 juillet 1985, à la première heure, Bill Napesh faisait le pied de grue devant le bureau de poste de Roberval, attendant son ouverture et retournant entre ses mains un paquet adressé à Ultimate Systems Providers, Galveston, Texas.

* * *

**La Maison-Blanche, Washington DC,
28 février 1997, 18 h 50**

Monica Lewinsky regarda intensément le président pendant qu'il enregistrait son allocution radiophonique hebdomadaire dans le salon Roosevelt. Depuis un an, elle ne travaillait plus à la Maison-Blanche. Cela faisait une éternité qu'elle ne l'avait pas serré sans ses bras, qu'il ne l'avait pas caressée.

La secrétaire du président, Betty Currie, lui avait téléphoné pour lui dire que Bill Clinton voulait la voir afin de lui remettre son cadeau des Fêtes. Elle n'était pas venue à la réception de la Saint-Sylvestre, bien qu'elle y fût invitée à titre d'ancienne employée stagiaire. Elle ne voulait pas rencontrer Hillary.

Ce soir-là, elle portait une petite robe marine qu'elle avait achetée chez Gap. Madame Currie l'avait conduite dans le salon Roosevelt au moment même où l'enregistrement commençait. Une fois que le technicien eut confirmé que tout s'était bien passé, Bill Clinton se leva, sourit en direction de Monica et disparut derrière une porte. Betty Currie fit signe à la jeune femme de l'accompagner. Son cœur se mit à battre la chamade. Les deux femmes passèrent par le Bureau ovale pour gagner le bureau privé du président. La secrétaire laissa Monica entrer dans la pièce, puis s'éclipsa en fermant la porte derrière elle. Bill Clinton voulut parler, mais l'ancienne stagiaire s'était déjà précipitée sur lui.

– Embrasse-moi, mon chéri, il y a tellement longtemps qu'on n'a pas été seuls.

Il s'esquiva.

– Attends un peu que je te donne ton cadeau des Fêtes.

Il lui offrit une épinglette à chapeau et un exemplaire d'une édition spéciale de *Leaves of Grass*, de Walt Whitman.

– Mon amour, c'est le cadeau le plus romantique que tu m'aies jamais offert.

Elle voulut de nouveau l'embrasser.

– Pas ici, dit-il en regardant en direction des fenêtres sans rideau de la pièce.

Elle tira le président par la main dans le couloir fermé et sans fenêtre où ils avaient partagé des plaisirs charnels à plusieurs reprises. Elle le poussa contre la porte des toilettes situées en face du bureau présidentiel et l'embrassa intensément pendant qu'il caressait ses seins à travers sa robe. Dans un enchaînement rapide, la fermeture éclair de la robe glissa et le corsage tomba, laissant apparaître la généreuse poitrine de Monica. Clinton lui prit les seins à deux mains pour les lécher et les sucer. La main baladeuse de Monica massait les organes génitaux du président à travers son pantalon. Elle repoussa doucement la tête du président enfouie entre ses seins et se mit à genoux devant lui. Elle fit glisser sa braguette, sortit son pénis et ses testicules de son pantalon et se mit à lécher son gland d'un mouvement circulaire en fixant Clinton d'un regard lascif. Elle prit ensuite le gland du bout des doigts pendant que sa langue descendait le long du membre viril présidentiel. Elle mordilla la base du pénis avant que sa langue roule sur ses testicules. Sa bouche fit ensuite le chemin inverse vers le gland qu'elle engouffra. Elle croyait cette fois qu'elle réussirait à le faire éjaculer. Mais comme toujours, alors qu'il se sentait près de l'orgasme, Clinton, d'un geste brusque, retira son pénis de sa bouche. Elle le regarda comme une enfant privée de dessert.

– Pourquoi, Bill, ne veux-tu jamais venir dans ma bouche ? Tu n'éjacules jamais. J'ai l'impression que je ne te satisfais pas complètement. Je t'aime tellement.

Un bruit venant de la porte au bout du couloir qui donnait sur le Bureau ovale les obligea à se réfugier dans les toilettes. La porte fermée, elle le serra de nouveau dans ses bras et passa sa langue entre ses lèvres tout en le masturbant.

– Mon chéri, viens dans ma bouche une fois. Je veux te donner un orgasme. S'il te plaît, mon amour !

Elle était déjà agenouillée devant lui. Il la regarda un instant en souriant.

– Bon, si ça peut te faire plaisir !

Jamais elle n'avait pris un homme aussi profondément. Clinton se lamentait, l'encourageait, rythmait la fellation. Il atteignit l'orgasme au moment même où elle s'étouffait. Le pénis fut éjecté de sa bouche. Un jet de liquide blanchâtre zébra son visage avant que le président puisse contenir le reste de son éjaculation dans ses mains.

– Vraiment, je n'y parviendrai jamais, dit-elle en se rhabillant.

Elle s'essuya le visage avec du papier hygiénique. Clinton se lava les mains, puis remonta sa braguette. Monica remit ses vêtements en ordre, replaça ses cheveux et s'appliqua du rouge à lèvres devant le miroir.

Ni l'un ni l'autre ne s'étaient aperçus que deux gouttes du sperme présidentiel avaient taché la robe de Monica, l'une à la hauteur de la hanche, l'autre sur la poitrine. Ils regagnèrent le bureau privé du président.

Betty Currie réapparut dans le bureau quelques minutes plus tard pour reconduire Monica à la porte de la Maison-Blanche réservée au personnel domestique. La relation sexuelle n'avait duré qu'une vingtaine de minutes.

Bill Clinton se maudit d'avoir de nouveau cédé à la tentation. Il s'était pourtant promis, en 1996, de ne plus jamais recommencer.

* * *

Quinze minutes plus tard, Sandy Berger, le conseiller à la Sécurité nationale, fut reçu par Bill Clinton dans son cabinet privé. Les deux hommes prirent place dans deux fauteuils disposés de part et d'autre d'une petite table d'époque de style Federal. Clinton parcourut rapidement le document de trois pages que lui remit Berger.

– Sandy, je m'en veux de ne pas avoir interrompu ce programme dès notre arrivée à la Maison-Blanche, en 1992. Même si ces recherches étaient interdites par des conventions internationales, le Pentagone avait de bonnes raisons de le poursuivre dans les années quatre-vingt... Nous savions que les Russes y consacraient des ressources importantes.

– Maintenant, monsieur le président, on n'a plus vraiment le choix. Il faut aller de l'avant. Comme vous pouvez le constater, nous sommes à la veille d'une percée importante. La Defense Advanced Research Projects Agency estime nécessaire de procéder à la vérification expérimentale pour valider les simulations informatiques avant de mettre un terme au programme.

– Ce qui m'irrite particulièrement, fit Clinton, c'est que tous ces milliards profitent à un ennemi politique comme Sean Flagerty et à l'extrême droite du Parti républicain.

– Voilà un Canadien qui aurait dû rester chez lui ! ajouta Berger.

– Tu t'imagines le désastre, Sandy, si jamais le *Washington Post* ou le *New York Times* avaient vent de ce programme ? Cela contrevient à des traités dont nous sommes signataires.

– Flagerty a intérêt à garder jalousement le secret avec ce que ça lui rapporte. Les républicains n'ont aucune raison de vendre la mèche. La recherche a été lancée sous Ronald Reagan et George Bush en a augmenté le financement au moment de la guerre d'Irak. Sauf la petite équipe qui est directement chargée de superviser le programme, tout le monde pense qu'il s'agit de recherches pour communiquer discrètement avec nos sous-marins en plongée.

– N'empêche ! Je n'aime pas du tout ce programme. Il faudra y mettre fin dès que possible...

– Je m'en occuperai dès la fin des expériences ! Bon, maintenant, un autre sujet d'importance : relancer le processus de paix au Proche-Orient...

Les deux hommes se lancèrent alors dans une analyse à bâtons rompus de la situation entre Israéliens et Palestiniens.

Centre-ville de Montréal, 18 septembre 1997

Bill Napesh referma rapidement derrière lui la porte de la minuscule pièce qu'il occupait dans une maison de chambres du centre-ville de Montréal. Il était tendu. Un courant d'air provoqué par une fenêtre ouverte lui apporta une forte odeur d'urine. Il grimaça. Le locataire précédent était pour le moins un « maudit cochon », pensa-t-il en piquant une cigarette dans le paquet qu'il portait sous la manche gauche de son t-shirt. Napesh retira ses bottes de construction qu'il envoya valser d'un coup de pied. Il regarda sa montre. Décidément, son séjour dans la grande ville se révélait plus ardu que prévu. Il n'avait même pas pu loger chez sa sœur, puisque celle-ci venait de se faire un nouveau *chum*.

Tout en fumant, il alla vers la fenêtre. Le ciel maussade rendait encore plus sinistre le fond de ruelle délabré et les murs décrépis qui s'offraient à son regard. Il regretta un instant son village. Il consulta sa montre encore une fois. La nicotine atténua son anxiété. L'Amérindien se laissa tomber sur sa couche. Les yeux fixés sur les cernes d'humidité qui décoraient le plafond de spirales jaunâtres, il entreprit de dessiner des ronds de fumée avec les volutes qu'il relâchait. Dans quelques heures tout au plus, il saurait enfin si ses démarches avaient porté fruit, il ne lui restait qu'à patienter. Pourvu qu'on ne le retrouve pas avant ! Sinon, c'en serait fini de lui.

Napesh ferma les yeux en se répétant « Du calme bonhomme, prends ça comme ça vient, sinon tu vas devenir fou ». Il respira profondément pour se calmer, puis aspira une autre bouffée de cigarette. Pour lui, le vent tournait enfin, il en était sûr, désormais, il allait faire beaucoup d'argent. À moins que… Et l'inquiétude le gagnait de nouveau. Allait-il échouer si près du but ?

Des coups secs frappés à la porte le tirèrent de ses pensées. «Déjà! Ils ont compris assez vite», pensa-t-il en se levant pour ouvrir. Un sourire narquois étirait les commissures de ses lèvres.

***

Moins de dix minutes après le coup de fil affolé de la concierge au 911, deux patrouilleurs du SPCUM étaient arrivés sur les lieux. «Mort d'une overdose», avait dit un technicien d'Urgences-santé déjà sur place avec un collègue. La section des Homicides avait immédiatement été alertée.

Le sergent-détective Daniel Comtois et son coéquipier Pierre Dumont gravirent deux par deux les marches de la maison de chambres. Le lieutenant Gendron avait dépêché un détective chevronné, Daniel Comtois, un policier d'une quarantaine d'années, et Pierre Dumont, un enquêteur novice. À vingt-six ans, Dumont était l'un des plus jeunes enquêteurs du SPCUM.

Une demi-douzaine de locataires, pour la plupart des Amérindiens, se pressaient devant la porte entrebâillée d'une chambre et murmuraient dans leur langue. À l'arrivée des détectives, ils se déplacèrent pour les laisser passer.

Comtois poussa la porte. L'un des patrouilleurs était en communication avec la centrale de police. L'autre accompagna les deux enquêteurs jusqu'au cadavre. Le corps était affalé sur le lit, une seringue plantée dans le bras gauche, le garrot bien serré. Près du lavabo, un réchaud et une cuiller attirèrent le regard de Dumont. Comtois hocha la tête d'un air convenu.

– Surdose! C'est clair, lâcha-t-il, avant de parcourir la pièce des yeux. Il se tourna vers Dumont. Rappelle l'équipe des scènes de crime. Elle devrait déjà être ici. Qu'est-ce qu'ils font?

Sur son cellulaire, Dumont composa le numéro en regardant l'homme qui gisait les yeux grands ouverts. Le visage semblait détendu, mais dégageait une curieuse impression de surprise. C'était sa première enquête impliquant une mort par surconsommation de stupéfiants. Le détective se demanda s'il était normal de mourir d'une overdose les yeux grands ouverts.

– Qui a découvert le corps ? demanda Dumont à l'une des agentes de police.

– C'est la concierge. Elle est chez elle.

Tandis que Comtois interrogeait les patrouilleurs qui avaient été les premiers sur les lieux, Dumont descendit au rez-de-chaussée. Une sexagénaire échevelée l'attendait sur le pas de sa porte.

– C'est vous qui avez trouvé le corps ?

Elle lui fit signe d'entrer.

– Ouais, c'est moi. On est le 18 et y avait pas encore payé son loyer. Hier, y m'avait dit de passer vers trois heures, qu'il aurait mon *cash*…

– On est jeudi, jour de la paye pour tout l'monde ! lança Dumont. C'est le bon jour pour collecter vos locataires, sinon l'argent disparaît rapidement.

La vieille pensa que le jeune policier n'était vraiment pas au fait des habitudes de vie de ses locataires.

– C'est plutôt le lendemain des chèques de BS qui compte. J'passe après les cigarettes, l'alcool, la loterie et la drogue. La paye ! Y en pas beaucoup qui travaillent. Bill travaillait pas. Y disait qu'y en avait plus pour longtemps à manquer d'argent. Le Grand Chef allait être riche, ricana la vieille. Maudite niaiserie !

La logeuse asséna un coup de poing dans un coussin crasseux qui reposait sur une causeuse défoncée dans laquelle elle se laissa tomber du haut de ses cent dix kilos.

– Riche ? Avez-vous une idée de ce qu'il voulait dire ? releva Dumont, réticent à se tirer une chaise dans ce taudis.

– Pas d'idée ! Y racontent n'importe quoi quand y peuvent pas payer leur loyer. Pis là, c'est qui qui va payer pour les deux semaines passées ? se lamenta la femme.

– OK, on va reprendre ça du début. Vous allez pour collecter votre dû… Vous frappez à la porte ou elle est ouverte ? interrogea Dumont.

– Ben voyons, j'rentre pas chez le monde sans frapper. Pour qui qu'vous m'prenez ? Non, j'ai cogné. Mais j'savais qu'y était là, j'l'ai vu rentrer vers onze heures. Comme y répondait pas, j'ai tourné la poignée. La porte s'est ouverte, pis j'l'ai vu… là, pareil comme qu'il est encore ! J'ai pas touché à rien.

– Il vivait ici depuis quand ? C'est un Autochtone. Il venait d'où ? De la famille ou des amis à Montréal ? Dumont sortit son carnet, prêt à griffonner quelques notes.

– Tout c'que je sais, c'est que c'est le Centre d'amitié autochtone qui l'a envoyé icitte y a un mois. La plupart des chambreurs sont des Indiens, y viennent parfois pour chercher du travail en ville, parfois pour autre chose, y me l'disent pas. J'sais pas d'où y vient celui-là, tout c'que je sais, c'est son nom, Bill Napesh. Le seul à qui il parlait icitte, c'est à un autre Indien de sa réserve. Il avait pas beaucoup de visites. Un autre Indien une fois, pis à matin, un homme que j'avais jamais vu.

Dumont releva la tête brusquement.

– Vous pouviez pas le dire plus tôt ? Décrivez-le-moi. Un Amérindien ou un Blanc ? Il parlait anglais ou français ? La taille, le poids, l'âge ?

– Wo les moteurs ! D'abord c'était pas un Indien, c'était un Blanc. Y m'a pas vue, mais moé j'l'ai vu. Je regardais dehors à travers le store vénitien quand j'ai vu le gars arriver à pied. Y a regardé autour de lui, pis y a entré. J'me suis dit que c'était pas le genre qu'on voit souvent dans le coin. Y était plutôt grand. Beau bonhomme, une gueule d'étranger. J'me suis demandé qu'est-ce qu'y pouvait bien venir faire ici. C'est peut-être de la police. Je m'attendais à ce qu'il sonne ici pour me parler à moi, la concierge. Mais non, j'l'ai entendu monter dans l'escalier. J'ai entrouvert la porte et j'ai vu qu'y cognait à la chambre de Napesh. Pis mon téléphone a sonné. C'était ma sœur…

– Il est resté longtemps dans la chambre? demanda Dumont.

– J'sais pas. J'ai été au téléphone une demi-heure… Pis ça m'a parti de l'idée. C'est juste maintenant que je m'en sus rappelé.

– Vous rappelez-vous des traits distinctifs? Son âge?

– J'ai pas d'idée d'son âge. Tout c'que je me rappelle, c'est qu'y avait l'air d'un étranger. Y était assez grand, des cheveux ben blonds. Y avait aussi des pommettes saillantes. À part ça, y avait l'air… euh… ordinaire.

– Qu'est-ce que ça a l'air, un étranger ordinaire? renchérit Dumont.

– Ça a l'air du monde que j'vois quand j'écoute les postes américains à la télévision. Tu vois c'que je veux dire, non?

– On va peut-être vous envoyer un artiste pour qu'il dessine le portrait du type à partir de vos souvenirs, lui dit Dumont, même s'il était convaincu qu'il n'y avait rien à tirer d'elle.

– J'te l'dis, j'me rappelle de rien d'autre. J'ai pas une bonne mémoire.

En sortant de l'appartement de la logeuse, Dumont croisa l'équipe médico-légale et le lieutenant Gendron qu'il accompagna à la chambre de l'Indien. L'interrogatoire des autres locataires de la maison de chambres ne donna aucun résultat. Les deux détectives se retrouvèrent dans la chambre de Napesh alors que les techniciens en scènes de crime s'affairaient autour du cadavre.

– Allez donc faire un tour boulevard Saint-Laurent, au Centre d'amitié autochtone, leur suggéra Gendron. S'il y a du nouveau, je vous appelle. J'vais reparler à la vieille avant de rentrer au bureau. On ne sait jamais.

– Elle m'a parlé d'un Blanc qui selon elle pourrait être un étranger aux pommettes saillantes... qui a visité l'Indien peu avant sa mort.

– Peut-être son dealer! suggéra Gendron. Je vais essayer de la faire parler là-dessus.

L'immeuble de couleur sable se dressait au coin nord-est d'Ontario et Saint-Laurent. Ses grandes fenêtres en ogive, sa lourde porte de métal en faisaient un édifice imposant. De nombreux piétons, beaucoup d'Asiatiques dans cette artère à deux pas du quartier chinois, encombraient le trottoir et contournaient, sans leur prêter la moindre attention, deux ou trois Autochtones qui fumaient devant l'entrée. Dumont et Comtois s'approchèrent. Les deux policiers en civil saluèrent les Amérindiens sans précipitation, une façon de leur faire comprendre qu'il ne se passait rien d'alarmant. L'un des fumeurs jeta son mégot, les pria d'entrer dans le centre et les dirigea vers les bureaux administratifs.

Paul Mukash, l'un des administrateurs, les fit pénétrer dans son bureau.

– Vous venez pour Napesh? s'enquit-il aussitôt. Je viens d'apprendre la nouvelle.

Comtois en resta bouche bée, Dumont fronça les sourcils.

– Plusieurs des gars qui fréquentent le centre habitent la même maison de chambres, c'est Tom Wapachee qui nous a prévenus. Il vous a vus arriver sur les lieux.

– Qu'est-ce que vous pouvez nous dire sur ce Napesh ?

– Pas grand-chose. Il vient de Mistissini…

À l'air inquisiteur de Dumont, il comprit que le policier ne savait pas du tout où cela se trouvait.

– C'est sur le lac Mistassini, à cent kilomètres au nord de Chibougamau, expliqua-t-il. Il y a quelques années, ça s'appelait Baie-du-Poste.

– Tout un voyage ! Qu'est-ce qu'il est venu faire ici ? interrogea Dumont.

– J'sais pas trop. Il a une sœur à Montréal. Elle pouvait pas le loger. Il nous a pas dit grand-chose. Wapachee, viens une minute ! s'exclama brusquement Mukash en apercevant une silhouette qui se faufilait dans le corridor.

L'interpellé poussa la porte et entra dans le bureau. Le visage fermé, il ne semblait ni impressionné par la présence des policiers ni avoir trop envie de leur parler.

– Wapachee, t'as jasé une couple de fois avec Napesh… Vous êtes du même village, pourquoi il est venu à Montréal ? Il te l'a dit ? questionna Mukash.

– Comme tout l'monde, pour voir du pays, connaître la grande ville, rétorqua Wapachee en tentant de tourner les talons.

– Attention, dis pas n'importe quoi, lança Comtois. Toi et moi on sait qu'il est pas venu de Mistissini pour faire du tourisme. Qu'est-ce qu'il trafiquait ? Des drogues ?

– Napesh prenait pas de drogues. J'vous connais vous autres, vous allez raconter n'importe quoi sur lui, juste parce que c'était un Indien.

– On l'a retrouvé avec une seringue dans le bras, s'interposa Dumont. Tu le sais. Prends-nous pas pour des imbéciles.

– Ça s'peut pas. J'vous dis qu'il a jamais touché à ça. Puis, se ravisant : il fumait un joint de temps en temps comme tout le monde. Si vous voulez vraiment faire votre job, cherchez donc celui qui l'a tué.

– T'en dis trop ou pas assez, Tom! intervint Mukash. Dis-leur ce que tu sais.

Wapachee se retourna, examina le couloir pour être sûr qu'aucune oreille indiscrète ne traînait dans les parages. Il repoussa même la porte du bureau derrière lui.

– Bon ben, y a deux jours, Napesh m'a emprunté trente piastres pour pouvoir manger, fumer et se déplacer en ville. Il en voulait cinquante, mais moi je pouvais pas lui en prêter autant. Y m'a dit qu'y allait m'les remettre bientôt avec intérêts parce qu'y allait faire beaucoup d'argent. Y savait des choses qui valaient de l'or. Y pas voulu me dire c'que c'était, mais c'était grave. Y disait qu'y allait faire la passe…

– Il a dit combien ça valait, les informations qu'il avait? demanda Dumont.

– D'la façon qu'y parlait, y s'attendait à plusieurs milliers de piastres.

– La logeuse a parlé d'un homme qui serait passé le voir ce matin, l'as-tu vu aussi?

– Non, j'l'ai pas vu…

Les deux policiers laissèrent Wapachee partir avant de poursuivre la conversation avec le responsable du centre.

– As-tu l'adresse de la sœur de Napesh? demanda Dumont à Mukash.

– Ouais, je l'ai. J'aime pas savoir les gars tout seuls en ville. On veut pouvoir contacter la famille. Elle s'appelle Bella, elle vit dans Parc-Extension, rue Saint-Roch.

Mukash griffonna l'adresse en question sur son bloc-notes, puis arracha la feuille qu'il tendit à Comtois.

De retour dans leur Mazda 626 blanche banalisée, stationnée rue Ontario, Dumont et Comtois échangèrent leurs impressions.

– J'ai hâte de voir le rapport du médecin légiste, soupira Dumont. À première vue, on dirait vraiment une overdose, mais j'ai une drôle d'impression.

– Vas-y, élabore.

– D'abord Wapachee dit que Napesh ne touchait jamais à la drogue, sinon du pot de temps à autre. Et j'ai tendance à le croire. C'est un maudit grand pas de faire un *hit* d'héro.

– On a quand même trouvé un réchaud, des traces d'héroïne dans la cuiller et ce qu'il a dans le bras, répliqua Comtois.

– Mais ça ne semble pas être un accro. À première vue du moins. J'ai vérifié, il n'y avait pas d'autres traces de piqûre sur ses bras, insista Dumont.

– Il se piquait peut-être ailleurs ? On va voir le rapport d'autopsie.

– Et la chambre, c'était quand même assez en ordre, pas de vêtements par terre ni de canettes de bière écrasées. T'as remarqué, y avait même des fleurs dans un vase. Napesh avait l'air d'être quelqu'un d'assez rangé. Je ne serais pas étonné qu'on ne trouve rien sur lui, en tout cas pas de casier judiciaire. Et finalement, cet étranger aux pommettes saillantes, peut-être anglais ou américain, qui est venu le voir ce matin ?

– À condition que la concierge ne se trompe pas. Si c'est un homicide, ce sera la première piste à suivre. La sœur de Napesh va peut-être pouvoir nous renseigner sur le type.

– Le gars était peut-être celui qui devait rendre Napesh riche ? L'Indien n'était pas à Montréal depuis longtemps et il n'avait pas beaucoup d'amis, d'après la vieille. Et puis comme ça, le jour de sa mort, un Anglais se pointe chez lui.

– Peut-être que l'Indien s'est fait embarquer dans une arnaque pour faire de l'argent rapidement, lança Comtois avant de se raviser. Pourtant, c'est lui qui affirme avoir quelque chose à vendre. Des informations intéressantes…

– … Des informations graves, a dit l'autre Indien, corrigea Dumont. Ça implique quelque chose de menaçant, de dangereux même, si on tient compte de leur vocabulaire limité.

– Pourquoi dangereux ? Menaçant pour qui ? Voulait-il faire chanter quelqu'un ? Sans être un consommateur de drogues, il a peut-être appris des choses sur les trafiquants qui sont très actifs dans les villages autochtones du Grand Nord. Les réseaux qui les alimentent s'approvisionnent chez les motards ou la mafia à Montréal.

– Ça expliquerait le type qui avait l'air d'un étranger, réfléchit Comtois. Y en a un certain nombre chez les Hell's et les autres groupes de motards. En tous cas, y a pas beaucoup de blonds aux pommettes saillantes chez les Siciliens ou les Calabrais.

Dumont ignora la blague.

– Ça serait bien la première fois que les motards ou que la mafia se donnent la peine de camoufler un règlement de comptes en suicide ou en mort accidentelle, lança Dumont. Ils voudraient que ça se sache, que quelqu'un qui a voulu les faire chanter finisse raide mort.

La centrale les avisa par radio que Gendron voulait qu'ils rentrent à la Place Versailles pour faire le point sur l'enquête.

– Peut-être que Napesh allait simplement acheter de la drogue au type qui est venu la lui vendre et qu'il a voulu tester la marchandise, suggéra Comtois en tournant au coin de Saint-Laurent, sur la rue Sherbrooke Est, en direction des bureaux du SPCUM de la Place Versailles. Faut un début à tout, il avait peut-être décidé de ne plus être un bon gars. Il aurait pu inventer toute cette histoire d'informations graves pour cacher le fait qu'il venait acheter de la drogue.

– C'est possible. Mais il aurait pu trouver mieux comme histoire de couverture. Non, pour moi, cette histoire de drogues ne tient pas debout, conclut Dumont.

* * *

Le rapport d'autopsie de Bill Napesh atterrit sur le bureau du lieutenant Gendron trois jours plus tard. Les conclusions étaient claires et nettes, ne laissant place à aucune interprétation. La mort était due à une surdose d'héroïne. Comme aucune trace de violence ou aucun autre indice contraire n'avaient été découverts, le médecin légiste concluait au suicide ou à la mort accidentelle par surdose auto-administrée d'héroïne. Le lieutenant convoqua ses deux enquêteurs qui avaient aussi reçu copie du rapport.

– Rien d'anormal, les gars ! lança Gendron dès que Dumont eut refermé la porte du bureau derrière lui.

– Pas de doute. Overdose, lança Comtois.

– Mais il y a des choses qui nous chicotent dans cette affaire, avança Dumont.

– Assez pour poursuivre l'enquête ? demanda Gendron. Un Indien qui crève d'une overdose, c'est pas la mort de Kennedy. C'est plutôt une affaire de routine. Regardez le rapport du docteur Simard, aucune trace de violence ou d'intervention d'une autre personne. Généralement, quand ils se tuent entre eux, c'est à coups de couteau ou de bouteille de bière.

– Donnez-nous encore quelques jours, plaida Dumont. Si on trouve rien d'ici lundi, on ferme le dossier, ou on le classe parmi les inactifs, au cas où…

Un air de lassitude agacée se dessina sur le visage de Gendron.

– On a d'autres chats à fouetter. J'ai besoin de vous justement pour le meurtre d'un motard, cette nuit, devant un bar, dans Hochelaga-Maisonneuve. Là, c'est vraiment un meurtre. Une rafale tirée à partir d'un Grand Cherokee volé. Deux passants blessés. Comme d'habitude, le véhicule a été retrouvé incendié ce matin, dans un terrain vague.

Gendron constata que Dumont ne disait plus un mot. Il crut que c'était parce qu'il approuvait sa décision ou ne voulait pas contredire Comtois.

– Alors Dumont, tu sembles perdu dans tes pensées. Tu penses que ça vaut la peine de consacrer du temps à la mort de l'Indien?

Dumont feuilletait le rapport d'autopsie. Il ne parvenait pas à exprimer complètement sa pensée. Ses idées se bousculaient.

– En fait, le rapport d'autopsie dit qu'il est mort des suites d'une forte dose d'héroïne. Il y a quelque chose, un détail. On a sûrement vu quelque chose qui me reste coincé ici à travers le cerveau. Je n'arrive pas à me rappeler. Ce n'était pas un drogué. Même s'il a voulu tester de la marchandise, il y a d'autres moyens que d'en prendre une telle dose. Il n'y avait aucune autre trace de piqûre sur le corps. Le rapport d'autopsie dit même que ses parois nasales sont intactes, il n'a même jamais sniffé de la coke. Un fumeur de mari, un point, c'est tout.

– OK, Napesh n'était pas un drogué, mais il voulait peut-être en acheter pour un gang d'Autochtones, concéda Gendron. Donc, on lui en propose. Il ne sait pas comment s'y prendre, ne connaît pas les doses et bingo, il s'en met beaucoup trop et il en crève... Ça arrive tout le temps!

– Oui, mais elle est où, la marchandise? demanda brusquement Dumont.

– Il s'est fait avoir dans une arnaque, affirma Gendron. Des *burns*, il s'en passe tous les jours à Montréal.

– Si c'est un *burn*, intervint encore Dumont, alors il est probable que ce soit un homicide. Peut-être même involontaire. Le fournisseur convainc Napesh d'essayer le produit. L'Indien accepte, même si c'est la première fois. Il lui administre la surdose. Peut-être qu'il veut simplement l'assommer pour s'emparer de son argent, qu'il évalue mal la dose et que Napesh en crève !

Le téléphone sonna sur le bureau de Gendron. Le lieutenant répondit en fixant Dumont d'un regard chargé. À son air, le jeune policier comprit qu'il ferait mieux de fermer le dossier d'autopsie et de se consacrer à la nouvelle enquête qu'on venait de lui confier.

Après deux ou trois acquiescements, entre deux coups d'œil furieux à Dumont, Gendron raccrocha.

– Bon, les gars, direction Hochelaga-Maisonneuve ! Le dossier Napesh est fermé. Ou, si ça vous fait plaisir, se ravisa Gendron, classez-le comme inactif, en prenant soin d'y ajouter vos commentaires.

Le lieutenant referma le rapport d'autopsie et le lança sur le coin de son bureau. Il montra la porte aux deux détectives. « On ne va pas passer des semaines sur la surdose d'un Indien idiot venu faire un *deal* de drogue à Montréal, quand même ! »

* * *

Mardi 23 septembre 1997
Bella Napesh était figée sur le pas de la porte de son appartement, un sac d'épicerie pendu à chaque bras, le trousseau de clés entre le pouce et l'index. Elle n'avait pas eu à s'en servir pour ouvrir, sa porte était entrouverte.

Elle jeta un coup d'œil à droite et à gauche, ses voisins immédiats se gardaient bien d'apparaître dans le couloir. On se mêlait de ses affaires, dans l'immeuble, surtout lorsqu'on était immigrant, et la plupart des locataires l'étaient. Des Pakistanais, des Grecs, quelques Algériens nouvellement arrivés, quatre ou cinq familles d'Haïtiens établies de longue date se côtoyaient dans la plus pure indifférence. Mais où donc était Bob, son compagnon de vie ? Encore en train de prendre un verre avec des copains ! Comme elle aurait voulu qu'il soit là ! Les hommes, pensa-t-elle, ne sont jamais là lorsqu'on a vraiment besoin d'eux.

Bella osa jeter un œil sur le fouillis indescriptible qui régnait dans le petit trois et demi qu'elle occupait depuis deux ans dans cet immeuble de la rue Saint-Roch, dans le quartier Parc-Extension. La fenêtre donnant sur la ruelle et l'escalier de secours avait été forcée et était grande ouverte. Elle craignit un instant que le cambrioleur fût encore sur place. Mais le fait que la porte de l'appartement fût entrouverte la rassura. Il avait sans doute fui par l'escalier. L'Amérindienne d'environ quarante-cinq ans restait cependant sur ses gardes. Elle déposa lentement ses sacs d'épicerie près de l'entrée et tendit l'oreille quelques secondes. Rien ne bougeait dans son logis. Elle avança un pied, le posa malencontreusement sur un miroir fendu qui craqua sous son poids et se figea une fois de plus. Mais son arrivée n'avait, semble-t-il, dérangé personne ; le cambrioleur était déjà loin.

Rapidement, Bella évalua les dégâts du regard. Tout avait été retourné. Son pauvre vieux divan était éventré, ses cadres, ses miroirs gisaient en miettes sur le prélart élimé. Les tiroirs de sa commode avaient été vidés sur le plancher, ses vêtements, ses papiers personnels, ses souvenirs se mélangeaient, froissés, brisés, déchirés. Des larmes apparurent dans ses yeux noirs, elle ne comprenait pas. Il n'y avait rien à voler chez elle. Même sa grosse télévision était encore là, mais pas son poste de radio portatif ! Elle haussa les épaules… Voler un objet de si peu de prix, c'était dérisoire. Probablement le travail d'un des gangs de rue du quartier. Puis elle s'aperçut que le placard où elle avait entreposé les affaires de son défunt frère était grand ouvert. Des affaires que la police lui avait permis de récupérer la veille. Elle ouvrit la porte-persienne. Le sac de sport qui contenait les vêtements de Bill Napesh et certains de ses papiers d'identité s'étaient volatilisés, tout comme le blouson de cuir qu'elle s'était acheté l'année précédente. Bella composa le 911. Il était vingt heures.

Une dizaine de cambriolages semblables étaient signalés à la police chaque semaine dans le quartier. C'était sans compter ceux que les victimes ne se donnaient même plus la peine de faire connaître à la police. Le SPCUM ne consacrait que peu de ressources à enquêter sur ces petites affaires. Le plus souvent, les victimes étaient invitées à faire une déposition au poste de quartier.

Bella avait de la chance. Plus de deux heures après le signalement de l'entrée par effraction, deux patrouilleurs se présentèrent chez elle. Elle avait fini de remettre de l'ordre dans son logement. Le concierge avait même eu le temps de réparer le carreau brisé de la fenêtre. L'un des patrouilleurs lui expliqua que tout ce que la police pouvait faire était de lui donner un numéro d'incident qui confirmerait le cambriolage pour sa compagnie d'assurances. Bella n'avait pas d'assurances.

Lorsqu'elle mentionna que la police enquêtait sur la mort de son frère Bill, décédé récemment d'une surdose dans des conditions qu'elle jugeait étranges, les policiers estimèrent qu'il serait peut-être utile que les enquêteurs chargés du dossier soient mis au courant. Ils transmirent le renseignement à leur supérieur, qui en fit une note pour l'officier de quart du matin. Ce n'est finalement que peu avant midi, le lendemain, que l'officier du poste 33 contacta les Homicides. On lui passa Pierre Dumont. Dès que le nom de Bella Napesh fut prononcé, Dumont s'en voulut d'avoir laissé classer l'enquête sans avoir insisté pour rencontrer au moins la sœur de l'Indien.

Le dossier n'était pas fermé officiellement. C'était peut-être l'occasion de le réactiver. Dumont décida de prolonger son heure de lunch pour se rendre chez Bella Napesh. Il consulta sa montre. Il avait deux heures. Maximum. Il sauta dans son véhicule et fila vers Parc-Extension.

Bella Napesh était en train de reprocher à son compagnon sa virée de la veille pendant qu'elle avait dû se débrouiller seule avec un cambriolage quand Dumont sonna à la porte. Il se présenta comme le policier ayant enquêté sur la mort de son frère Bill. Bella le laissa entrer. Bob trouva que l'occasion était idéale pour s'esquiver. Une fois qu'il eut quitté le logement, Bella conduisit Dumont à la cuisine et lui fit signe de s'asseoir à la petite table bistro coincée entre le frigo et la porte arrière.

– Comme je l'ai dit aux policiers, hier soir, expliqua Bella, je suis allée chercher les affaires de Bill il y a deux jours. Il n'avait pas grand-chose, des vêtements, ses papiers, les clés de son camion et de son préfabriqué, à Mistissini.

– C'est peu, effectivement! confirma Dumont. Qu'est-ce qu'il venait faire à Montréal?

Bella se mordit la lèvre supérieure, Dumont le remarqua aussitôt. Elle jonglait avec la vérité. Elle avait envie de tout raconter, mais en même temps, elle avait peur. Dumont afficha son plus beau sourire, ses grands yeux se firent plus doux. Comme d'habitude avec les femmes qui croisaient sa route, il essayait de jouer de son charme, ce qui fonctionnait, le plus souvent. Puis il comprit qu'il n'avait pas besoin de recourir à un tel atout, car Bella Napesh désirait se confier.

– Vous comprenez, c'était mon frère jumeau, sanglota-t-elle. Nous étions très proches, bien plus qu'avec le reste de la famille. Elle renifla, puis les vannes s'ouvrirent. Elle raconta toute l'histoire.

– Voilà! Mon frère est arrivé ici au début du mois en disant qu'il avait des informations qui allaient lui rapporter beaucoup d'argent. Il disait aussi qu'il était suivi, qu'il avait peur de mourir... Un sanglot lui coupa la parole. Dumont lui fit couler un verre d'eau fraîche au robinet de la cuisine.

– Il est venu pour voir le premier ministre du Québec ou des gens qui travaillent pour lui. Je lui ai dit : «Es-tu malade? Qu'est-ce qu'un Indien comme toi peut savoir de ce qui intéresse le premier ministre du Québec?» Il disait qu'il avait des affaires d'ordinateur qu'il appelait des disques durs, je pense qu'il voulait les remettre au premier ministre... et à personne d'autre. Il avait pas confiance ni dans la SQ ni dans la GRC, qu'il m'avait dit.

– Excusez-moi, mais ça me paraît relever de la paranoïa. Est-ce que votre frère avait souvent des lubies ou... Dumont hésita... des problèmes mentaux?

– Mon frère n'était pas un alcoolique. C'était pas non plus un malade mental. C'était un gars avec une tête sur les épaules. Il était électricien de son métier.

– Je suis désolé, continuez votre histoire. C'était quoi au juste ces secrets qu'il voulait raconter au premier ministre?

– Y a jamais voulu me l'dire. Pour mon propre bien, qu'y disait. D'après lui, c'était tellement gros que le gouvernement serait obligé de le protéger, de lui fournir une autre identité, et même de lui donner de l'argent, beaucoup d'argent. Bill disait qu'on pourrait même s'acheter une très belle maison et vivre comme des rois. Je n'aurais plus besoin de travailler. On pourrait même aller vivre dans le Sud avec une nouvelle identité.

– Il regardait beaucoup la télévision, votre frère...

– Bon, il rêvait un peu en couleurs, Bill, mais rêver, ça n'a jamais fait de mal à personne...

Un autre sanglot interrompit Bella Napesh, elle venait de comprendre la portée de sa réflexion. Les rêves de Bill l'avaient probablement tué.

– Qu'est-ce que je vais faire maintenant ?

– Les affaires d'ordinateur dont parlait votre frère, vous savez ce qu'elles sont devenues ?

– Non. Vous savez, il était vraiment effrayé. Je connaissais bien mon frère. Il n'avait jamais eu peur comme ça de toute sa vie. Je sais pas où elles sont, ces affaires d'ordinateur. Il les a peut-être laissées à Mistissini ou chez quelqu'un d'autre, ou au terminus Voyageur, ou dans un coffre dans une banque. Je sais pas.

– Vous permettez que je jette un coup d'œil dans votre appartement ? Ce cambriolage me semble quand même assez étrange. On a pris les affaires de votre frère, votre radio et votre blouson, c'est quand même mince…

– J'ai pas grand-chose à voler. J'ai jamais d'argent ici, tout ce que je possède est dans mon porte-monnaie. Mais regardez si ça vous chante.

Dumont fit le tour de l'appartement. À première vue, il est vrai qu'il n'y avait pas grand-chose à voler.

– Et les voisins, ils ne savent rien, ils n'ont rien entendu ? demanda brusquement Dumont.

Bella éclata de rire.

– Les voisins ? On ne s'est jamais adressé la parole depuis deux ans que je vis ici. Vous pouvez toujours essayer de leur parler. À droite, c'est des Pakistanais ; l'autre porte plus loin, une famille d'Haïtiens ; après, des Haïtiens encore, puis une jeune Russe. Je pense qu'elle fait la vie.

– Oui, je comprends. Ils ont tous des petits quelque chose à se reprocher. Travailleurs au noir, petits trafiquants, immigrants illégaux, prostituées… On voit rien, on dit rien, on entend rien. Comme les trois singes !

Bella le dévisagea. Elle avait vu, au Dollarama, pas plus tard que la veille, des statuettes en plastique des trois petits singes qu'elle avait bien failli acheter.

– Pour être franc, madame Napesh, toute cette histoire me paraît farfelue. Comment un Indien venant d'un petit village sur les rives du lac Mistassini peut-il être en possession d'informations tellement importantes et tellement délicates qu'il ne veut les transmettre qu'au premier ministre du Québec? Ça n'a pas de sens. Ça relève de la paranoïa. Attention de ne pas vous faire vous-même d'idée fixe avec ça! C'est facile de se monter des bateaux à soi-même, surtout avec ce que vous venez de vivre. Je ne pense pas que votre cambriolage soit lié à la mort de votre frère. C'est probablement une simple coïncidence. C'est pas comme si ça n'arrivait pas souvent dans Parc-Extension.

Il prit congé de la femme et rentra au bureau, non sans avoir pris le temps de s'arrêter pour manger sur le pouce. En feuilletant le *Journal de Montréal*, tout en avalant un «végé-fromage», il se mit de nouveau à réfléchir à tout ce que venait de lui dire Bella Napesh. «Et si c'était vrai?» Bien qu'il voulût écarter cette pensée en se concentrant sur sa lecture, la phrase lui revenait constamment à l'esprit. Insidieusement, le doute s'était installé en lui.

* * *

Lundi 13 octobre 1997

– Sergent-détective Dumont? s'enquit la voix. Pierre Dumont?

– C'est moi, confirma l'intéressé.

– Mon nom est Tom Wapachee…

Il fallut quelques secondes de réflexion à Dumont pour reconnaître son interlocuteur.

– Ah oui, vous êtes l'ami de Bill Napesh! On vous a croisé au Centre d'amitié autochtone. Qu'est-ce que je peux faire pour vous?

– Vous comprenez, Bill était mon seul ami. En tout cas, je suis sûr qu'il s'est pas drogué à mort tout seul, c'est quelqu'un qui lui a fait la passe. Je pense avoir quelque chose qui peut vous être utile. Y a un gars qui fréquente quelquefois le Centre d'amitié autochtone, Robert Sheshamush, il vient de Waswanipi, c'est un itinérant. Ça doit bien faire trois ou quatre ans qu'il est en ville. Il y a deux semaines, il s'est vanté d'avoir volé les affaires de Bella et Bill. Il était complètement gelé, comme d'habitude. Avec lui, c'est plutôt le contraire qui serait pas normal.

– Ça restera entre nous, monsieur Wapachee, continuez, l'encouragea Dumont tout en mettant en route le magnétophone branché sur son poste téléphonique.

– OK. Ben, comme je disais, Sheshamush, c'est un junkie pis un itinérant, mais il vient parfois au centre pour rencontrer la direction. Mukash et les autres, ils gardent un œil sur nous, et si on a besoin d'aide, ils nous filent un coup de main. Bon, donc, Sheshamush il est arrivé avec un blouson de cuir que j'ai reconnu, c'était celui de Bella. Un blouson de femme, ben trop petit pour lui! Je l'ai tassé dans un coin, pis j'y ai fait un peu peur au Sheshamush. Il m'a dit qu'il avait été volé les affaires de Bill parce qu'il en avait plus besoin maintenant. Pis comme Bill était mort d'une overdose, il espérait aussi trouver peut-être un peu de drogue. Il a tout retourné. Il a rien trouvé. En fait, sur le trousseau de clés de Napesh, il a reconnu une clé de consigne du terminus d'autobus Voyageur. Il en a une pareille. C'est là que lui aussi il entrepose ses affaires de temps en temps. En fait, on en a presque tous une.

Dumont secoua la tête en soupirant de dépit. Décidément, cette enquête avait été bâclée. Personne n'avait même pensé à vérifier le trousseau de clés du défunt. On avait été tellement pressé de conclure à la surdose de drogue... Il rageait.

Tom Wapachee perçut un certain flottement au bout de la ligne.

– Vous êtes toujours là, détective ?

– Oui... poursuivez.

– OK, je continue. Pensant qu'il allait trouver de la drogue, Sheshamush est allé fouiller le casier et il m'a dit qu'il y avait trouvé des tas de papiers en anglais, pis des patentes électroniques comme des petites boîtes en métal. Y sait pas lire beaucoup, mais y a pensé que ça avait peut-être de la valeur.

Dumont retenait son souffle. Il espérait que Tom Wapachee ait mis la main sur le contenu du casier.

– Continuez, je vous écoute, l'encouragea Dumont tout en s'assurant que son magnétophone fonctionnait bien.

Wapachee poursuivit son récit pendant une dizaine de minutes, l'entrecoupant de remarques personnelles et de détails qui n'avaient rien à voir avec la découverte de la clé, mais qui relataient des souvenirs heureux, et moins heureux, de son existence à Mistissini.

Dès que Wapachee eut raccroché, Dumont interpella Comtois qui s'affairait à terminer un rapport sur une autre affaire dont les deux policiers s'étaient chargés au cours des derniers jours.

– Je pense qu'on a du nouveau dans l'affaire de la supposée surdose de l'Indien du mois dernier. Faut qu'on parle à Gendron, on doit reprendre l'enquête.

– T'es mieux d'avoir de quoi de bon en sacrament pour qu'il décide de réactiver le dossier.

– C'est de la dynamite. Attends que je te fasse écouter la cassette du coup de téléphone que je viens d'avoir. Tu vas comprendre.

– Crisse ! s'exclama le policier lorsque Dumont arrêta le magnétophone. Donc, le dénommé Sheshamush est porté disparu maintenant depuis une semaine... et le contenu du casier avec lui. Des documents en anglais et des gadgets électroniques. Faut qu'on vérifie au fichier des personnes disparues pour voir s'il a pas refait surface. Les itinérants, ça va et ça vient, hein ? Sinon, il faut lancer un avis de recherche. Diffuser son signalement. Espérer que des patrouilleurs tombent dessus un jour ou l'autre.

– Faut absolument que Gendron nous autorise à aller à Mistissini. C'est là que tout a commencé, c'est de là qu'il faut reprendre l'enquête, conclut Dumont.

* * *

Robert Sheshamush n'était pas caché très loin. Depuis une semaine, il s'était trouvé un nouveau logis ; le squat qui l'abritait depuis près de trois ans dans le Vieux-Montréal venait de succomber sous les pics des démolisseurs pour faire place à des condominiums de luxe. Quelques punks avaient consenti à lui faire une place pour l'hiver au nouveau squat Préfontaine, qui venait d'être pris d'assaut par une douzaine de jeunes en fugue.

Sheshamush avait même fait un bon coup, selon lui. Il avait échangé, à l'Armée du Salut, le blouson de cuir de Bella, qui le serrait par trop aux entournures, contre un bon et chaud manteau d'hiver. Quant aux disques durs trouvés dans le sac, par deux fois il avait essayé de les fourguer à un prêteur sur gages, sans succès. Voyant qu'il n'y avait rien à en tirer, il les avait tout simplement jetés dans le premier conteneur à déchets, derrière un restaurant chinois. Et voilà ce qu'il était advenu des rêves de Bill Napesh !

2

Vendredi 17 octobre 1997

La Dodge Caravan conduite par Dumont avançait au ralenti sur la route de gravier, vers Mistissini que les Blancs appelaient encore souvent Baie-du-Poste. Ce nom lui avait été donné à l'époque où il s'agissait d'un poste de traite de la Compagnie de la Baie d'Hudson.

Les sergents-détectives Comtois et Dumont étaient arrivés la veille par avion à Chibougamau, où ils avaient loué un véhicule pour faire les cent kilomètres restants par la route, à travers la forêt boréale. Ils comptaient ainsi atteindre le lac Mistassini sur les rives duquel se trouvait le petit village cri.

L'automne était déjà très frais dans la région située à huit cent cinquante kilomètres au nord-est de Montréal. Dumont immobilisa la Caravan devant le siège du conseil de bande, facilement reconnaissable aux trois drapeaux qui claquaient au vent devant le bâtiment : le fleurdelisé et l'unifolié encadraient la bannière crie. Les deux hommes se dirigèrent d'un pas pressé vers l'immeuble.

De Montréal, le lieutenant Gendron était entré en contact avec Donald Mianscum, le chef du conseil cri, et l'avait prévenu de la venue des deux détectives qui enquêtaient sur la mort de Bill Napesh.

Le chef demanda à Comtois de lui raconter de nouveau toute l'histoire de la découverte du corps de Napesh. De temps à autre, il hochait la tête d'un air entendu, sans pour autant prononcer une seule parole, attentif à la description des lieux et des événements. Finalement, le chef prit la parole à son tour pour leur dire que Napesh avait été un membre estimé de la communauté, un bon travailleur, compétent, et qui n'hésitait jamais à rendre service. Il avait étudié l'électricité à Québec et, après avoir travaillé à l'extérieur pendant des années, il avait décidé de mettre ses compétences au service de la nation crie.

– Napesh était un homme droit et discret, expliqua Mianscum. On l'avait même pressenti pour siéger au conseil, honneur qu'il avait décliné pour mieux se concentrer sur son métier d'électricien.

Le chef du conseil avait mené sa propre petite enquête après la mort de l'Indien.

– Bill était dans tous ses états. Il venait de perdre un contrat qu'il avait depuis plusieurs années avec une grosse compagnie américaine. Ça représentait une partie importante de ses revenus. Il était stressé, il avait recommencé à boire.

– Vous avez le nom de cette compagnie ? s'enquit Comtois.

– Attendez que je me souvienne. Universal Systems ou quelque chose comme ça ! Bill travaillait pour eux depuis des années. Il avait commencé avec eux autres au Lac-Saint-Jean, dans les années quatre-vingt. Quelques jours avant sa mort, ils sont apparemment venus chercher leur équipement qui se trouvait sur le terrain de Bill, qui était déjà à Montréal.

– Vous n'avez pas trouvé étrange qu'ils viennent chercher leur équipement alors que Napesh n'était pas sur place ? C'est pas un peu curieux ? demanda Dumont.

– Ben, je l'ai appris par hasard. Bill demeure à une vingtaine de kilomètres du village. C'est le chef des peacekeepers qui m'a dit que la semi-remorque qui se trouvait près de la maison mobile de Napesh n'était plus là. D'autres Cris ont croisé sur la route le tracteur routier avec la semi-remorque qui roulait en direction de Chibougamau.

– On aimerait visiter la maison de Napesh avec vous et un représentant des peacekeepers, ajouta Comtois.

– Pas de problème, je vais vous y conduire.

Après avoir avisé par téléphone le responsable des peacekeepers de le rejoindre sur place, le chef cri invita les deux policiers à le suivre.

En sortant du bureau du conseil, des grognements attirèrent l'attention de Dumont. À une centaine de mètres, deux chiens roux se disputaient un os à coups de crocs. Une vieille femme, de la porte de sa maison, leur jeta d'autres reliefs… Les animaux se jetèrent sur cette nouvelle pitance, ce qui mit fin à la bataille.

Les trois hommes montèrent dans la jeep Cherokee du chef cri. Chemin faisant, Mianscum klaxonna et envoya la main à quelques personnes qui lui répondirent de la même façon.

– À Mistissini, expliqua-t-il aux deux policiers, tout le monde se connaît et on est plus ou moins parents. Il y a à peu près deux mille huit cents personnes. Quatre cents maisons. On est l'une des plus importantes des neuf communautés cries du nord du Québec.

Au bout de Main Street, le véhicule s'engagea sur la route qui relie le village à la route 167, qu'il emprunta en direction nord. Après avoir roulé une vingtaine de minutes au milieu d'une forêt de conifères, la Cherokee prit un petit chemin qui aboutissait, au bout d'une centaine de mètres, dans une clairière où se trouvait une maison préfabriquée récente de bonnes dimensions. L'utilitaire sport du chef Mianscum s'immobilisa devant la maison qu'avait occupée Bill Napesh. Elle était bien entretenue. On notait qu'un certain soin avait été apporté à la peinture de l'escalier de bois qui menait à l'entrée.

– Quelqu'un est venu ici, depuis que l'entreprise pour laquelle travaillait Napesh a récupéré son équipement? s'enquit Comtois en se rendant compte de l'isolement de la maison.

Ses paroles s'envolèrent dans un petit nuage de condensation.

– Y avait-il des peacekeepers ou des représentants du conseil de bande lorsque la compagnie est venue chercher sa semi-remorque pour s'assurer qu'on ne prenne rien dans la maison? questionna Dumont.

– Je suis venu avec les peacekeepers, la semaine passée, après avoir reçu votre coup de téléphone, répondit Mianscum dans un français hésitant. Bill avait laissé sa clé chez son cousin Otis, qui nous l'a remise. Tout était OK. Il ouvrit la porte et laissa passer les policiers.

– Eh bien, quelqu'un est venu fouiller, et pas très subtilement! s'exclama Dumont en constatant que la maison avait été retournée de fond en comble.

Pour y voir plus clair, il appuya sur le commutateur, sans résultat.

– Les lignes d'Hydro ne se rendent pas jusqu'ici, Bill a une génératrice. Je vais la partir.

Mianscum ouvrit un placard, pressa un bouton et un moteur se mit en marche. Quelques secondes plus tard, la pièce s'éclaira.

Le chef autochtone était dépité par le spectacle de la pièce principale, où magazines, nourriture, vêtements, articles de chasse et de pêche formaient un indescriptible méli-mélo. Il hocha la tête de gauche à droite, ce qu'il voyait allait complètement à l'encontre des coutumes et des croyances qui avaient cours dans le village. Personne ne se serait permis de voler un mort.

– Quelqu'un est passé ici après moi et les peace-keepers. Nous, on n'a rien touché et jamais Otis n'aurait osé venir ici voler son cousin qui vient de mourir. C'est pas quelqu'un d'ici qui a fait ça, c'est du monde d'ailleurs, gronda-t-il brusquement.

– De qui parlez-vous ? demanda Dumont.

Dumont et Comtois échangèrent un regard, ils ne savaient pas du tout à quoi l'Indien voulait en venir.

– Des Blancs… Sont dans l'bois depuis une couple de semaines. On les voit pas, mais ils sont là. Il toucha l'arête de son nez, comme pour dire qu'il les sentait de loin. Y a deux semaines, mon gars a trouvé des traces dans son camp de pêche. Ses filets étaient arrachés, pis le poisson volé.

– Mais pourquoi des braconniers seraient-ils venus voler et vandaliser le domicile d'un Autochtone ? répliqua Dumont.

– Si on jetait un coup d'œil dans ce bordel ! proposa Comtois. On ne semble pas avoir volé grand-chose. Ni la télé ni la chaîne stéréo.

Après avoir enfilé leurs gants en latex, les deux policiers inspectèrent rapidement les lieux. On avait fouillé partout. Plus un seul tiroir de la commode du séjour n'était dans son logement ; leur contenu avait été vidé sur le sol. Les tiroirs avaient été retournés. On avait voulu s'assurer que rien – documents ou enveloppes – n'avait été collé ou dissimulé sur leurs fonds.

Dans le coin cuisine, les armoires aussi avaient été vidées de leur contenu, qui gisait brisé au sol. Chaque pot, chaque jarre avait été retourné sur le prélart. Le lit ne présentait pas un meilleur aspect, literie arrachée, matelas éventré. Les vêtements avaient été fouillés ; certaines poches de pantalons et de vestes étaient à l'envers.

– S'ils ont pas trouvé ce qu'ils cherchaient, soupira Dumont, c'est que Napesh ne l'avait pas ici.

– Tiens, on a de la visite ! remarqua Comtois en apercevant par la fenêtre un véhicule utilitaire sport aux couleurs de la Mistissini First Nation Police, qui venait de s'immobiliser devant la maison mobile.

– C'est mon neveu Harvey, fit Mianscum. C'est le chef des peacekeepers.

Contrairement à son oncle, le chef de la police autochtone parlait parfaitement le français et semblait même bien choisir ses mots pour s'exprimer, sans hésitation et avec précision. Il avait été formé à l'Institut de police de Nicolet. C'était un solide gaillard d'une quarantaine d'années, aux yeux noirs et perçants, qui imposait le respect tout autant par son uniforme, impeccablement repassé, que par sa stature et sa présence. Dumont songea que l'Amérindien était quelqu'un de compétent qui ne s'en laissait pas imposer. On pourrait compter sur lui.

Le peacekeeper constata à son tour l'état des lieux. Il sortit un carnet de la poche de sa veste d'uniforme et prit quelques notes.

– Je vais aller jeter un coup d'œil au camp de ces Blancs qui ont été signalés dans le coin. Un des jeunes qui a eu ses filets de pêche déchirés a porté plainte... Il semble que ce soient des étrangers, ça me servira de prétexte pour aller fouiller leur camp.

– Des Américains ? s'enquit Comtois.

– Non. En tout cas, les deux gars ne se parlaient pas en anglais. Le jeune dit que ça ressemblait à du russe... Il en a parfois entendu dans les films d'action qu'il loue toutes les fins de semaine. Mais ça peut aussi bien être du polonais ou du grec... Le jeune ne connaît pas plus le russe que moi !

– Si on allait voir à l'extérieur, où se trouvait la semi-remorque, proposa Dumont.

Le policier autochtone ressortit de la maison, Comtois et Dumont lui emboîtant le pas.

– Elle se trouvait juste là, fit-il en désignant du menton une aire de terrain où l'herbe était rare, jaunie, alors que tout autour, elle était demeurée encore verte sous la fine couche de givre qui commençait à la recouvrir.

– Est-ce que vous ou quelqu'un d'autre a déjà vu ce qu'il y avait à l'intérieur? demanda Dumont aux deux Autochtones.

– Je n'ai jamais vu ce qu'il y avait là-dedans, mais Napesh m'a déjà dit que c'était des instruments électroniques et un système de transmission par téléphone satellitaire. La semi-remorque avait sa propre génératrice.

– Ça devait coûter cher d'essence pour faire fonctionner cet équipement, remarqua Comtois en regardant l'imposant réservoir qui se trouvait à quelque distance derrière la maison.

– Bill m'a dit qu'un camion-citerne de Chibougamau venait régulièrement faire le plein et que c'était payé directement par sa compagnie.

– Qu'est-ce qu'elle faisait au juste, la compagnie? demanda Dumont.

– D'après ce que Bill disait, elle s'occupait de géologie ou de quelque chose comme ça, expliqua le peacekeeper.

– Tu te trompes, Harvey, interrompit Mianscum. Moi, Bill m'a dit qu'il s'agissait de faire des relevés de pression et de conditions atmosphériques. C'était une station de météo automatique.

– Ça sera facile à vérifier quand on contactera Universal ou Ultimate Systems, l'interrompit Dumont.

Le chef du conseil de bande prit congé des trois policiers pour retourner à Mistissini. Les trois enquêteurs passèrent encore une heure à inspecter systématiquement les lieux. Ils ne trouvèrent aucun document se rapportant aux fonctions de Napesh ou aux activités de ses employeurs.

– Si quelque chose a disparu de la maison, estima Comtois, c'est probablement la documentation concernant les activités de Napesh. C'est anormal qu'on ne trouve rien du tout à ce sujet, même si les manuels techniques étaient probablement conservés dans la semiremorque. Comme Napesh n'est plus là pour nous dire s'ils ont été volés, on ne le saura jamais.

– On devrait quand même aviser la SQ pour qu'elle fasse un relevé d'empreintes, suggéra Dumont. On ne sait jamais.

Hors des grands centres urbains, seule la Sûreté du Québec possède une section de police scientifique et des techniciens en scènes de crime. Les policiers locaux avaient la responsabilité de protéger la scène jusqu'à l'arrivée des experts de la SQ.

– Napesh communiquait sans doute avec ses employeurs par téléphone ou par le système de communication satellitaire qui était dans la remorque, estima le chef des peacekeepers. Il doit y avoir moyen d'obtenir un relevé des appels en provenance d'ici.

– Si c'est un système de communication commerciale, pas de problème, répondit Comtois. Si c'est un système privé, ça sera plus difficile sinon impossible.

Après avoir inspecté minutieusement les lieux sans rien trouver, les policiers retournèrent à Mistissini avec le peacekeeper, qui les laissa à leur véhicule à proximité de la maison du conseil de bande. Le chef de la Mistissini First Nation Police déclina l'invitation à dîner avec eux. Ils convinrent de se retrouver au poste de police une heure plus tard pour faire le point.

* * *

Un immense drapeau cri était pendu au mur derrière le bureau d'Harvey Mianscum. Ce dernier était en train de taper sur son ordinateur portable lorsque Dumont et

Comtois furent introduits dans les lieux par un adjoint à l'allure martiale.

– Un café ? proposa le chef de police.

Les deux hommes déclinèrent. Ils s'assirent à l'invitation du policier autochtone.

– Mes policiers n'ont rien pu découvrir, dans la vie personnelle de Bill Napesh, qui pourrait avoir un lien avec son assassinat. D'ailleurs, si quelqu'un de la région avait voulu se débarrasser de lui, je ne vois pas pourquoi il se serait donné la peine de faire huit cent cinquante kilomètres pour aller le tuer à Montréal.

– T'as raison, Harvey, dit Comtois. Je pense que c'est à exclure. La meilleure piste se trouve du côté de son employeur. Il va falloir qu'on sache ce qu'il faisait dans la région.

– Vous avez parlé de géologie, intervint Dumont. Peut-être est-ce une compagnie spécialisée dans la prospection minière et utilisant des satellites de télédétection ?

– C'est sans doute une bonne piste, reconnut Mianscum. Plusieurs entreprises minières sont présentement à la recherche de gisements de diamants. Ça représente sans doute des sommes colossales. Bill aurait pu avoir découvert des secrets se rapportant à ces prospections.

– Peut-être voulait-il même les vendre à des concurrents ! De quoi justifier la mort d'un homme ! ajouta Comtois.

– Ah, j'ai aussi eu un coup de téléphone pendant que vous étiez en train de manger. Ronnie Saganash aimerait vous rencontrer. Il dit qu'il sait peut-être des choses intéressantes au sujet de la mort de Napesh. Ça me surprendrait beaucoup. Mais si vous voulez, je peux vous conduire chez lui. Il n'a pas voulu me parler de ça au téléphone. Vous savez comment sont les vieux.

– Puisqu'on est ici, autant y aller, on ne sait jamais, fit Comtois. Rappelez-moi qui c'est au juste.

– C'est le beau-père de Napesh, le *chum* de sa mère, en fait.

Il balaya l'explication d'un geste de la main avant de poursuivre :

– C'est pas important. Suivez-moi avec votre voiture.

Leurs pas faisaient craquer le tapis de feuilles multicolores qui recouvraient l'entrée du petit terrain en friche devant la maison de Ronnie Saganash.

Un parfum de feuilles en décomposition frappa leurs narines, ce n'était pas désagréable. Les odeurs et les couleurs de l'automne conféraient un certain charme au village où le calme régnait. Il était plus de quinze heures, le temps était gris, un dernier vol d'oies sauvages passa en lançant son cri de ralliement. Pierre Dumont l'accompagna un moment des yeux. Il aimait la nature, celle-là justement, dans le nord du Québec. Il se promit de revenir bientôt pour pêcher et se détendre. Très loin, un brame de caribou répondit aux oiseaux.

Un visage apparut furtivement à la fenêtre de la maison de Saganash et la porte s'ouvrit avant que le trio de policiers ait eu le temps d'y frapper.

La maison était vieille, peu entretenue, c'était le royaume du désordre.

– Eh ben ! C'est chez Napesh qu'il y a eu une fouille, mais on pourrait croire que ça s'est passé ici, murmura Comtois pour Dumont, en prenant garde que les deux autres ne l'entendent pas.

Saganash ne leur offrit ni chaise ni boisson, ils restèrent tous les quatre debout au milieu du salon, entre deux enfants braillards et un labrador au jappement insistant.

– Les p'tits d'ma plus jeune, expliqua l'Amérindien à qui personne n'avait rien demandé. Ouais, vous êtes ici à cause de la mort de Bill. Napesh pis ces maudites Waasteskun… Je l'savais que ça finirait mal, lança Saganash en guise de préambule.

– Waas… tes… ? tenta de répéter Dumont sans y parvenir.

– Ça veut dire «aurore boréale», expliqua Mianscum en élevant la voix pour se faire entendre malgré la cacophonie ambiante.

– Napesh était fasciné par les aurores boréales. Il avait que ce mot-là à la bouche. Il m'en a encore parlé deux jours avant de partir pour Montréal.

Les pleurs des enfants redoublèrent, le vieil homme se tourna vers une porte qui, vraisemblablement, devait mener à la cuisine et lâcha un torrent de syllabes en naskapi, dont Comtois et Dumont ne purent saisir qu'un seul mot : «Nancy !»

Comtois profita de l'interruption pour tenter une pointe d'humour :

– Selon vous, sa fascination pour les aurores boréales lui a coûté la vie, mais moi, ça ne m'éclaire pas !

– C'est ça, prenez-moi pour un vieux fou. Moi, je sais ce que je sais !

Saganash se referma comme une huître et Dumont comprit qu'ils étaient en train de le perdre. Il fusilla son coéquipier du regard.

– On a besoin de savoir ce que vous savez, monsieur Saganash, relança Dumont. Si on veut trouver le coupable !

Saganash dévisagea Mianscum, qui l'encouragea à poursuivre d'un discret signe de tête.

– Bon ! Y a une dizaine d'années, à la fin des années quatre-vingt, Napesh a travaillé pendant un temps pour une station météo automatique à Sainte-Hedwidge, près de Roberval. Il adorait ça. La compagnie a ensuite décidé de déménager sa station ici et il a continué à travailler pour elle. Sauf que maintenant, il n'avait plus besoin de rien envoyer aux États par la poste. Il devait simplement être sûr que tout marchait bien dans le camion.

Saganash tourna la tête lorsqu'une jeune femme, sûrement Nancy, vint récupérer les deux petits garçons qui rivalisaient de hurlements. Le labrador encaissa une tape sur le museau au passage, avant d'emboîter le pas à l'Amérindienne qui s'enferma avec enfants et chien dans la cuisine. Le calme était revenu dans le salon, mais les pleurs et les jappements n'avaient pas cessé pour autant dans l'autre pièce.

– À Sainte-Hedwidge, Napesh, il fallait qu'il récupère les données sur des genres de cassettes qu'il envoyait aux États-Unis; ici, il avait plus rien à faire…, sauf surveiller un camion. Pis des fois, un type l'appelait et venait le voir une ou deux fois par année. C'était un Russe.

– Un Russe? s'exclama Dumont. Ce pourrait être un des étrangers qui ont saccagé les filets de votre jeune, ajouta-t-il à l'intention du peacekeeper qui hochait la tête d'un air entendu.

Comtois soupira :

– Quel sac de nœuds cette histoire! Vous dites que Napesh envoyait des données aux États-Unis et là, vous nous arrivez avec un Russe…

Ronnie se referma aussitôt. Il avait pris l'étonnement de Comtois pour une insulte, on ne pourrait plus rien tirer de lui, se jura-t-il.

– C'est tout c'que j'sais, moi. J'ai pensé que ça pourrait peut-être vous être utile.

Mianscum, Dumont et Comtois remercièrent le vieil Indien et reprirent la route en direction du poste de police. Mianscum les raccompagna jusqu'à leur véhicule. Tous trois étaient plongés dans de profondes réflexions. Les deux Montréalais échangèrent des poignées de main avec le peacekeeper.

Les policiers demandèrent au chef de police autochtone de leur faire suivre toute information qui pourrait avoir un lien avec la mort de Napesh ou le cambriolage de sa maison.

– Prochain arrêt, Sainte-Hedwidge-de-Roberval !
soupira Dumont en s'installant au volant.

De la boîte à gants, Comtois sortit une carte qu'il
consulta. Le sergent-détective posa son doigt entre
Saint-Félicien et Val-Jalbert.

– Et voilà, juste ici ! Pas loin de Roberval au Lac-
Saint-Jean ! Moi qui pensais que c'était dans la région.
Ça doit faire trois cent cinquante kilomètres d'ici. Il faut
repasser par Chibougamau, puis on roule en direction de
Roberval.

– Ça tombe bien, notre vol de retour sur Air Creebec
fait escale à Saint-Félicien en direction de Montréal.
Demain matin à l'aéroport, on avisera la compagnie
aérienne qu'on s'arrête à Saint-Félicien.

Au petit poste de la SQ de Chibougamau, un sergent
leur apprit qu'un gros-porteur Antonov immatriculé en
Russie avait récupéré la remorque et tout l'équipement
qu'elle contenait.

Avant de prendre l'avion pour Saint-Félicien,
Dumont vérifia l'information avec l'administration de
l'aéroport. Il apprit que la destination de l'Antonov,
propriété de la Russian International Aerotransport, était
un aéroport au Texas.

3

Quelques semaines plus tôt, Bill Napesh rentrait d'une de ses virées dans les bars de Chibougamau complètement ivre. Depuis qu'il s'était remis à boire, l'électricien cri ne passait plus une soirée sans écluser quelques bières dans un bar ou un autre. Il poussait même l'audace jusqu'à conduire son camion Ford à tombeau ouvert jusqu'à Mistissini. Comme s'il voulait défier l'autorité et la mort.

Ce soir-là, l'Indien en avait lourd sur le cœur, contre la vie, sa famille, la société et même son employeur. Personne ne trouvait plus grâce à ses yeux.

Lorsqu'il entra chez sa mère, il trouva son beau-père avachi devant la télévision, ses deux petits-enfants endormis par terre. Comme d'habitude, sa mère s'était assoupie, elle aussi complètement saoule.

Il regarda le tableau qui s'offrait à sa vue et ne put retenir une réflexion :

– Chu vraiment tanné d'vous autres… J'm'en vais à Montréal. De toute façon, j'en sais assez pour vivre riche le restant de mes jours, pis vous aurez pas une maudite cenne. Tout est pour Bella pis moé.

Napesh claqua la porte derrière lui en quittant les lieux. Il s'y reprit à deux fois pour lancer le vieux moteur de son camion, puis démarra en faisant crisser ses pneus. Les chiens du village aboyèrent, des voisins leur gueulèrent de se taire. Napesh se foutait bien de réveiller tout le monde.

Ronnie Saganash se redressa lentement sur le vieux sofa, puis comme pour retarder encore ce qu'il s'apprêtait à faire, il souleva le plus jeune des enfants et le déposa délicatement à la place qu'il venait de quitter. Enfin, il s'empara de la télécommande du téléviseur et baissa le son. Puis, après une ultime hésitation, il empoigna le combiné du téléphone.

Son appel transita par une multitude de relais afin de ne laisser aucune trace avant de parvenir à son interlocuteur, dans un bureau entièrement vitré à Arlington, en Virginie, en bordure du Potomac, avec vue sur le pont de la 14e rue et des principaux édifices gouvernementaux du District de Columbia.

Une petite lumière rouge indiqua à la secrétaire de Sean Flagerty que le téléphone privé de son patron venait de sonner. Elle ne s'en émut pas. À cinquante-trois ans, Rose Manigan côtoyait le redoutable Canadien depuis plus d'une trentaine d'années. Elle était plus au fait de tous ses petits et grands secrets que sa propre femme, Suzy, aussi séduisante que futile, fille d'un ancien sénateur républicain de l'Arizona. En fait, Flagerty considérait Rose Manigan comme son bras droit, son âme damnée plus que sa secrétaire.

La conversation ne dura que quelques secondes, puis Flagerty entrebâilla sa lourde porte d'acajou. Il affichait son air des mauvais jours, sourcils en accents circonflexes au-dessus d'yeux noirs qui en avaient intimidé plus d'un. Ses cheveux blancs coupés à quelques millimètres du crâne étaient un vestige de son passé militaire. Sa barbe de neige impeccablement taillée venait toutefois adoucir un visage pointu et un menton volontaire. Il avait un port de tête altier, encore amplifié par les costumes et cols roulés noirs qu'il affectionnait particulièrement.

– Rose, qu'on me trouve Cummings, au Pentagone !
C'est urgent.

Moins d'une quinzaine de minutes plus tard, Josh
Cummings, un haut responsable de la sécurité du Pentagone, rappelait Flagerty sur sa ligne sécurisée, une des
lignes régulières d'Ultimate Systems Providers. Flanigan
faisait enregistrer toutes ses communications, sauf celles
qui lui parvenaient sur sa ligne sécurisée. Celles-là, il
préférait que jamais personne ne sache qu'il les recevait.

– Notre homme de Mistissini est encore complètement
ivre. Il laisse entendre dans son entourage toutes sortes de
choses sur ses activités. Il va finir par lâcher le morceau,
annonça Flagerty en plantant son coupe-papier dans une
pile de notes de service entassées sur son sous-main.

– Ça ne peut plus durer, répliqua Cummings. Il va
falloir agir.

– Demain matin, huit heures, à L'Enfant Private
Club.

* * *

Le club devait son nom à l'ingénieur français Pierre
Charles L'Enfant, à qui George Washington avait confié
la tâche de dresser les plans de la future capitale des
États-Unis, en 1791, sur le modèle conçu par LeNôtre,
l'architecte de Versailles.

Les membres de ce club très sélect étaient des représentants au Congrès, des lobbyistes, des avocats de haute
volée, des dirigeants de multinationales, qui constituaient un cercle très fermé où les plus importantes décisions politiques et économiques étaient souvent prises
devant un Romanée Conti ou un Château Pétrus, les
grands crus les plus chers du monde.

Cummings était déjà attablé devant un copieux petit-
déjeuner lorsque Flagerty daigna enfin apparaître à
L'Enfant Private Club. Il avait moins de quinze minutes

de retard, Cummings le prit pour un compliment. Flagerty avait l'habitude de faire attendre ses hôtes plus d'une demi-heure lorsqu'il les méprisait. Il ne serra pas la main de son vis-à-vis et prit place à la table. Un serveur stylé se précipita vers lui, la carte à la main, la serviette blanche sur le bras, la courbette amorcée.

– Jus d'orange... de la Floride?

– Comme toujours, monsieur!

– Un grand. Deux pancakes, sirop d'érable, canadien seulement, espresso, omelette aux légumes, débita le Canadien sans même jeter un œil à la carte que le serveur lui tendait.

Aussitôt le serveur parti avec la commande, Cummings posa la question qui lui brûlait les lèvres.

– Saganash?

– Oui, bonne recrue celui-là, pour avoir Napesh à l'œil. On l'a recruté par sa famille. Son père ou son grand-père, je ne sais plus trop, a déjà travaillé pour le célèbre ingénieur Nikola Tesla, ça te dit probablement pas grand-chose.

– C'est le type qui travaillait sur le géomagnétisme? fit Cummings. Tu ne m'as pas déjà dit que ses recherches étaient à l'origine du projet sur lequel on travaille actuellement?

– Il collaborait à des projets secrets du War Department dans les années vingt et trente. Un personnage fascinant, un intuitif. On ne se rend pas compte de l'intuition dans le développement de la science. On parle des expériences, des labos, des mathématiques, maintenant des ordinateurs, mais ce qui est fondamental, c'est l'intuition. Le génie est là et Tesla l'avait.

Cummings l'interrompit.

– Je suppose que si tu m'as donné rendez-vous, ce n'est pas pour me parler du rôle de l'intuition dans la recherche scientifique et de Tesla. Il faut qu'on décide de ce qu'on va faire de Bill Napesh.

* * *

Les origines d'Universal Systems Providers, l'entreprise dirigée par Sean Flagerty, remontaient à la Seconde Guerre mondiale. Elle avait été fondée par un ingénieur texan sous le nom de Sonartex. Celui-ci avait mis au point un procédé qui avait grandement amélioré la technologie naissante pour traquer les submersibles. À la fin des hostilités et dans les années cinquante, la Sonartex avait acquis plusieurs autres sociétés spécialisées dans l'électronique de défense, avant de se diversifier dans la recherche fondamentale liée aux technologies militaires.

Dès 1969, Ultimate Systems Providers avait participé, sous l'égide de l'Advanced Research Projects Agency, mieux connue sous le nom d'ARPA, au développement de la théorie des réseaux décentralisés qui allaient permettre la naissance d'Internet.

En fait, le centre de recherche californien de l'entreprise avait fait partie du premier réseau d'ordinateurs mis sur pied par le Pentagone, l'Arpanet, qui reliait les universités, les centres de recherche engagés dans des projets ultrasecrets et différentes bases militaires. Ce réseau d'ordinateurs interreliés avait pour but, entre autres, d'assurer les communications dans l'ensemble du pays en cas de conflit nucléaire.

Plus de quatre-vingt-dix pour cent des activités – et des profits – du groupe provenaient de contrats du gouvernement des États-Unis, surtout du Pentagone et de différents services de renseignements, comme la CIA, la National Security Agency ou le National Reconnaissance Office.

USP contribuait largement à la caisse électorale de nombreux élus, sénateurs et membres de la Chambre des représentants des États où l'entreprise avait des installations. Ces politiciens choyés favorisaient ses programmes de recherche. La société s'assurait également

63

d'avoir toujours au sein de son conseil de direction des anciens haut gradés de l'armée et des services de renseignement. Ses liens incestueux avec ses principaux clients avaient été dénoncés à quelques reprises au Congrès ou au Sénat, mais les téméraires qui avaient osé s'en prendre à USP avaient été battus à l'élection suivante ou s'étaient retrouvés avec quelques scandales bien juteux sur le dos.

De façon générale, ses dirigeants étaient proches du Parti républicain, mais il y avait toujours au moins un ancien politicien démocrate réactionnaire et promilitaire au conseil d'administration, pour la façade.

* * *

– Que fait-on pour Napesh? interrogea Cummings d'un ton détaché, même si, pour lui, la réponse ne faisait aucun doute.

– On l'élimine. On n'a plus le choix. S'il se mettait à parler, ça serait une catastrophe non seulement pour Ultimate Systems Providers, mais pour la sécurité nationale des États-Unis. Flagerty murmura sa réponse d'un ton posé, comme s'il venait de dire «il fait bon aujourd'hui».

– Il faut qu'il disparaisse. Mais subtilement. Un accident ou quelque chose comme ça! ajouta Cummings. J'aimerais mieux que mes gars ne s'en occupent pas.

– La subtilité, c'est pas leur fort, c'est connu, compléta Flagerty.

– Et on ne veut surtout pas de bavures. L'affaire est délicate, Sean. Éliminer un citoyen d'un pays ami sur son propre territoire, et sans attirer l'attention des autorités, c'est jouer avec le feu.

– J'ai l'équipe qu'il faut, assura Flagerty en avalant le jus que le serveur venait de déposer devant lui. La sécurité interne d'USP va faire appel à des contractuels.

– Ne m'en dis pas plus, fit Cummings en enfournant son bacon grillé. Les Canadiens n'ont aucune raison de se méfier de nous. On fait des recherches pour communiquer discrètement avec nos sous-marins.

– Dommage que ces connards de démocrates à la Maison-Blanche soient au courant du subterfuge! regretta Flagerty.

Cummings se lança dans une longue diatribe contre Bill Clinton et le Parti démocrate, qui menaient les États-Unis sur les voies de la décadence morale et de la déchéance politique.

– Heureusement, Josh, il y a des types comme nous qui préparent l'avenir et qui veulent que le prochain siècle soit un nouveau siècle d'or pour l'Amérique. Qui travaillent pour les valeurs morales qui ont permis à l'Amérique de devenir le pays le plus libre, le plus prospère, le plus démocratique de la planète, et qui cherchent à répandre sa philosophie à l'ensemble du monde.

Cummings se demanda si Flagerty, qui était né au Canada, n'en remettait pas une couche, s'il croyait vraiment autant que lui à ces grandes valeurs américaines.

– Même si la Maison-Blanche connaît les implications de nos recherches, elle ne connaît pas les véritables capacités des appareils que je suis en train de mettre au point. Steve Watters, le sous-secrétaire adjoint à la Défense, qui est un homme à nous, m'assure que tant à la Maison-Blanche qu'à la haute direction du département de la Défense, on ne soupçonne rien.

Flagerty esquissa un rapide sourire.

– Si jamais le secrétaire d'État à la Défense William Cohen et le conseiller à la Sécurité nationale Sandy Berger avaient vent ne serait-ce que d'une rumeur sur ce qu'on prépare, on serait foutus, s'inquiéta Cummings.

– Je ne m'en fais pas trop avec la Maison-Blanche, fit Flagerty en baissant le ton. Mes petits gars travaillent présentement sur Clinton. Je ne peux t'en dire plus.

– Je vois ce que tu veux dire, répliqua Cummings d'un air entendu.

Les deux convives terminèrent leur petit-déjeuner sans plus aborder la question de l'Amérindien, lequel, dans leurs pensées, ne constituait déjà plus un problème.

4

Sainte-Hedwidge-de-Roberval,
vendredi 10 mars 1989
Le Dr Yuri Boukarov poussa la porte de la fermette louée
depuis plusieurs années par l'Université Stanford,
institution californienne de recherche scientifique
réputée. Il allait commencer sa période de six heures de
travail dans la maison jouxtant la roulotte où ses collègues et lui avaient élu domicile pour la durée de leur
séjour au Lac-Saint-Jean.

Depuis une dizaine de jours, avec deux collègues, il
se concentrait sur ses études sur les champs magnétiques
de l'hémisphère Nord, un projet mené en collaboration
avec le Pentagone et Ultimate Systems Providers. La
recherche avait été placée sous l'égide de la prestigieuse
université de la côte ouest pour en dissimuler son
caractère militaire.

Leurs études étaient maintenant terminées et dès le
lundi suivant, les trois chercheurs rentreraient chez eux,
au Texas. Ils étaient les derniers scientifiques à utiliser la
station, qui serait déménagée sous peu plus au nord dans
l'immensité boréale du Québec. Déjà une autre équipe
scientifique avait déterminé l'emplacement exact de la
nouvelle station automatique, sur le lac Mistassini. Des
spécialistes militaires de l'Advanced Research Projects

Agency du Pentagone, en civil, porteurs de documents les identifiant comme des ingénieurs d'Ultimate Systems Providers, s'étaient rendus sur place pour faire les repérages nécessaires.

Yuri Boukarov regrettait la fin de sa mission. Il se plaisait, au Lac-Saint-Jean, les gens étaient agréables et les laissaient travailler sans les déranger. La région lui rappelait sa Russie natale qu'il avait fuie plusieurs années auparavant. Comme tant d'autres savants qui avaient fait défection, la nostalgie l'envahissait souvent et il se demandait parfois s'il pourrait revoir sa *datcha* de Kachira, en banlieue de Moscou. Il ne pouvait pas deviner que la guerre froide s'achèverait sous les coups de masse des Berlinois, en novembre de la même année.

Il était déjà venu quatre fois à Sainte-Hedwidge et songea qu'il regretterait ce petit coin isolé, pourtant à peu de distance des principales attractions de la région. C'est vrai qu'il n'avait guère eu le temps de faire du tourisme, mais le peu qu'il avait vu lui avait plu.

Malheureusement, depuis qu'Hydro-Québec avait installé ses lignes à haute tension, les interférences étaient de plus en plus nombreuses et surtout dommageables pour les expériences scientifiques menées sur place. La recherche des «whistlers», sifflements émis à partir de l'Antarctique et voyageant dans l'atmosphère autour du globe sur de basses fréquences de cinq kilohertz, était devenue presque impossible. Pourtant, l'endroit était propice, les capteurs répartis dans les environs avaient bien joué leur rôle, particulièrement en 1985, lorsque des signaux avaient été envoyés lors de la mission Skylab. Le capteur de Notre-Dame-de-Lorette, près de Roberval, s'était montré particulièrement performant. Mais tout avait une fin, et après dix ans de recherches, Boukarov songea qu'il était temps de passer à la vitesse supérieure et de mener ses études à une plus vaste échelle.

Bill Napesh pénétra dans la maison. D'un signe de tête, il salua à la ronde. Il n'était guère loquace et les chercheurs n'avaient pas vraiment tenté de nouer la conversation avec lui. «Bonjour-bonsoir, il fait froid», voilà à quoi se résumaient leurs échanges la plupart du temps mais, cette fois, c'était différent. Yuri Boukarov voulait s'assurer que Bill Napesh comprenait bien le travail qu'il aurait à effectuer une fois que la station se retrouverait entièrement entre ses mains, là-bas, dans son village amérindien sur le lac Mistassini. Ce n'était pas bien compliqué, car tout serait automatisé. Le Cri n'aurait qu'à s'assurer que la génératrice fonctionne et que personne ne touche aux instruments.

– Bill, dans quelques jours, nous vous remettrons tous nos instruments entre les mains, commença le Russo-Américain, en roulant ses r comme tout Russe s'exprimant dans une autre langue que la sienne. Nous comptons sur vous.

– Ouais, ouais. C'est pas compliqué. Tout va être automatisé ou presque, grommela Napesh en se servant un café.

Il but deux gorgées et sortit, sa tasse à la main.

– Depuis dix jours qu'on est là, c'est le maximum de mots qu'on a tirés de lui, fit remarquer Terry Miles, l'assistant de Boukarov, tout en rangeant ses notes dans son porte-documents.

– Préparons notre dernière expérience de la nuit du 12 au 13 mars. Notre programme de recherche prévoit de commencer à deux heures quarante. Siple Station va émettre pendant quatre minutes, cette fois, déclara Mark Wiggins, le troisième chercheur de l'équipe, en consultant son fichier où étaient consignées toutes les étapes de leur mission.

Miles et Boukarov approuvèrent en silence. Ils étaient occupés à scruter avec minutie les résultats des plus récentes expériences qui leur parvenaient sous forme graphique sur des bandes de papier crachées par l'une des machines installées dans la ferme.

Wiggins programma les appareils de manière qu'ils puissent réaliser leur toute dernière expérience sur les ultra-basses fréquences émises dans l'ionosphère depuis l'Antarctique pour être captées à Sainte-Hedwidge.

Ottawa, le même jour
Ce matin-là, François Papineau et Roger Mattison, deux chercheurs de Ressources naturelles Canada constatèrent qu'un fort vent de particules subatomiques quittait le Soleil à destination de la Terre. Les deux scientifiques suivirent ce vent plusieurs heures grâce aux retransmissions par satellite, fascinés par le phénomène, eux qui étaient pourtant habitués à toutes ces perturbations spatiales.

Deux jours plus tard, quatre techniciens d'Hydro-Québec de la centrale de Beauharnois s'affairaient à stabiliser les premières variations de tension notées sur le réseau de distribution de la société hydroélectrique. Ils avaient été prévenus que les vents solaires pourraient affecter les installations. Tout semblait se dérouler comme prévu dans cette nuit du 12 au 13 mars lorsque, à deux heures quarante-quatre, les appareils de contrôle indiquèrent tout à coup un accroissement extraordinaire du vent de particules dans l'ionosphère.

– Ça va lâcher, s'écria Paul Beaulieu, l'un des techniciens qui s'acharnaient depuis des heures à maintenir le réseau en état. J'ai jamais vu un phénomène comme celui-là. C'est incroyable, ce qui se passe. Le réseau va sauter, c'est sûr.

Il n'avait pas fini sa phrase que les équipements de protection du réseau se déclenchèrent. Un orage magnétique sans précédent s'abattait sur le Québec. Les courants magnétiques, d'une intensité inouïe, balayaient brusquement la haute atmosphère aux confins de l'espace, à des centaines de kilomètres d'altitude. Cette tornade magnétique semblait avoir pour centre le Lac-Saint-Jean et la Côte-Nord, induisant des courants d'une extraordinaire intensité qui cherchaient à circuler par tout ce qui était bon conducteur ; les lignes de transport d'Hydro-Québec étaient tout naturellement un véhicule de premier choix, puisque, raccordées au sol par des mises à la terre, elles offraient ainsi un chemin de moindre résistance.

Beaulieu et ses collègues tentèrent tant bien que mal de réduire les dégâts au minimum par délestage du réseau, mais ce fut peine perdue. En moins d'une minute, ce fut la panne générale ! Le Québec fut plongé dans le noir pendant plus de neuf heures.

« La panne électrique générale qui a frappé le Québec aura coûté, selon les plus récentes estimations, treize millions deux cent mille dollars, annoncera Bernard Derome au *Téléjournal* quelques semaines plus tard. Ces coûts comprennent le remplacement du matériel endommagé et les pertes de revenus générés par la vente d'électricité. »

À Salem, dans le New Jersey, le transformateur de la centrale nucléaire fut complètement grillé par la perturbation magnétique. L'incident aurait pu avoir des conséquences très graves pour les Américains. Les pièces de ce genre de structure coûtent plusieurs millions de dollars, car elles sont conçues sur mesure et le délai de livraison est généralement de douze mois. Mais, fait inhabituel, la centrale de Salem possédait un transformateur de rechange et le remplacement put être effectué en six semaines. Six mois plus tôt, une société du nom de Ultimate Systems Providers avait joué les mécènes en fournissant gratuitement des transformateurs de rechange à plusieurs centrales nucléaires des États-Unis.

Le Conseil national de la recherche scientifique du Canada, des chercheurs universitaires et des spécialistes d'Hydro-Québec publièrent dans les semaines qui suivirent divers rapports scientifiques sur la tempête solaire de mars 1989 et sur son extraordinaire intensité, particulièrement au-dessus du Québec. Tous conclurent que les éruptions à la surface du Soleil étaient des phénomènes encore mal connus et que, même si leur périodicité était d'environ onze ans, leur intensité était tout à fait imprévisible dans l'état actuel des connaissances scientifiques. On recommanda le renforcement de la sécurité des réseaux de transport d'électricité et l'augmentation des fonds pour pousser les recherches plus loin sur ce phénomène.

Quelques personnes aux États-Unis et en Antarctique savaient, elles, que la panne de courant qui avait sévi au Québec n'était pas uniquement due à un vent de protons et de neutrons d'origine solaire particulièrement violent. Ce vent était étrangement survenu au moment même où USP menait des expériences avec des émissions de basses fréquences extrêmes, et cette coïncidence allait permettre aux ingénieurs d'USP de réaliser plusieurs percées scientifiques.

Sainte-Hedwidge-de-Roberval, 18 octobre 1997
Après s'être posés au petit aéroport de Saint-Félicien, les deux policiers montréalais louèrent une voiture dans laquelle ils se rendirent à l'hôtel Château Roberval pour y laisser leurs bagages. Une demi-heure plus tard, ils étaient en route pour Sainte-Hedwidge.

À l'embranchement de la route 169 en provenance de Roberval, Daniel Comtois emprunta la petite route de campagne menant à Sainte-Hedwidge. Çà et là des fermes rompaient la monotonie du paysage ; en quinze kilomètres, les deux policiers ne croisèrent qu'un seul véhicule, qui s'en allait en direction de la ville. Au croisement du 4e Rang, en bordure de route, ils aperçurent une fermette : c'était la maison qu'on leur avait indiquée lorsqu'ils s'étaient arrêtés à la municipalité. Elle était charmante, toute blanche, bordée par une véranda de bois peinte en bleu lavande, et affichait des volets et des pignons de la même couleur. Quelques annuelles résistaient encore dans les parterres et apportaient leurs dernières notes de couleur au gazon détrempé.

– Vraiment tranquille comme coin ! remarqua Comtois. Je comprends qu'on arrive à passer inaperçu, par ici.

– Les nouveaux proprios de la ferme ont peut-être trouvé quelque chose d'intéressant, fit remarquer Dumont, mais j'en doute.

– Ça fait huit ans que Napesh a quitté Sainte-Hedwidge, ça m'étonnerait qu'on trouve quelque chose ici !

Les deux policiers avancèrent prudemment leur Honda de location sur le court chemin de terre qui menait à l'habitation. Apparemment, les nouveaux venus n'avaient pas encore eu le temps, ou les moyens, de faire asphalter leur entrée. Il avait plu abondamment depuis quelques jours et la boue était collante. Ils se garèrent le plus près possible de la maison.

Une femme d'une trentaine d'années surgit au moment où Comtois coupait le contact. Elle essuya rapidement ses mains sur son tablier et les accueillit avec le sourire.

– Eh bien, quelle surprise ! Nous avons rarement de la visite, lança la propriétaire d'une voix chantante.

– Des Français ! remarqua Comtois. On nous l'avait dit, mais je ne m'attendais pas à un tel accent de Marseille.

Les deux policiers échangèrent quelques mots avec la jeune femme sur la véranda, puis elle les fit entrer. Son mari arriva au moment où elle leur servait le café.

– Nous ne savons rien sur les anciens propriétaires, pas vrai Perrine ? affirma Nicolas Bersia. Nous sommes arrivés de Martigues en mai de l'an dernier. On a bien entendu quelques rumeurs, mais rien de vraiment probant.

– Nous avons acheté la ferme auprès d'une agence, peut-être que là-bas on pourra vous en dire plus ! ajouta Perrine.

– Vous n'avez rien trouvé dans la grange ? Pas d'appareils oubliés, de papiers, de photos ? demanda Dumont pour la forme. Il se doutait bien que le grand ménage avait été fait avant la mise en vente.

– Rien, répondit Nicolas Bersia. La maison était nickel, même si elle n'avait pas été habitée depuis six ans. Mais il y avait quand même des choses curieuses. Il y avait des indices qui laissaient voir qu'il avait eu un système de sécurité top-niveau pour protéger la maison des cambrioleurs. Mais tous les fils et tous les capteurs avaient été enlevés, et les murs replâtrés et repeints lorsque nous sommes arrivés. C'est en bricolant pour faire des petites modifications que je m'en suis aperçu. Et puis il y avait le sous-sol qui était extraordinairement aménagé. J'ai l'impression qu'il y avait là beaucoup d'équipement électrique. Il y avait une surcapacité extraordinaire d'ampérage pour l'alimentation électrique de la maison. Au point où je me suis demandé si la cave ne servait pas à la culture hydroponique de mari. Mais à part la poussière et les toiles d'araignée, nous n'avons rien trouvé. Si vous voulez, vous pouvez faire le tour des bâtiments.

Dumont jeta un coup d'œil sur ses chaussures bien cirées et son pantalon bien repassé :

– Non merci, ce n'est pas nécessaire !

Les deux policiers terminèrent leur café et quittèrent le couple de Français sur une solide poignée de main.

– Et maintenant, qu'allons-nous faire ? chantonna Comtois sur l'air de Bécaud.

– Retour au village, répliqua Dumont. Il y a bien quelqu'un qui a vu ou qui sait quelque chose. Je veux bien croire qu'il n'y a que huit cents habitants, mais quand même! Durant tout le temps qu'il a passé ici, Napesh a quand même dû fréquenter des gens. Fallait bien qu'il fasse l'épicerie, qu'il mette de l'essence dans son auto...

– Ou aille chez le coiffeur! ironisa Comtois. Moi, chez le coiffeur, je discute, je raconte des trucs... On fonce chez le barbier du coin.

Dumont stoppa la Honda devant le marché d'alimentation de Sainte-Hedwidge, dans la rue Principale. Au moment de traverser la rue, une enseigne apposée contre la porte vitrée d'un commerce jouxtant l'épicerie attira son attention.

– Hé! mais oui, voilà! Il saisit son coéquipier par le bras et le poussa devant lui.

Comtois fronça les sourcils, surpris par le geste.

– *Le Villageois*, journal local. Voilà notre source de renseignements.

Les deux Montréalais poussèrent la porte vitrée et se retrouvèrent devant une toute jeune réceptionniste qui dévisagea Dumont d'un air effronté. Elle le trouvait à son goût et ne se gênait pas pour le faire savoir. Du haut de ses vingt ans tout juste sonnés, elle apprenait à tester ses charmes. Et Dumont s'avoua qu'elle était bien jolie. En d'autres circonstances, il aurait profité de l'invitation à peine voilée. Il lui sourit à pleines dents et ses grands yeux sombres bordés de longs cils firent le reste. La jeune fille était conquise. Elle n'hésita pas une seconde à appeler la rédactrice en chef du *Villageois* pour la prévenir de la visite des deux policiers.

Après une dizaine de minutes de discussion, Lucille Bertrand, qui faisait office à la fois de rédactrice en chef, d'administratrice et de journaliste de l'hebdo local, put enfin leur donner quelques renseignements. En 1989, *Le*

Villageois avait repris une dépêche publiée par *L'Écho du Lac*. En fouillant dans ses archives, elle retrouva la coupure de presse qu'elle remit aussitôt aux deux sergents-détectives.

Les Américains mettent fin à leurs expériences dans la région

Après plusieurs années de recherche en géomagnétisme au Lac-Saint-Jean, la société américaine Ultimate Systems Providers met fin à ses travaux. Un communiqué émis par la direction de l'entreprise à Galveston au Texas explique que le développpement du réseau hydroélectrique, en bouleversant l'environnement magnétique dans la région, n'était pas propice à la poursuite de ses recherches scientifiques.

Selon une source proche de l'entreprise, l'équipement d'USP qui était installé dans une ferme de Saint-Hedwidge-de-Roberval serait déplacé plus au nord, à proximité du lac Mistassini. À plusieurs reprises ces dernières années, certains ont associé ces recherches aux perturbations météorologiques inaccoutumées qu'a connues la région.

Un article publié récemment dans la revue spécialisée américaine Journal of Geophysics *signalait que des recherches similaires allaient se poursuivre au Groenland et en Alaska.*
Raymond Gauthier, Roberval

– Bingo ! s'exclama Comtois, enfin on avance. Il faut retrouver ce Raymond Gauthier. Vous le connaissez ? demanda-t-il à la rédactrice en chef.
– Pas vraiment. Mais c'est un journaliste connu dans la région qui a longtemps travaillé pour *L'Écho du Lac*. Il est allé travailler à Québec quand Transcontinental a racheté l'hebdo. Il est revenu vivre au Lac quand il a pris sa retraite. Mélanie devrait avoir ses coordonnées.

La jeune Mélanie s'empressa de trouver l'adresse et le numéro de téléphone de Gauthier. À soixante-seize ans, le journaliste était encore relativement actif et, de temps à autre, il proposait des articles aux journaux régionaux. Dumont remercia la jeune réceptionniste d'un clin d'œil qui la fit rougir jusqu'à la racine des cheveux.

– C'est plus fort que toi, hein ? se moqua Comtois en regagnant leur véhicule. Tu viens à peine de te marier, mais faut que tu « cruises ».

– C'est pas une raison. Faut que je garde la forme ! se défendit Dumont en se glissant dans la Honda à la place du conducteur.

Le retour à Roberval ne prit qu'une dizaine de minutes, que les deux policiers mirent à profit pour récapituler les informations qu'ils avaient glanées tant à Mistissini qu'à Sainte-Hedwidge. C'était plutôt fragmentaire et surtout contradictoire. Certains parlaient d'une mystérieuse société américaine, d'autres de non moins énigmatiques Russes mais, jusqu'à maintenant, aucun indice ne permettait de dire que la mort de Bill Napesh pouvait être attribuée à un crime quelconque.

– Alors, rue Brassard ! D'après ce que nous a dit la belle Mélanie – Comtois jeta un coup d'œil ironique vers Dumont –, c'est au bord du lac.

Comtois se révéla un excellent navigateur. En quelques minutes, et sans s'égarer, Dumont réussit à atteindre la demeure de Raymond Gauthier. Cachée derrière des arbres centenaires où les dernières couleurs flamboyantes de l'automne s'accrochaient aux branches, la résidence du journaliste se laissait deviner par la fumée qui montait de sa haute cheminée de brique.

Lorsque les deux hommes gravirent les quelques marches de bois menant à la véranda, ils s'entendirent héler du côté droit de la maison. Gauthier profitait des quelques rayons de soleil de la journée pour nettoyer son terrain et ramasser son lot de feuilles mortes.

Le journaliste les conduisit à l'intérieur. Il leur expliqua qu'il était veuf depuis deux ans en voyant que Comtois s'intéressait aux photos de son épouse, de son fils et de sa petite-fille, qui trônaient sur une étagère de l'immense bibliothèque alignée contre le mur du salon.

Dumont lui raconta alors pourquoi et comment ils en étaient venus à s'intéresser à lui.

– Pour moi, toute l'histoire a commencé en mars 1989, commença Gauthier, bien calé dans son profond fauteuil et, comme tout bon conteur, en ménageant ses effets pour garder son auditoire captif.

* * *

Roberval, 14 mars 1989

Bill Napesh avala sa deuxième bière de l'après-midi, les yeux fixés sur l'écran de télévision où la panne d'électricité survenue la veille occupait toutes les chaînes et tous les esprits. Il hocha la tête et se tourna vers son compagnon de bar : « Ben moé, je l'sais qui c'est qui a fait ça, en maudit à part ça ! »

Napesh était furieux. Sa réserve naturelle n'avait pas résisté à sa deuxième bouteille. Lui qui ne buvait presque pas avait décidé de venir dans ce bar, histoire de se changer les idées. Il s'ennuyait ferme. Son emploi lui apportait de moins en moins de satisfaction et ce n'était pas ce qu'on lui avait demandé de faire lorsqu'il serait à Baie-du-Poste qui allait arranger les choses.

– Tais-toi donc Napesh, 'coute c'qu'y disent ! répliqua son voisin.

– Pas d'besoin, mon idée est faite. C'est ces maudits astronautes, y détraquent la météo, pis les satellites, pis leurs cochonneries d'ondes qu'y balancent dans le ciel du pôle Sud.

Napesh fit signe à la serveuse de lui apporter une autre bière.

– J'le sais, Marcoux, j'peux même le prouver… Il retint un rot de bière. J'ai fait des copies des cassettes…

– T'es déjà plein, Napesh, t'es plate quand t'es saoul, pis t'empêches le monde d'écouter les nouvelles, répliqua Marcoux en tournant le dos à Napesh.

– Tu m'crois jamais ! lança Napesh, qui avait pourtant une envie furieuse de raconter tout ce qu'il savait. Il pivota sur son tabouret, quêtant des yeux une autre oreille à qui s'adresser.

– Ah ben, Matthias Guay… toé, t'es mon *chum* ! fit-il en apostrophant un camionneur qui lapait sa soupe au poulet à deux tables de là.

Bouteille de bière à la main, Napesh se dirigea d'un pas mal assuré vers le camionneur. Il tira bruyamment une chaise et s'y laissa choir.

– Parce que t'es un *chum*, m'a t'le dire à toé. C'te panne-là, c'est la faute des Américains… Vrai comme tu m'vois, j'ai des preuves, ben cachées chez nous, j'ai des preuves.

Certains écoutaient avec un sourire de compassion aux lèvres, mais le dénommé Matthias Guay haussa les épaules, termina sa soupe sans dire un mot, déposa deux dollars sur la table et sortit sans adresser la parole à Napesh qui resta seul, abasourdi.

Les propos de l'Amérindien n'étaient pas des élucubrations d'homme ivre pour tout le monde. Sirotant son café, un homme d'une soixantaine d'années avait prêté une oreille attentive au monologue de l'ivrogne. Il s'approcha de Napesh.

– Bonjour. Pardonnez-moi, j'ai entendu vos propos. Si vous voulez m'en parler ! Vous avez fini votre bière, je vous en offre une.

L'homme héla la serveuse, commanda deux bières et tendit son paquet de cigarettes à Napesh. Celui-ci le dévisagea, l'œil vitreux, mais pas encore assez plongé

79

dans les vapeurs de l'alcool pour ne pas s'interroger sur ce nouvel interlocuteur.

– T'es qui, toé ? interrogea-t-il en allumant la cigarette offerte.

– Gauthier... Raymond Gauthier, le frère de Laval Gauthier, celui qui...

– Ah ben mosus, le frère de Gauthier, mon *chum* de l'aluminerie de Grande-Baie. Ah ben, j'ai pas travaillé longtemps avec ton frère, mais c'était un sapré bon gars. Ah ben, merci pour la bière, mon homme ! Moé, c'est Bill Napesh...

La serveuse eut à peine le temps de déposer les bouteilles et les verres que Napesh s'empara de sa boisson et en avala une longue gorgée à même la bouteille, en faisant claquer sa langue, parce que causer ça donne soif.

– Tu travailles-tu dans une aluminerie, toi aussi ?

– Euh non ! Moi je fais encore un peu de pige pour *L'Écho du Lac*, je suis à la retraite maintenant, mais pour passer le temps, je continue à écrire dans le journal local.

– Eh ben mon gars, avec mon histoire, te v'là drette-là à Radio-Canada !

Malgré l'haleine de fond de tonneau de son interlocuteur, Gauthier tendit le cou pour se rapprocher de Napesh. Il était tout ouïe.

– C'est un complot, mon homme ! Une énorme conspiration ! Il laissa planer un silence pour être bien sûr d'avoir capté l'attention de son compagnon de table. Je travaille pour une compagnie américaine, à Sainte-Hedwidge-de-Roberval, pis bientôt chez nous, dans le Nord. Faut que j'change des cassettes tous les jours...

– Ah oui, vous faites ça depuis longtemps, c'est quel genre de compagnie ? interrogea Gauthier, qui ne savait trop où cette conversation allait le mener.

– Ben, ça fait assez longtemps, une couple d'années. C'est payant et pas forçant. Hein ! Tout l'monde peut changer des cassettes pis les envoyer aux États par la poste. C'est une compagnie qui étudie la géogra…, non le géomagnétisme. Ouais, c'est ça qu'y m'ont dit quand y m'ont embauché : géomagnétisme.

– Qu'est-ce qu'il y a sur ces cassettes ?

– Je l'sais-tu, moé ? J'ai pas les machines pour les décoder. J'ai déjà écouté, mais on n'entend rien… Enfin, pas grand-chose. Une sorte de sifflement. En tout cas, avec tous leurs ordinateurs, leurs machines enregistreuses pis leurs expériences… Tiens, hier quand on a manqué de courant, j'suis sûr que c'était à cause de leurs maudites expériences. Ils communiquent avec l'espace, ajouta-t-il d'un ton de conspirateur, laissant presque entendre que les chercheurs communiquaient avec des extraterrestres.

– Eh bien ! Le journaliste marqua une pause. Il n'y a pas d'astronautes pour le moment là-haut.

– M'prends-tu pour un menteur ! Et les Russes ?

– En effet, la station Mir est occupée presque en permanence. Mais ça nous mène où, tout ça ? questionna Gauthier.

– C'est ben c'que j'disais, quand c'est pas les uns, c'est les autres. Pis qu'est-ce tu penses qu'y trafiquent, en haut ? Y font des expériences, pis j'va t'dire, le journaleux, les cobayes, c'est nous autres en d'ssous !

– Oui, mais si on n'entend rien sur vos cassettes, vous ne pourrez prouver quoi que ce soit, répliqua Gauthier en terminant sa bière et en se disant qu'il avait perdu son temps.

– À Radio-Canada, y aura sûrement les machines qui faut pour les décoder, t'essaieras mon homme…

– Vous me donnez vos cassettes ? s'étonna Gauthier.

– Wo, pas si vite ! Il jeta un coup d'œil par-dessus son épaule, en direction du bar, avant de murmurer : Tu vas commencer par enquêter sur eux autres, mais fais très attention, c'est pas des enfants de chœur ces gars-là, pis après j'te donnerai mes cassettes…

La porte du bar s'ouvrit, deux hommes visiblement étrangers au patelin entrèrent en jetant un coup d'œil rapide dans les lieux avant de prendre place à une table, près de la fenêtre, tout en observant les consommateurs attablés.

Les conversations se turent quelques secondes, le temps que les clients se fassent une idée des intrus : des gens de Montréal probablement, ou de Québec.

Napesh retint un haut-le-cœur, baissa la tête comme s'il voulait éviter de croiser le regard des deux clients, et lança rapidement à Gauthier :

– Regarde, eux autres y me surveillent. Napesh semblait de plus en plus réticent, puis soudain il sembla changer d'idée. Bon ben, faut qu'j'y aille, hein mon homme, salue ton frère pour moi.

L'Amérindien se leva rapidement et renversa sa chaise, ce qui attira les regards des nouveaux venus. Malgré toutes les bières ingurgitées, il parvint à quitter l'établissement d'un pas à peu près droit.

Raymond Gauthier demeura songeur. Napesh avait eu peur des deux types. L'ébriété l'avait rendu parano. Mais il avait peut-être une petite histoire à raconter. Il se dit qu'il irait faire un tour à Sainte-Hedwidge-de-Roberval dans quelques jours, histoire de voir ce qu'il y avait à glaner.

Quinze jours plus tard, l'entrefilet sur le déménagement des installations secrètes de Sainte-Hedwidge parut dans *L'Écho du Lac*, sous la plume de Raymond Gauthier. Dans la région, pendant quelques semaines, la nouvelle fut commentée par les uns et les autres, puis finalement oubliée.

* * *

– Et voilà toute l'histoire, termina Gauthier. Je n'ai pas réussi à en apprendre beaucoup plus. En contactant le ministère canadien des Communications, j'ai appris qu'effectivement Roberval est un endroit propice pour lire les champs magnétiques terrestres de l'hémisphère Nord. Dans les années soixante-quinze à quatre-vingt, plusieurs experts internationaux sont venus mener leurs travaux scientifiques dans la région, autant des Allemands et des Japonais que des Anglais et des Américains.

– Ce n'était donc pas des recherches secrètes, commenta Dumont.

– Y semble pas, non. J'ai pensé que Napesh dramatisait pour se rendre intéressant. Des années après, j'ai lu dans un magazine un article sur des expériences menées par l'Université de l'Utah, en coordination avec Stanford, qui ressemblaient à ce que Napesh m'avait décrit. L'article disait que c'était financé par le Pentagone pour améliorer ses communications avec ses sous-marins. On parlait d'antennes dispersées sur une superficie d'environ soixante-quinze kilomètres carrés dans le Wyoming. Vous pensez donc que tout ça pourrait avoir un rapport avec la mort de Napesh ?

5

Montréal, 20 octobre 1997

Penché sur le clavier de son PC, très attentif à son travail, Pierre Dumont s'affairait, à deux doigts, à composer son rapport d'enquête sur sa visite à Mistissini, puis à Sainte-Hedwidge-de-Roberval. Daniel Comtois, son coéquipier, était retenu chez lui, grippé. Enfin, c'est ce qu'il prétendait. La veille, il avait invoqué des démarches bureaucratiques urgentes à accomplir pour laisser à Dumont le soin de mettre à jour le dossier. C'était lui le jeune policier, celui qui venait à peine d'arriver dans l'équipe, il fallait qu'il s'attende à devoir s'occuper de la paperasse. Les dossiers internes d'enquête sont toujours rédigés dans la perspective de la longue durée. Il se rappelait les propos d'un vieil enquêteur au cours de la formation qu'il avait suivie pour devenir sergent-détective : « Soyez méticuleux, expliquait le policier retraité et bronzé, qui passait ses hivers en Floride, à l'exception de quelques jours de conférences qu'il donnait devant des candidats au poste d'enquêteur. Imaginez que vous décrivez les détails de votre enquête pour un policier qui rouvrira le dossier dans dix ou vingt ans. Ou pour un collègue chargé de reprendre le dossier parce que vous avez disparu subitement. Ça arrive, des fois. Il faut qu'il soit capable de comprendre les différentes pistes que vous avez suivies, les différentes hypothèses, les différentes explications que suggèrent les faits, les indices, les circonstances de l'enquête afin qu'elle puisse éventuellement être reprise avec tous les détails. »

Dumont prit donc bien soin de décrire, pour un enquêteur éventuel, les deux théories qui s'affrontaient. Comtois penchait de plus en plus pour une histoire de drogues, tandis que lui, Dumont, pensait qu'il s'agissait d'une affaire beaucoup plus complexe, impliquant des activités clandestines sur le sol canadien de pays étrangers, peut-être les États-Unis ou la Russie.

Un rayon de soleil s'amusait à danser sur son écran. Gêné dans la relecture des notes qu'il tapait, Dumont plissa les yeux, déplaça sa chaise pour créer un effet d'ombre, rien à faire. Il se retourna pour tenter d'évaluer l'orientation qu'il devait donner à son écran. Il surprit alors sa collègue, Ngoc Lang Nguyen, rebaptisée Sonia par commodité, en train de rediriger les rayons solaires vers lui avec un miroir de poche.

La mine déconfite de Dumont déclencha un grand éclat de rire parmi la petite équipe de détectives qui travaillaient dans les locaux du SPCUM du centre Place Versailles ce matin-là. Dumont était un tantinet trop sérieux et, fréquemment, ses collègues tentaient de le décrisper.

À vingt-six ans, Pierre Dumont n'avait terminé sa formation que quelques mois plus tôt et avait été intégré à la confrérie des sergents-détectives du SPCUM. Ses résultats d'examen et ses antécédents universitaires avaient impressionné le comité de sélection. Il était le plus jeune de l'équipe et il devait faire ses preuves, mériter le respect et la confiance de ses collègues qui affichaient, pour la plupart, de longues années d'expérience.

Mais Dumont savait s'adapter. Il joignit ses rires à ceux de ses camarades, établissant ainsi un peu plus son appartenance à ce groupe de policiers chevronnés qui formaient la division des Crimes majeurs.

La secrétaire du patron sonna la fin de la récréation.

– Monsieur Dumont, le lieutenant Gendron veut vous voir dans son bureau avec votre dossier d'enquête.

Chacun retourna à ses occupations. Dumont lança rapidement l'impression de son rapport, qui n'était pas tout à fait complet, ramassa son carnet de notes, puis entra chez le lieutenant. Il referma la porte vitrée derrière lui à l'invitation de ce dernier. Gendron lui montra une chaise.

– Vous avez trouvé des choses intéressantes ?

Dumont semblait un peu mal à l'aise. Il sortit une chemise de son porte-documents.

– J'ai déjà rédigé le premier jet du rapport, mais ce n'est pas complet. J'aurais besoin d'encore un peu de temps, jusqu'à demain matin, pour le compléter. Si vous avez des questions, allez-y, j'ai mes notes, dit-il en déposant le dossier devant Gendron.

Le lieutenant Gendron lui fit signe de le garder.

– Laissez faire les papiers. Vous remettrez votre rapport à ma secrétaire demain matin. Je serai absent. Je dois participer à des réunions au quartier général toute la journée. Mais j'ai besoin de savoir maintenant où est-ce qu'on s'en va avec cette enquête, au cas où la direction me demanderait de faire le point demain.

Dumont entreprit alors le récit de ses deux déplacements. De temps à autre, il jetait un coup d'œil rapide sur ses notes, mais il se fiait beaucoup plus à sa mémoire et aux impressions que lui avaient laissées les gens qu'il avait rencontrés. Il donna également la version de son coéquipier, une thèse tout à fait différente de la sienne.

– Si je comprends bien le sens de ce que vous venez de me dire, en fait vous n'avez rien de neuf pour justifier la poursuite de l'enquête…

Dumont dévisagea le lieutenant d'un air ébahi. Pour lui, au contraire, la poursuite de l'enquête était justifiée.

– Mais… j'ai fait une demande de compléments d'informations auprès de la GRC, lança Dumont, un peu dépité.

– En quel honneur?

– À propos de l'avion qui a décollé de Chibougamau. J'ai fait une demande de renseignements auprès de Nav Canada pour avoir le plan de vol, la destination, l'identification de l'appareil, son enregistrement et savoir à qui il appartient. Je veux vérifier ensuite les antécédents de l'entreprise propriétaire de l'avion. Voir si elle est fichée à la GRC. Elle pourrait l'être, si c'est une affaire de stups ou si ça touche la sécurité nationale.

– Dumont, y'a rien là pour nous. Bon, on va garder le dossier ouvert au cas où, mais vous et Comtois, on va vous confier une autre enquête.

Dumont releva la tête, une protestation aux lèvres, mais il ne savait comment l'exprimer. Prendre le lieutenant à rebrousse-poil n'était sûrement pas une bonne idée. C'était un homme corpulent, aux cheveux grisonnants, mais qui ne faisait pas ses cinquante-six ans. Il avait fait toute sa carrière à la section des Crimes majeurs et il en avait vu de toutes les couleurs au fil des ans, surtout avec les jeunes sergents-détectives un peu trop zélés. Il ne rechignait pas à la discussion, mais encore fallait-il avoir de bons arguments à opposer à ses décisions.

– Comme Comtois n'est pas rentré, poursuivit Gendron, vous ferez équipe avec Bernard Parent. Encore un qui part à la retraite bientôt. Comme moi l'année prochaine. C'est un vieux pro. Vous allez travailler avec lui pour les prochaines enquêtes. C'est la pratique ici de faire travailler les nouveaux arrivants avec tous les enquêteurs seniors afin de diversifier leurs expériences.

– Merci lieutenant. Mais… Dumont inspira un grand coup, puis se lança. En fait, je crois que la mort de

Napesh n'est pas un accident. Avec tous les témoignages recueillis sur cet Indien et tout ce que l'on a appris sur son travail, je pense que sa mort est directement liée à son emploi. Il y a trop de zones d'ombre dans la vie de ce gars-là. C'est vraiment étrange !

– Étrange sans doute, mais ce n'est pas la preuve qu'il y a bien eu un crime, un meurtre. J'ai pas les ressources pour continuer cette enquête qui ne va nulle part. On en est à plus de quarante meurtres cette année encore sur le territoire de la CUM, on ne peut pas courir après du vent. On va mettre le dossier sur «pause» à moins que de nouveaux éléments apparaissent. J'ai quelque chose de beaucoup plus intéressant pour vous. Ça s'est passé ce matin. Une Chinoise étranglée dans le Upper Westmount, son mari est l'un des hommes les plus riches de Taiwan et possède un pied-à-terre à Montréal, un château de plusieurs millions de dollars. Un beau cas, si l'on peut dire. Ça va faire la une des journaux. C'est déjà partout à la radio et à la télé ce matin. Beaucoup plus intéressant qu'un Indien alcoolo mort de surdose. Occupez-vous de ça.

Le lieutenant Gendron s'empara du combiné du téléphone et composa un numéro. Le jeune policier comprit le message et alla rejoindre son nouveau partenaire.

Trois jours plus tard, Comtois, remis de son rhume, reprit sa place dans l'escouade. Dumont retrouva ainsi son coéquipier pour traiter d'autres affaires de meurtres. Les motards étaient très actifs depuis quelques semaines et quelques-uns de leurs membres étaient venus enrichir les statistiques de mortalité de la métropole.

* * *

En ce vendredi matin, Stéphanie Blois-Dumont, jeune femme de vingt-cinq ans élancée, aux longs cheveux châtain foncé, déposa un plateau près du lit queen qu'elle partageait avec son mari dans leur logement de Rosemont. L'odeur du café frais réveilla tout à fait Pierre Dumont. Il s'étira avant de déposer un léger baiser sur les lèvres de son épouse. Stéphanie était déjà maquillée. Ses grands yeux noirs en amande et son teint mat lui donnaient l'air d'une Sud-Américaine, Dumont l'admira en silence. Sa femme était tout simplement magnifique. Malgré quelques divergences de point de vue sur leur vie familiale, il se passa la réflexion qu'il l'aimait encore plus que lors de leur rencontre, trois ans plus tôt.

– Déjà debout!

– Prends ton temps, lui lança-t-elle. Moi je file au magasin. Le patron est parti à Bali hier et je suis toute seule pour faire fonctionner la boutique et le bureau pour plusieurs jours, j'ai beaucoup de travail.

Après ses études en design d'intérieur, Stéphanie s'était déniché, au cours de l'été, un emploi chez un grand designer qui avait pignon sur l'avenue Laurier. Elle adorait son métier et y consacrait un temps fou. Son nouveau patron ne s'y était pas trompé et lui avait rapidement confié de plus en plus de responsabilités, ce qui l'occupait énormément.

Dumont songea que c'était aussi bien comme ça, parce qu'avec les horaires de fou qu'il avait dans la police, il n'avait guère de temps à consacrer à leur couple. Heureusement que Stéphanie était très indépendante et n'attendait pas après lui pour vivre.

Il dégusta lentement le pain doré à l'érable que sa femme lui avait préparé, puis fila vers la douche, qu'il prit longue et très chaude. Enfin, il passa un costume Philippe Dubuc, dernier cadeau de Stéphanie pour son anniversaire. Tout comme son épouse, Dumont appréciait les belles choses et était toujours tiré à quatre épingles.

Au moment où il allait quitter son appartement, le téléphone sonna. Il se précipita vers la console du salon où le sans fil avait été abandonné la veille.

– C'est Comtois. Viens faire un tour chez moi. Il y a du neuf pour l'Indien…

– Qu'est-ce que t'as découvert ?

– Tu me connais, je suis un peu parano. J'peux pas t'en parler au téléphone.

Dumont sourit.

– Je suis chez toi d'ici trente minutes.

Dumont dévala l'escalier du haut du duplex des années cinquante qu'il occupait depuis son mariage, moins d'un an plus tôt. Stéphanie aurait bien aimé qu'ils emménagent dans un condo à l'île des Sœurs, mais le salaire de sergent-détective de son mari ne le permettait pas. Maintenant qu'elle avait décroché ce poste d'adjointe, elle n'allait pas tarder à revenir à la charge avec ce projet. Lui, il aimait bien ce quartier de Rosemont, avec ses vieux immeubles et leurs fenêtres à vitraux, mais Stéphanie avait d'autres aspirations pour leur couple. Il haussa les épaules. Qu'elle fasse comme elle voulait, de toute façon il savait qu'il fléchirait devant ses arguments. Et elle en avait tout un tas auxquels il ne pouvait résister, comme il avait pu le constater cette nuit même.

Avant d'entrer dans son véhicule, il se pencha pour gratter la tête de Hush, le beagle de la voisine venu saluer la nouvelle journée en arrosant la borne-fontaine devant la maison. La vieille dame lui envoya un signe de la main, auquel il répondit par un clin d'œil. Elle en rosit de plaisir, il était si charmant ce jeune policier.

Comtois ouvrit au premier coup de sonnette et entraîna rapidement Dumont dans la cuisine. Un homme était attablé devant un café fumant.

– T'en veux ? lui proposa son coéquipier. Ma blonde a fait des muffins hier, je t'en mets un ?

91

Dumont acquiesça d'un signe de la tête, tout en fronçant les sourcils d'un air interrogateur en direction de l'homme.

– Pierre Dumont, Ewan Ross… SCRS! lâcha Comtois en déposant le café noir et le muffin devant son collègue.

Dumont prit une chaise pendant que Comtois s'installait à son tour.

L'agent avait un peu plus d'une trentaine d'années. Même assis, Dumont se rendait compte qu'il frôlait les deux mètres. Une montagne de muscles, sans un gramme de graisse. Ses yeux noirs, assez rapprochés, donnait à son visage taillé à la serpe une froideur qui n'invitait pas à sympathiser avec lui.

– Du nouveau concernant Napesh? demanda Dumont une fois revenu de sa surprise.

– Pas vraiment, commença l'agent en français et sans la moindre trace d'accent. En fait, vous en savez probablement plus que nous.

– Comment avez-vous été averti de notre enquête?

– Votre demande de compléments d'informations à la GRC a atterri au Service canadien du renseignement de sécurité.

– Donc, Pierre avait raison, ça n'a rien à voir avec la drogue, notre enquête. Ça relève de la sécurité nationale, constata Comtois, interloqué.

– Ça fait un certain temps que les activités de Napesh ont été portées à notre attention, continua Ross, sans relever les propos de Comtois.

– On vous a pas vus quand on a trouvé le corps…

– Les morts suspectes, les meurtres, c'est pas notre champ de compétences, c'était au SPCUM de s'en occuper. Par contre, Bill Napesh se livrait à des activités qui nous intéressent au plus haut point. Le SCRS aimerait pouvoir compter sur votre collaboration.

– Sauf que chez nous l'enquête est terminée, soupira Dumont. Affaire classée, a dit Gendron.

– Pas chez nous. Le ton se voulait ironique, mais les lèvres minces de l'agent demeuraient pincées, presque glaciales. D'ailleurs, votre rapport nous a été transmis rapidement. On cherche à déterminer qui au juste louait le gros Antonov. Disons que la coopération n'est pas du tout empressée du côté américain.

– Et on pourrait savoir en quoi le job de Napesh intéresse les services secrets ? demanda Dumont. À première vue, ça paraît très loin du terrorisme, de l'espionnage ou de la subversion.

Ross ignora totalement la question et les commentaires de Dumont.

– Nous croyons que c'est très bien que l'enquête policière soit close ou du moins suspendue, fit l'agent secret. On voudrait votre collaboration officieuse. En dehors des canaux de communications, des liaisons officielles entre nos deux services.

– Pourquoi ne pas être venu nous voir au bureau ?

La froideur et le ton de Ross mettaient Dumont mal à l'aise.

– Pas besoin d'alerter tout le quartier ! se contenta de répondre l'agent du SCRS. Moins il y aura de monde au courant, mieux on travaillera.

– Gendron le sait ?

– En gros. Il sait que je dois vous parler, mais officiellement l'affaire est classée… et il faut qu'elle le reste.

– Qu'est-ce que ça veut dire, ça ? demanda Dumont en se levant de plus en plus exaspéré. L'affaire est classée ou elle l'est pas ? Vous avez esquivé ma question sur votre intérêt pour Napesh.

– Pour l'instant, je ne peux pas vraiment vous en dire plus. Disons qu'en maintenant l'enquête criminelle ouverte, on pourrait nuire à une enquête de sécurité nationale.

– J'aime pas ça du tout, fit Dumont. Dans les années soixante-dix, vous avez demandé la collaboration de la police de Montréal et de la SQ sous prétexte de défendre la sécurité nationale du Canada contre des ingérences étrangères et ça servait surtout à camoufler des opérations à caractère politique contre le PQ, le mouvement indépendantiste, et même les libéraux provinciaux.

Il se pencha légèrement vers Ross et poursuivit.

– Un meurtre a été commis. Ne comptez pas sur moi pour le couvrir. Au contraire, si je découvre que des agences du gouvernement fédéral sont mêlées là-dedans, soyez assuré que je vais faire tout un ramdam, alerter le gouvernement du Québec et, s'il le faut, couler l'affaire aux médias.

– On n'est plus dans les années soixante-dix, fit Ross sur un ton conciliant. Le SCRS a remplacé le vieux service de sécurité de la GRC. On ne veut pas couvrir des meurtres ou aucune autre activité criminelle. Dans ce cas-ci justement, une enquête de sécurité nationale menée dans le plus grand secret qui n'est pas soumise aux contraintes strictes des enquêtes policières de caractère criminel pourrait sans doute vous aider à résoudre le crime.

– Le problème avec vous autres, répliqua Comtois en balayant du revers de la main une miette imaginaire sur la table devant lui, c'est que vous ne jouez pas franc jeu avec la police. Vous nous prenez souvent pour des cons. Vous voulez nous siphonner toutes les informations et vous ne donnez rien en retour.

– Moi, je suis prêt à collaborer avec vous, l'interrompit Dumont. Mais il y a des conditions. D'abord, je veux être sûr que la direction du SPCUM est au courant et qu'elle m'autorise à échanger de l'information avec vous dans les conditions particulières que vous venez de préciser, qui ne sont pas exactement dans le cadre des règles habituelles. Ensuite, il faut que l'information circule dans les deux sens. C'est pas vrai que je vais tout vous donner et rien recevoir en retour. Je veux être mis au courant du dossier. Je veux savoir dans quoi je m'engage.

– Je prends bonne note de ce que vous dites, dit Ross en se levant. Je ferai part de vos requêtes à mes patrons. Ce n'est pas à moi de décider. Ça dépasse mes compétences. Je vais vous revenir rapidement là-dessus avec une réponse.

Il remit sa carte de visite à Dumont en se dirigeant vers la porte de sortie et il serra la main des deux policiers avant de s'esquiver.

Dumont grimaça. Les os froids de la main de l'agent Ross lui laissaient une drôle d'impression au creux de la paume.

– J'aime pas ça.

– Franchement, ce genre de gars me donne froid dans le dos. Je me demande ce qui attire des types comme lui au SCRS.

– Sais pas. La culture du secret, peut-être ! Y en a que ça fait tripper.

Le soir même, après son service, Dumont alla faire un tour avenue du Mont-Royal pour retrouver quelques amis dans un café branché du Plateau. Plus tôt dans la journée, sa femme avait laissé un message au bureau, elle finirait vers vingt-deux heures. Il avait convenu de la prendre au magasin pour qu'ils aillent ensuite passer quelques heures dans une boîte du centre-ville.

Une quinzaine de minutes avant vingt-deux heures, Dumont quitta le café pour regagner son véhicule garé dans un stationnement municipal, en bordure de la rue Garnier, à un jet de pierre de l'avenue du Mont-Royal, où les passants allaient et venaient par cette dernière belle soirée d'octobre.

L'éclairage du stationnement était en panne. En s'approchant de sa Mazda Protegé noire, il constata que la portière avant, côté passager, était ouverte. Un homme accroupi près du véhicule passait une main sous le tableau de bord.

Il n'eut pas le temps d'interpeller l'individu, car il sentit un déplacement d'air anormal à ses côtés et se retourna pour recevoir aussitôt un direct au menton. Projeté en arrière, il se retrouva adossé à une voiture, la poitrine exposée aux poings de son agresseur. Il encaissa deux directs au ventre, se plia en deux et reçut un autre coup à la tempe. Il se redressa et tenta de dégainer son arme, mais il n'en eut pas le temps; le second individu, celui qu'il avait surpris à tenter de bricoler sa Mazda, l'attrapa par les cheveux et lui tira la tête vers l'arrière. Le type était costaud. Dumont eut le temps de distinguer ses cheveux blonds, ses pommettes saillantes, une étoile rouge surmontant le chiffre 2 pendant en breloque à une chaîne d'argent autour de son cou. L'agresseur cogna le crâne de Dumont à plusieurs reprises contre la portière du véhicule. Le policier s'écroula contre la roue avant de sa voiture et perdit connaissance.

Une dizaine de minutes plus tard, Valérie, dix-sept ans depuis la veille, regagnait son véhicule, stationné à côté de celui de Dumont. Elle l'aperçut affalé au même endroit. Le policier tentait péniblement de recouvrer ses esprits et de se remettre sur pied. Un instant, elle le prit pour un ivrogne qui avait fait une chute, puis, apercevant son visage tuméfié et la tache de sang sur le sol, elle eut un mouvement pour lui porter secours, avant de renoncer à se mêler d'une histoire qui ne la regardait pas. Elle monta dans sa voiture, prit soin de verrouiller sa portière, fit marche arrière et sortit du stationnement. Dans sa hâte, elle faillit emboutir un véhicule qui arrivait par la rue transversale.

Dumont murmura un «merci» ironique, ouvrit sa portière et s'installa en grimaçant derrière son volant. Son téléphone cellulaire sonna. Il le sortit malhabilement de la poche intérieure de son blouson. C'était Stéphanie.

– Qu'est-ce tu fais? Il est passé onze heures…

– Écoute, j'ai des problèmes. Je viens d'être attaqué.
Je suis un peu sonné, mais c'est pas très grave. Prends un
taxi et rentre à la maison. Je te rejoins.

– T'es sûr que t'es en état de conduire ? T'aimes pas
mieux aller à l'hôpital ?

– Non, non, ça va comme ça. Je t'embrasse fort. À
tout à l'heure !

En voulant ouvrir sa boîte à gants, Dumont remarqua
la présence d'un minuscule objet par terre devant le
siège du passager, un boîtier de peut-être deux centimètres sur trois avec un peu moins d'un centimètre
d'épaisseur. C'était donc ça ! Il avait surpris le type alors
qu'il tentait d'installer un système de surveillance ou un
micro dans sa voiture.

Un mal de tête lui vrillait les tempes. Il écarta cependant l'idée de se rendre à l'hôpital. Il parvint à remonter
une rue qui le menait vers le quartier Rosemont,
s'efforçant de rester au milieu de la chaussée à sens
unique, entre deux rangées de voitures en stationnement.

Appelé à la rescousse, Daniel Comtois se présenta
chez Dumont peu après minuit. Le jeune détective était
déjà en train de faire sa déposition à une policière. Elle
lui reprochait d'être rentré chez lui avant d'avoir alerté
la police, lui qui, en tant que détective, devrait connaître
la procédure.

– Eh ben mon gars, constata Comtois une fois la
policière partie, tu donnes vraiment le mauvais exemple.
Tu ne veux pas aller te faire examiner à l'hôpital ? Ils
t'ont pas manqué.

– Deux gars solides en tout cas, et celui qui m'a
tabassé m'a vraiment eu par surprise. J'ai rien vu venir.

Dumont appliquait une compresse de glace sur sa
lèvre supérieure fendue et sur sa paupière, guère en
meilleur état.

– Et l'autre ?

– Le deuxième, celui qui faisait le guetteur, devait faire à peu près un mètre quatre-vingts, costaud. C'était tous les deux des Blancs, c'est sûr, et je peux te dire que l'un des deux a les cheveux très blonds. Il était vraiment de type nordique. Non... à bien y penser, je dirais plutôt slave.

– Slave ? s'étonna Comtois.

– Eh oui, moi aussi je me suis rappelé que la concierge de Napesh a fait mention d'un étranger aux pommettes saillantes. Ça pourrait être le même gars. Sinon, rien de particulier. Ça aurait pu être une agression tout à fait gratuite, mais celui que j'ai surpris essayait de poser ça sous le tableau de bord de ma voiture.

Dumont sortit le petit boîtier gris argenté de sa poche. Comtois l'examina.

– Ça paraît pas être un micro. Un localisateur peut-être, mais beaucoup plus sophistiqué que ce qu'utilise la filature du SPCUM. Tu en as parlé dans ta déposition ? Penses-tu que c'est lié au SCRS ?

– J'ai rien dit. Pourquoi embrouiller des patrouilleurs pour rien ? C'est nous qui sommes chargés de l'enquête...

– Qui est d'ailleurs fermée ou suspendue, enchaîna Comtois qui devinait ce que Dumont allait ajouter.

– Je ne vois vraiment pas pourquoi le SCRS ferait ça, reprit Dumont. On amorçait une collaboration. Il y a peut-être quelqu'un qui est au courant que Ross est venu nous voir et qui pense que je pourrais travailler avec eux en solo. Sinon pourquoi installer le bidule dans ma voiture personnelle ?

– Ouais, fit Comtois. Mais les gars du SCRS voudraient peut-être aussi connaître tes allées et venues. S'assurer de ta fiabilité. Normal, donc, qu'ils te mettent sous filature. Pendant un certain temps du moins. Ils ont tout simplement choisi le mauvais moment et tu les as surpris. Que voulais-tu qu'ils fassent ? Se présenter et te serrer la main en s'excusant d'avoir été pris en train d'installer un système de surveillance ? Tu devrais contacter Ross le plus rapidement possible.

– Tiens, avale ça. Stéphanie lui tendit deux Motrin et un verre d'eau. Je vous laisse discuter, moi je file me coucher. Demain, j'ai une dure journée. Salut Daniel !

Dumont goba les pilules tout en s'adressant à son confrère.

– T'as peut-être raison. Les deux gars ont paniqué. Dès demain, je vais contacter Ross pour mettre les choses au clair. Il avait l'air d'un gars correct, même s'il n'a pas tout dit.

– Steph fait la gueule, souligna Comtois en regardant la jeune femme qui refermait derrière elle la porte de la chambre à coucher.

– Ouais, t'as pas vu sa tête quand elle m'a vu arriver. J'ai cru qu'elle allait me frapper elle aussi. Elle était furieuse de me voir dans cet état.

– Femme de flic, c'est pas facile. Elle savait, mais ça veut pas dire qu'elle l'acceptait. Et surtout, elle avait peut-être pas encore assimilé que tu pouvais être amoché dans une bagarre. Va falloir que t'aies une bonne conversation avec elle, Pierre, sinon ton couple va pas résister aux tensions du métier.

Dumont appliqua de nouveau la compresse de glace sur son nez qui lui faisait mal. Sa paupière était de plus en plus boursouflée. Demain, il en serait quitte pour un magnifique cocard.

– Je sais… Steph me voyait plutôt dans un beau bureau, et surtout pas sur le terrain. On est mariés depuis un an, pis je sens déjà que notre vie craque de partout. Je suis pas exactement le genre de prince charmant qu'elle imaginait. En plus, elle parle de bébé…

– Et…

– Hors de question ! tonna Dumont. Pas avec ce métier. J'suis jamais là, je peux me faire descendre n'importe quand, je veux pas laisser un orphelin.

– T'exagères pas un poil ? Y a plein de flics qui ont des enfants. On tombe pas comme des mouches sous les balles des tueurs à Montréal.

– La vie de couple, c'est déjà pas facile pour des enquêteurs. Le taux de divorce y est beaucoup plus élevé que chez les policiers en uniforme...

Comtois, un divorcé, ne releva pas la remarque de son collègue. Dumont trouvait tous les prétextes possibles pour ne pas avoir d'enfants : un traumatisme lié à son enfance qu'il tentait d'enfouir au plus profond de son cœur. Même Stéphanie n'était pas au courant... et ne le serait probablement jamais.

Les deux hommes passèrent encore une demi-heure à formuler différentes hypothèses au sujet de l'assassinat de Napesh et de l'agression de Dumont.

Comtois quitta finalement son collègue en lui recommandant une dernière fois de contacter Ross. À peine son coéquipier parti, Dumont gagna son lit en clopinant. Le coup de pied au bas-ventre se faisait toujours sentir. Stéphanie dormait... ou peut-être faisait-elle semblant. Tournée vers le mur, elle n'effectua aucun mouvement lorsqu'il se glissa maladroitement près d'elle, et elle ne répondit pas non plus à son «Bonne nuit, chérie».

Le lendemain, Dumont téléphona au bureau pour signaler qu'il prenait une journée de congé, sous prétexte de consulter un médecin. Mais il ne se rendit ni dans une clinique ni aux urgences d'un hôpital. Il traîna chez lui en pyjama toute la journée, gobant des Motrin pour atténuer la douleur des courbatures et son mal de tête. Il laissa un message dans la boîte vocale de Ross lui demandant de le rappeler. Ce que ce dernier fit deux heures plus tard.

– J'aimerais bien savoir pourquoi le SCRS m'espionne, lança abruptement Dumont dès que Ross se fut identifié.

– Quoi ?

– Je suis tombé sur un de vos gars en train d'essayer d'installer un bidule dans ma voiture, une sorte de système de repérage à distance.

– Impossible ! C'est pas nous. Si quelqu'un du service essayait de vous filer, je le saurais… Écoutez, on a décidé de marcher avec vous et cette décision-là a été prise au plus haut niveau.

Dumont garda le silence quelques secondes, le temps de digérer l'information. Il décida de ne pas parler du passage à tabac, cela ne ferait que compliquer les choses.

– Si c'est pas vous, d'où ça vient ?

– Je ne sais pas. Vous menez plusieurs enquêtes simultanément, ça peut être lié à un autre dossier. C'est une piste à explorer.

Dumont n'était pas entièrement convaincu par les dénégations de Ross, mais il songea qu'il n'avait absolument aucune preuve pour accuser le SCRS. D'ailleurs, en y réfléchissant un peu plus, il se dit que si c'était le service fédéral qui le filait, on ne l'aurait sûrement pas tabassé. Il ne pouvait croire que les services secrets fussent revenus à leurs vieilles habitudes des années soixante-dix.

– Ouais, je vais faire comme vous dites. Je vais réexaminer les autres affaires. Salut et merci d'avoir rappelé si vite !

Si Ross saisit la pique, il ne répliqua pas et raccrocha sur un laconique bye.

* * *

À Saint-Mathieu-de-Belœil, dans le chemin du Ruisseau Sud, la haute antenne de transmission ne passait pas inaperçue. Ce fut d'ailleurs grâce à ce point de repère que Pierre Dumont trouva facilement la maison de son ami Jean-Paul Désy, radioamateur passionné. Stéphanie et lui étaient invités à célébrer la préretraite de son copain de longue date.

Les deux hommes s'étaient rencontrés quelques années auparavant dans les puits du Grand Prix de Formule 1 de Montréal. Désy était cameraman et assurait la retransmission de la course pour les télévisions du monde entier. Dumont, amateur de course automobile et de vitesse, avait réussi à se lier avec l'équipe de tournage et ainsi pu accéder à des endroits strictement contrôlés. Une solide amitié avait rapidement soudé les deux hommes, malgré la différence d'âge. Dumont ne se lassait pas d'écouter Désy lui raconter ses nombreux contacts par radio avec des plaisanciers du monde entier, notamment dans les Antilles. Lui qui rêvait de s'acheter un voilier était avide de ce genre de récits qui se déroulaient immanquablement sur les eaux turquoise des paradis tropicaux.

Comme prévu, à la fin du repas, Désy l'entraîna dans son antre, au sous-sol de sa maison canadienne, pour établir le contact avec des amis du Costa Rica. Ils laissèrent les femmes à l'étage en train de discuter de leurs métiers respectifs.

Son ami, surnommé le Capitaine sur les ondes, mit en marche son imposante installation.

– VE2BMW à l'écoute, annonça-t-il dans un micro, tout en montant le volume de son système d'écoute qui diffusait le son dans la pièce par haut-parleurs.

Désy se connecta à différentes fréquences, quand tout à coup un grésillement se fit entendre.

– FM08KMZ... Bonjour VE2BMW, ici Azur ! Me recevez-vous, Capitaine ?

– Bien reçu, FM08KMZ, comment va ? Eh bien, voici mon copain Francis, à la Martinique, s'exclama Désy à l'attention de Dumont qui s'installait dans un fauteuil confortable près de son ami. C'est rare qu'il se branche à cette heure-là !

– Capitaine à Azur ! Et les ouragans cette année ?

– Pétards mouillés. Erika a été le plus violent, en septembre, mais heureusement, aucun dégât chez nous !

Brusquement, de multiples interférences se firent entendre sur la ligne. Désy tenta d'ajuster sa fréquence. Peine perdue !

– FM08KMZ ? Je te perds. Ici VE2BMW, m'entends-tu ? FM08KMZ ? Azur ? Cochonneries ! s'exclama Désy. On dirait qu'il y a encore des p'tits malins en Russie qui s'amusent avec les fréquences…

– Les Russes vous brouillent les ondes ? Pourquoi donc ? s'étonna Dumont.

– Ah, c'est toute une histoire ! Tout a commencé en 1976 et ça se poursuit par intermittence depuis. C'est un signal qui passe alternativement d'une fréquence à une autre, entre 3,26 et 17,54 mégahertz, et les impulsions sont modulées à plusieurs émissions par seconde. Un peu comme un tac-tac de pic-bois. D'ailleurs un radioamateur américain de Miami Springs l'a baptisé Woodpecker. C'est une émission qui vient des alentours de Saint-Pétersbourg.

Les explications de Désy allaient largement au-delà des connaissances de Dumont en la matière. La question d'ailleurs ne le passionnait guère, mais pour paraître intéressé par le hobby de son ami, il aventura la sous-question que, pensait-il, Jean-Paul attendait.

– 1976 ? fit Dumont. C'était l'Union soviétique ?

– Exact ! La première fois qu'il a été capté, c'était le 4 juillet 1976, comme si les Soviets tenaient à saluer, à leur manière, le bicentenaire de l'Indépendance améri-caine. Ce signal est tellement fort qu'il recouvre tous les autres signaux sur sa longueur d'onde, expliqua Désy, tout en tentant encore une fois de retrouver son ami Francis.

– Et vous ne pouvez rien faire pour le faire taire ?

– Les cercles de radioamateurs de plusieurs pays ont protesté auprès de l'Union internationale des télécommunications, qui a fait des représentations à Moscou, mais peine perdue! Pourtant c'est grave. Des fois le signal cause des interférences sur les fréquences d'urgence des avions au-dessus de l'Atlantique.

– Mais c'est dangereux! observa Dumont, que les propos de Désy commençait à intéresser.

– Maintenant, Woodpecker laisse des trous dans les fréquences, il saute les plus importantes, mais il continue à polluer les autres.

– Comme je te connais, tu vas maintenant me donner ton explication sur les raisons qui ont amené le gouvernement russe à accepter ça.

– La Russie a sur son territoire les sept émetteurs les plus puissants du monde. Les plaintes sont nombreuses, notamment de la part du Canada et de plusieurs villes américaines. Mais c'est Eugene, dans l'Oregon, qui est la ville la plus frappée. Certains chercheurs ont émis l'hypothèse que le signal Woodpecker est associé à un amplificateur de Tesla.

– Hou la la, tu me perds, là! rigola Dumont. C'est qui celui-là?

– Nikola Tesla est un ingénieur d'origine croate du début du XXe siècle. Il a inventé plusieurs appareils, notamment pour la transmission d'énergie sans fil. L'un de ses labos était installé à Pikes Peak...

– Au Colorado, ça je connais! C'est l'une des plus célèbres courses automobiles des États-Unis.

– Toujours est-il que Tesla y avait installé un émetteur qui permettait d'envoyer un signal radio par la terre à n'importe quel endroit dans le monde, à la surface. Il pouvait en augmenter la puissance au moment où le signal émergeait à la surface de la Terre.

– Wow! Est-ce que ça marchait vraiment?

– C'est comme on dit une longue histoire. D'ailleurs, Tesla a mené certaines de ses expériences secrètes ici même au Québec, à la fin des années vingt ou au début des années trente, je crois. Mais pour en revenir à mes explications au sujet d'Eugene, des experts pensent que si cette ville a été aussi incommodée par Woodpecker, c'est parce que l'US Navy avait un système de transmission ELF qui utilisait un réseau de plus de mille trois cents kilomètres de lignes à haute tension se terminant à Eugene. En fait, Woodpecker serait une tentative des Soviétiques pour brouiller les communications de la marine américaine.

– ELF? C'est un type de fréquences, sans doute? demanda Dumont

– Extremely Low Frequences, ou extrêmes basses fréquences, si tu préfères.

Un déclic se fit dans la tête de Dumont. Tout à coup, il relia ce qu'était en train de lui dire Désy à des propos qu'il avait entendus dans le Grand Nord.

– Il me semble avoir entendu dire que ces ondes étaient dommageables pour le cerveau humain, avança Dumont.

– Certaines personnes pensent qu'avec des ondes à basses fréquences, il est possible de faire de la manipulation mentale sur des populations entières. Ce sont surtout des amateurs de science-fiction ou des fervents de théories du complot, mais toujours est-il que des résidants d'Eugene se sont plaints de pressions et de douleurs dans la tête, d'anxiété, de fatigue, d'insomnie, de manque de coordination et d'acouphènes assez prononcés dans certains cas...

– Ce signal du 4 juillet 1976 a sûrement été relevé par les autorités fédérales américaines, c'est drôle qu'on n'en sache pas plus que ça.

– En fait, plusieurs militaires ne croient pas que la population américaine était directement visée. Au département de la Défense, on pense plutôt que Woodpecker agit comme un radar transhorizon pour détecter des lancements de missiles américains au cas où les satellites espions russes seraient hors service. Et puis, les ondes ELF servent aussi à communiquer avec des sous-marins en plongée. Mais un des effets les plus bizarres est que ces ondes agissent sur le climat. De 1930 à 1975, on a constaté vingt-cinq pour cent plus d'orages au-dessus des États-Unis que durant la période 1900-1930, et pour les spécialistes de la question, cela serait dû à un niveau d'énergie très élevé dans la haute atmosphère.

– Énergie due à quoi ?

– Une hausse due aux activités humaines : lignes à haute tension, transmissions radio et satellite. N'oublie pas, il y a des millions de stations de radio, de télévision et d'émetteurs-récepteurs pour la téléphonie mobile à travers le monde, et tout ça génère de l'énergie. Et c'est pas tout. Penses-y, on est à même de constater que depuis le milieu des années soixante-dix, les inondations, les sécheresses, les tempêtes de neige, tout est amplifié.

– L'effet de serre ! Les changements climatiques ! Une conférence internationale doit se réunir à Kyoto au Japon en décembre pour en discuter.

– L'effet de serre oui, mais la pollution électromagnétique aussi.

– J'imagine que si les Russes travaillent sur les ELF, les Américains et d'autres pays le font aussi, s'inquiéta Dumont.

– Je te laisse tirer tes propres conclusions, laissa tomber Désy en renonçant pour de bon à contacter son ami martiniquais.

– C'est passionnant, ton histoire ! T'es venu à t'intéresser à tout ça en faisant de la radio amateur ?

– Oui. J'ai commencé simplement par établir des contacts, puis j'ai voulu savoir pourquoi certaines fréquences étaient parasitées et, de fil en aiguille, j'ai lu de multiples ouvrages sur le sujet. Et maintenant, avec Internet, on trouve tout sur tout.

– C'est fascinant ce que tu viens de m'apprendre. Ça jette un nouvel éclairage sur une enquête que je mène actuellement. Là, tu as allumé une petite lumière dans mon esprit.

– Si ça t'intéresse, je peux te mettre en contact avec une jeune chercheuse de l'Université McGill, elle s'appelle Isabelle Florent. Elle s'intéresse justement à toutes ces questions de fréquences et de pollution électromagnétique.

Dumont relata rapidement à son ami les principaux éléments de son enquête sur la mort de Napesh.

6

– Entrez! lança Isabelle Florent, en réponse aux deux coups frappés à la porte de son bureau situé dans le Burnside Hall.

Entouré de vieux immeubles victoriens qui rappelaient les splendeurs passées de la bourgeoisie anglo-écossaisse de Montréal, le pavillon de béton et de verre dressait sa tour, construite en 1970, à deux pas de la porte Roddick, et s'ouvrait sur la rue Sherbrooke près de McGill College.

À trente-cinq ans, Isabelle Florent, en plus de son travail consacré à l'étude des aurores boréales pour Environnement Canada, était chargée de cours en modélisation du climat, au Atmospheric and Oceanic Sciences Department de l'Université McGill. Elle était justement en train de réviser les notes de son prochain cours lorsque Pierre Dumont poussa la porte de son bureau.

Le policier s'avança et, étonné, arrêta son regard sur un globe terrestre victorien sur pied de bonne dimension, avant de se détourner vers un bureau également d'époque, chargé de livres et de papiers divers, derrière lesquels apparaissait une tête rousse, aux longs cheveux raides s'arrêtant aux épaules. Accompagnant ces objets d'une autre époque, un écran plat de très grande dimension, une imprimante tout aussi surdimensionnée, ainsi que des cartes et des photos satellite éparpillées çà et là, il n'y avait aucun doute, on était bien à la fin du XXe siècle.

– Ah, monsieur Dumont, bien sûr! fit Isabelle Florent lorsqu'il se présenta. Elle lui tendit la main, la poigne était ferme. Votre ami Jean-Paul Désy m'a téléphoné. Il m'a simplement dit que vous passeriez me voir aujourd'hui, sans plus de détails. Ça m'a intriguée. Depuis son coup de téléphone, je me demande comment mes travaux peuvent être un sujet d'intérêt pour la police.

Dumont lui relata alors quelques éléments clés de son enquête, ceux pour lesquels il avait besoin d'explications scientifiques.

– Vos questions en soulèvent pas mal d'autres, réagit la scientifique. En fait, plusieurs spécialistes en météorologie ont relevé de nombreux phénomènes étranges, notamment au Saguenay–Lac-Saint-Jean, depuis une bonne douzaine d'années. Mais personne n'a encore tenté de systématiser tout ça dans un projet de recherche.

– Personne ne s'est donné la peine de répertorier tous ces faits étranges?

– Personne, c'est vite dit! J'ai moi-même recueilli des témoignages, des observations et des coupures de presse que j'ai rassemblés dans un dossier personnel, en me disant qu'un jour je tenterais probablement d'approfondir la question.

Elle semblait un peu mal à l'aise et hésita avant de poursuivre.

– Écoutez, vous allez peut-être me prendre pour une folle mais, puisque vous êtes un ami de Jean-Paul, je pense que je peux vous faire confiance. Je ne suis pas une illuminée.

Le ton de la jeune femme intrigua Dumont. Il n'osait la presser de s'expliquer, mais il pressentait que ses révélations pourraient être capitales pour la poursuite de son enquête.

– Dans le cadre de mon travail, je suis amenée à me rendre fréquemment dans le Grand Nord du Québec, dans les Territoires du Nord-Ouest, au Yukon, et j'ai aussi eu l'occasion d'aller à quelques reprises en Antarctique et en Alaska. Et c'est là que j'ai rencontré des militants écologistes qui ont formé un groupe qui s'oppose à des recherches qu'effectue le gouvernement américain dans le cadre de HAARP...

– Dans le cadre de quoi? Sans doute pas «harpe» comme l'instrument de musique! fit-il en aspirant lourdement son h.

– Pas exactement, non, dit-elle en riant, avant de reprendre son sérieux. C'est l'acronyme anglais de High Frequency Active Auroral Research Program. Comme son nom l'indique, le projet étudie l'influence des hautes fréquences sur les aurores boréales. C'est un programme de recherche sur l'ionosphère.

Devant l'air perplexe de Dumont, la scientifique enchaîna avant que le policier ait le temps d'ouvrir la bouche.

– C'est la haute atmosphère, si vous voulez. Ça se situe entre soixante et huit cents kilomètres d'altitude. Je vous épargne les explications détaillées. Disons qu'elle est constituée de particules qui réfléchissent les ondes radio. Elle a été découverte au début des années 1900 par deux Américains qui cherchaient à expliquer comment Marconi pouvait communiquer par radio partout sur la planète, malgré la rotondité de la Terre. L'ionosphère joue aussi un rôle de bouclier entre nous et les rayons nocifs du Soleil.

– Mais qu'est-ce que les transmissions radio de Marconi viennent faire dans le projet HAARP?

– J'y arrive, j'y arrive, fit-elle avec une légère trace d'agacement dans la voix. Les écologistes du groupe

NO HAARP sont convaincus que ce projet sur les aurores boréales dissimule un programme ultrasecret du Pentagone. La base de HAARP est située à Gakona, en Alaska. Il s'agit d'une vaste installation de plusieurs kilomètres carrés où sont plantées une cinquantaine d'antennes de vingt mètres de haut. Chacune d'entre elles est reliée à un émetteur d'un million de watts de puissance. Le tout est alimenté par des turbines au diesel. C'est à la fois mystérieux et impressionnant. Presque de la science-fiction, en tout cas de quoi exciter l'imagination ! Particulièrement si l'on est un peu parano et adepte des théories de conspiration. Les membres du groupe pensent que les recherches effectuées dans le cadre de HAARP sont liées à la « Guerre des Étoiles » si chère à l'ancien président Reagan. Sur cette question, je suis quand même un peu sceptique.

– Donc, Bill Napesh partageait les objectifs de NO HAARP. Il aurait pu tenter de contacter des membres de cette organisation ou même en devenir membre ?

– Ça peut se vérifier assez facilement. Je suis en contact avec Peter Feldman, le correspondant des contestataires ici, au Québec. Il est astronome amateur. Je vous donnerai ses coordonnées, vous pourrez vérifier si votre Cri était membre du groupe ou non.

– Au fait, qu'est-ce que vos amis reprochent exactement à HAARP et au Pentagone ?

Florent crut détecter un ton légèrement ironique et condescendant dans la voix de Dumont.

– D'abord, ce ne sont pas mes amis et, comme je vous l'ai dit, moi aussi je pense qu'ils charrient. Mais il y a probablement du vrai dans leurs affirmations à l'effet que les recherches du projet HAARP ont des implications militaires, laissa tomber la scientifique.

– Comment savez-vous qu'il y a des implications militaires ?

– Laissez-moi d'abord vous expliquer les origines de HAARP. Le projet se fonde sur les recherches d'un scientifique appelé Bernard Easlund, qui lui-même s'est inspiré des travaux menés au début du siècle par Nikola Tesla, l'inventeur du courant alternatif...

– Encore Tesla. Tiens donc!

– Ah, vous le connaissez? Tesla a travaillé une bonne partie de sa vie à la mise au point d'une technologie permettant de transporter de l'énergie sans faire appel à des fils et une bonne partie de ses travaux a porté sur l'énergie ionosphérique. En 1987, Easlund a déposé douze brevets qui reposent sur les travaux de Tesla et qui sont en fait à la base du développement du projet HAARP.

– Je ne vois pas où est l'utilisation militaire.

– Il suffit de pointer vers l'ionosphère un faisceau d'ondes. La zone visée se transforme alors en un gigantesque miroir virtuel qui agit à son tour comme un relais qui émet des ELF, des fréquences extrêmement basses, vers la Terre. Ce processus crée une sorte de vaste four à micro-ondes dans le ciel. Si un avion passe dans cette zone à ce moment précis, tous ses systèmes électroniques, ses radars, ses communications radio et bien sûr son système de guidage des missiles sont complètement grillés.

– D'accord. Si j'ai bien compris, HAARP peut empêcher les communications ennemies et bousiller les systèmes de guidage sans tirer un seul coup de feu.

– Il y a mieux! Les chercheurs militaires américains se sont aperçus qu'ils pouvaient se servir de ces ondes ELF à leur profit, pour communiquer avec les sous-marins en plongée dans les coins les plus reculés du globe, et cela sans risque d'interception. Selon des informations publiées dans certaines revues scientifiques, les Américains, en s'inspirant des recherches de Tesla, envisageraient même de transmettre de l'énergie électrique à des milliers de kilomètres de distance pour recharger les batteries électriques d'un sous-marin en mission.

– Donc, pour vous résumer, le Pentagone joue avec la haute atmosphère et espère trouver une façon de s'en servir pour faire la guerre.

– Exactement! Et même si vous les considérez comme des Don Quichotte et des paranos, les gens de NO HAARP veulent tout simplement que les États-Unis respectent les conventions internationales qui, depuis une quarantaine d'années, interdisent ce genre d'armement.

– Pensez-vous que Napesh aurait pu être en charge d'un relais de type ELF?

– Impossible à dire comme ça! Il faudrait voir l'équipement dont il avait la garde.

– L'équipement! Quelqu'un est venu faire le ménage et a tout emporté.

– Votre Amérindien peut avoir surveillé n'importe quoi. Je peux vous prêter mon dossier sur HAARP si vous voulez. Ça vous donnera au moins une idée plus générale du sujet.

Florent lui tendit une épaisse chemise. Dumont feuilleta les documents machinalement, lisant çà et là quelques pages.

– Qu'est-ce que c'est ça? Il lut à voix haute «Récits recueillis et retranscrits par Isabelle Florent et Peter Feldman, NO HAARP, Québec».

– Ah! Ce sont justement les phénomènes météo étranges dont je vous ai parlé au début de notre entretien. Peter et moi avons rencontré plusieurs personnes qui nous ont raconté comment elles ont vécu quelques-unes des grandes perturbations climatiques qui ont marqué le Québec au cours des dix dernières années. On a mis ces récits dans le dossier, en attendant de pouvoir enquêter plus en profondeur. Mais faute de temps et de moyens, nous n'avons pas encore avancé dans notre projet.

Une heure plus tard, installé dans une confortable bergère, à la lumière d'un soleil automnal éclatant,

Pierre Dumont lut des récits de témoins d'« incidents climatiques insolites ». Trois d'entre eux retinrent son attention. Il se rappela même avoir été frappé par leur côté étrange lorsqu'il avait lu le compte rendu de ceux du Saguenay et de Montréal dans les journaux de l'époque.

Sandra Hébert, 22 ans, caissière à Laterrière,
au Saguenay, 19 juillet 1996
C'est la pluie qui crépitait sur mes vitres qui m'a tirée du lit ce matin-là. Je me suis dit que je serais encore trempée de la tête aux pieds en arrivant au marché d'alimentation de Laterrière, où je travaille. Depuis la veille, la pluie tombait avec une rare violence. Et il faisait froid pour la saison. On annonçait même une température de seulement douze degrés à Montréal. C'était vraiment un horrible mois de juillet!

La journée du vendredi a été très maussade au magasin. Les clients étaient rares et j'avais bien hâte de rentrer chez moi, j'espérais surtout que le temps allait s'améliorer. Mais le lendemain, à mon réveil, je me suis vite rendu compte que c'était loin d'être le cas. La tempête était même plus violente. À la radio, on annonçait des inondations catastrophiques. Et puis à Ville de La Baie, deux enfants avaient perdu la vie lors d'un glissement de terrain dû à toute cette eau qui s'était précipitée sur la région depuis deux jours. En plus du Saguenay, Charlevoix, la Haute-Mauricie et la Côte-Nord étaient noyées sous des trombes d'eau. Il pleuvait depuis vingt heures consécutives.

Toujours par la radio, j'ai appris que certains secteurs de Jonquière étaient évacués. Je me suis dit qu'il était temps de quitter mon petit deux et demi, car il était situé au rez-de-chaussée. En jetant un coup d'œil à l'extérieur, j'ai vu que ma rue, en pente, laissait déjà dévaler des ruisseaux boueux vers le bas de la côte et charriait de nombreux débris qui venaient heurter les portes des maisons. J'ai fermé ma radio pour ouvrir la télé. Il était huit heures trente et le météorologue de RDI expliquait le phénomène. C'est là que j'ai appris que le lac-réservoir Kénogami avait débordé. Les crues et le déferlement des eaux détruisaient tout sur leur passage : les maisons, les ponts et les routes, notamment le long des rivières aux Sables et Chicoutimi. Là, j'étais sûre que je devais partir, surtout que la rivière Chicoutimi et la rivière du Moulin débordaient. À coup sûr, mon petit logement allait passer un mauvais quart d'heure.

J'ai fait rapidement mon sac, j'ai sauté dans ma voiture et pris la direction de Québec pour rejoindre mes parents. Je préférais voir le déluge à la télévision plutôt que de le vivre...

Mais plus j'avançais dans la ville, plus je voyais que j'étais prise au piège. Il n'y avait plus aucun moyen de quitter Laterrière. Les rues étaient barrées, j'avais l'impression de tourner en rond. Un pompier m'a dirigée vers un centre d'hébergement pour sinistrés. C'est là que j'ai compris que j'en avais pour plusieurs jours avant d'espérer retourner chez moi. J'avais vraisemblablement tout perdu.

François Lemay, 27 ans,
recherchiste des nouvelles TQS
Montréal, 14 juillet 1987
La chaleur était accablante depuis plusieurs jours. Le thermomètre oscillait autour des trente degrés et plusieurs se souhaitaient un peu de pluie pour rafraîchir l'atmosphère étouffante. Ce mardi ne s'annonçait ni pire ni mieux que les autres jours de l'été. En me

rendant au travail ce matin-là, j'ai vu des enfants qui s'éclaboussaient dans les piscines, des cols blancs qui transpiraient, des travailleurs qui suaient sur les chantiers. Tout était parfaitement normal.

À midi, avec plusieurs journalistes-rédacteurs de TQS, on a décidé de ne pas sortir pour le dîner. Nos locaux climatisés étaient préférables à la canicule. Je me souviens même que j'ai plaint les pauvres reporters sur la route. J'ai mangé mon lunch dans la salle des nouvelles avec d'autres collègues.

On discutait entre nous en prêtant une oreille distraite aux dépêches diffusées en continu par CNN. Quelqu'un a déclaré que le ciel s'était beaucoup obscurci. On a tous regardé vers les fenêtres. Le ciel était noir de masses orageuses.

Soudain, un coup de tonnerre a déchiré le silence, bientôt suivi d'une série d'autres provoqués par de longs éclairs d'une intensité peu commune ; on était tous fascinés. Deux cameramen ont grimpé sur le toit de la station avec leur caméra ; les images seraient fantastiques...

La pluie tant attendue a alors commencé à tomber, de plus en plus drue, activée par des vents violents. Dans la salle des nouvelles, c'était le branle-bas de combat. Les journalistes en reportage téléphonaient des quatre coins de la ville. C'était incroyable, inimaginable! L'avenue du Parc était submergée, le viaduc au coin de Beaumont, impraticable ; Décarie s'était transformée en torrents. Partout en ville, les scènes de désolation se gravaient sur les rubans vidéo des journalistes de toutes les stations, et j'ajouterai même dans les mémoires des milliers de citoyens montréalais. On avait l'impression de vivre un moment historique.

On apprenait de minute en minute que plusieurs automobilistes abandonnaient en toute hâte leur véhicule ; un octogénaire s'est même noyé quand sa voiture a été ensevelie par les eaux.

Un collègue sur la route m'a dit par téléphone que l'odeur était déjà infecte dans certains quartiers, les égouts ne suffisaient plus à la tâche et ajoutaient encore au drame en refoulant leur trop-plein. Plusieurs centaines de caves étaient déjà inondées. Les passagers ont dû évacuer les stations de métro, la société de transport en est venue à la décision de fermer les portes, quelques tunnels étaient déjà inondés et la direction prévoyait le pire.

Puis, vers seize heures, l'orage a cessé presque aussi brusquement qu'il était arrivé. Les journalistes sont rentrés un à un dans leur station pour finir leurs reportages diffusés dans les bulletins spéciaux qui occupaient l'antenne en direct depuis le début de la catastrophe. Au cours des jours suivants, on a passé et repassé les images ; bon nombre de gens étaient encore incapables de croire à un tel phénomène.

Note en marge
En moins de deux heures, cent quatre-vingts millimètres d'eau noyèrent la métropole québécoise, déracinèrent plusieurs dizaines de gros arbres, privèrent trois cent cinquante mille personnes d'électricité et inondèrent les sous-sols de quarante mille résidences. Plusieurs mois plus tard, on évaluera les dommages à plus de cent millions de dollars.

Solange et Yves Brodeur, 43 ans et 46 ans, pomiculteurs de la Montérégie, 29 juillet 1985
Les éléments se sont déchaînés. La pluie se faisait de plus en plus forte, puis, en quelques secondes, une violente tempête de grêle s'est abattue sur la région. Il était un peu plus de vingt-deux heures. Pendant de

longues minutes, des grêlons de la taille de balles de golf sont tombés en rafale, cassant tout sous leur poids. Des maisons, des commerces et des voitures ont été endommagés. Plusieurs champs cultivés ont été ravagés en quelques secondes à peine, des fraisières dévastées, de nombreux vergers et vignobles meurtris. Nos vergers ont été durement touchés, nous avons perdu une grande partie de notre récolte.

Note en marge
Plusieurs semaines plus tard, on dressa le lourd bilan: cent cinquante exploitations agricoles touchées dans la région de Mont-Saint-Grégoire et trois millions et demi de dollars de dégâts.

Dumont trouva aussi dans le dossier une dépêche de la Presse Canadienne publiée dans *Le Soleil* de Québec qui rapportait qu'à quelques reprises, durant l'été 1994, des avions-citernes CL-215 du Service aérien du gouvernement du Québec avaient été affectés par des interruptions totales de communication radio alors qu'ils participaient à des opérations de lutte contre des incendies de forêt dans la région du Lac-Saint-Jean.

L'agence citait un porte-parole du Service aérien qui affirmait que les CL-215 étaient incapables de recevoir et de transmettre sur des zones précises de plusieurs kilomètres carrés.

Le phénomène disparaissait et réapparaissait durant des jours, touchant des zones différentes. Compte tenu des implications pour la sécurité aérienne, la dépêche indiquait que Transports Canada avait ouvert une enquête pour en déterminer les causes. Un spécialiste en communication et un météorologue contactés par l'agence affirmaient qu'ils étaient incapables de trouver des précédents ou de donner une explication à l'énigme.

Les propos d'un pilote évoquant la possibilité d'un vent solaire étrange étaient aussi rapportés, tous comme ceux d'un astronome de l'Université Laval, qui écartait totalement une telle hypothèse, affirmant qu'aucune tempête électromagnétique ne pouvait avoir une configuration aussi erratique.

Isabelle Florent avait souligné en rouge ces derniers propos.

En marge du paragraphe, plusieurs points d'exclamation étaient suivis des lettres US. Dumont pensa immédiatement que cela correspondait parfaitement à l'une des expériences militaires américaines dont Florent lui avait parlé.

Les répercussions du dossier d'Isabelle Florent étaient énormes. Pierre Dumont s'étira comme un chat, de la pointe des pieds jusqu'au bout des doigts. Il sourit. Tout cela relevait de la paranoïa. Comment une climatologue, une scientifique, pouvait-elle même avoir l'idée de rassembler des phénomènes que rien ne reliait entre eux, sauf l'imagination hyperactive de quelques écolos probablement stimulés par quelques psychotropes ? Ridicule !

Machinalement, Dumont se frotta l'arrière du crâne, là où quelques semaines plus tôt une énorme bosse due aux coups reçus lors de son agression lui avait laissé un mal de tête pendant plusieurs jours. Mais la lancinante petite phrase lui revint : « Et si c'était vrai ? » S'il y avait un fondement à toutes ces élucubrations ? Il est sûr que pour éviter que l'affaire n'éclate, les responsables seraient disposés à prendre les mesures les plus extrêmes, incluant l'élimination physique de témoins comme Napesh. Son esprit mit de nouveau en doute la vraisemblance de l'explication. Mais c'était la seule piste qu'il lui restait. La raclée qu'il avait subie ne serait rien à côté de ce qui l'attendait s'il continuait de fouiner dans cette affaire. Et sans l'aval de ses supérieurs, il ne pourrait rien faire.

De plus, au fur et à mesure de ses découvertes, il n'était même plus certain lui-même de vouloir poursuivre dans ce dossier. Qui le croirait? Il craignait pour sa réputation professionnelle. Sa crédibilité serait mise en doute. Il serait la risée du service.

Mais brusquement le même leitmotiv revenait : «Et si c'était vrai?» Il se demanda quelles étaient ses chances de mener son enquête à bien, lui seul contre le gouvernement des États-Unis, la première puissance de la planète, son armée et ses services secrets. «Nulles, absolument, totalement, définitivement, irrémédiablement nulles», pensa-t-il. Il était découragé. Sa première vraie enquête risquait de finir en queue de poisson, ou par sa mort, ou encore par une incarcération dans une institution psychiatrique. Il sourit.

Il refermait le classeur à anneaux quand Stéphanie entra dans l'appartement. Il l'aida à transporter deux sacs d'épicerie remplis de bonbons vers la cuisine et entreprit de lui donner un coup de main pour préparer de petits sachets qu'ils remettraient aux enfants de leur quartier en ce soir d'Halloween.

Stéphanie lui jeta un coup d'œil insistant qu'il interpréta aussitôt : «Bon, je sens qu'elle va encore me parler d'enfants toute la soirée! J'aurais préféré surveiller les petits monstres dans la rue plutôt que de voir des larmes dans les beaux yeux noirs de Steph chaque fois que l'un d'eux va sonner à la porte.»

7

Le document que Flagerty avait entre les mains comptait près de deux cents pages imprimées recto-verso. Il ne portait aucune mention d'origine. Pas de logo d'USP sur la page titre. Un document anonyme. Le titre explicitait parfaitement son contenu : *Synthèse des renseignements obtenus par l'écoute des conversations téléphoniques entre Monica Lewinsky et Linda Tripp et diverses investigations connexes*. Les deux noms étaient repris plus bas sur la page avec leur date de naissance respective, leur numéro d'employée du département de la Défense des États-Unis et le nom des services pour lesquels elles travaillaient au Pentagone. «Pas brillant d'avoir mis ces références d'emploi sur Lewinsky et Tripp, pensa-t-il. Ça indique que quelqu'un au Pentagone a participé à la collecte des renseignements.» Un CD de données était joint au document imprimé, dans une pochette intégrée à la couverture plastifiée.

Deux hommes avaient pris place autour d'une table de travail circulaire en compagnie du PDG d'Ultimate Systems Providers, dans son bureau en banlieue sud de Washington. Il s'agissait de Douglas Dobson, vice-président à la sécurité interne du groupe, et de Mark Crozier, un major en civil de la Defense Intelligence

Agency. Le premier était plutôt grand et élancé, environ cinquante ans, il avait probablement les cheveux teints, car beaucoup trop noirs pour son teint pâle. Le second, dans la jeune trentaine, était passablement athlétique, il portait les cheveux courts et bombait sans cesse le torse, en homme sûr de lui, mais un brin imbu de sa personne.

Flagerty déposa le document sur la table. La veille, Dobson avait demandé une rencontre urgente au sujet du dossier Saxophone, le nom de code que le service de sécurité d'USP avait donné à une opération en cours et qui visait à compromettre le président des États-Unis. Bill Clinton jouait de cet instrument.

Une officine du Pentagone relevant du sous-secrétaire adjoint, Steve Watters, menait, à toutes fins utiles, l'enquête pour USP à l'insu du secrétaire à la Défense William Cohen. Le major Crozier en était le responsable.

– Je dois vous dire que je n'ai pas suivi le dossier Saxophone de très près récemment, commenta Flagerty. J'ai d'autres préoccupations depuis quelque temps et je n'aurai pas le temps de lire le document. Ce que j'en sais, c'est que ces deux femmes – il jeta un regard sur la page de garde du document – sont au centre d'une affaire de sexe impliquant le président et sur laquelle vous montez un dossier depuis près de deux ans. Vous avez donc du nouveau?

Dobson prit la parole, satisfait.

– C'est dans le sac, Sean. On tient Clinton. Mais d'abord, je laisse Mark faire le point sur le déroulement de l'enquête.

Crozier sortit une feuille de son classeur à anneaux et procéda au compte rendu. Il avait le ton d'un officier au rapport.

– L'affaire a été portée à notre attention après que Tripp, une employée du Pentagone, eut confié à une collègue de travail qu'une de ses amies du nom de Monica Lewinsky entretenait une liaison avec Bill Clinton. Tripp et Lewinsky se sont liées d'amitié alors qu'elles travaillaient ensemble à la Maison-Blanche. Le bruit est venu aux oreilles de Steve Watters, qui m'a confié l'affaire. J'ai approché Tripp en prétendant agir dans le cadre d'une enquête officielle du département de la Défense. Steve Watters a fait en sorte, lorsque le stage de Lewinsky s'est terminé à la Maison-Blanche, qu'elle soit, elle aussi, embauchée au Pentagone.

Flagerty, qui griffonnait des notes, releva la tête, ses épais sourcils prenant la forme caractéristique d'accents circonflexes, signe chez lui de profonde réflexion.

– Qu'est-ce qui motive Tripp ?

– Elle aussi déteste Bill Clinton, lâcha Crozier.

Les trois hommes éclatèrent de rire. Crozier reprit ses explications.

– Elle a été mutée au Pentagone contre son gré, après avoir commis une bourde quelconque. Son motif est sa haine de Bill Clinton, à qui elle reproche personnellement sa mutation. Je lui ai dit qu'elle collaborait à une enquête de contre-espionnage sur des employés de la Maison-Blanche et qu'elle devait garder le secret le plus absolu sur la question. Elle le croit vraiment.

– Donc, personne au Pentagone, sauf des personnes qui nous sont acquises, n'est au courant de cette histoire, se rassura Flagerty.

– Steve Watters, moi et les trois personnes de mon bureau, ajouta Crozier en lissant sa coupe en brosse.

– Mais attention, Sean, même si personne n'est au courant de notre enquête, fit Dobson, ça ne veut pas dire qu'on est les seuls à être au courant de la liaison. Tu t'imagines ! Une gamine de 23 ans qui fait des pipes au président des États-Unis à la Maison-Blanche ! D'après notre enquête, Lewinsky s'en est vantée à pas moins de onze personnes, dont sa psychiatre.

– Ça l'impressionnait tellement, intervint Crozier, qu'elle appelait parfois ses copines directement de la Maison-Blanche dans les minutes suivant la rencontre sexuelle pour leur confier qu'elle avait encore le goût du président dans la bouche. Une fois, elle a dit que Clinton lui a enlevé son pénis de la bouche pour aller participer à une conférence de presse avec Yasser Arafat dans la Roseraie de la Maison-Blanche.

– Mais d'après ce que je vois en feuilletant le dossier, reprit le patron d'USP, nos informations se fondent surtout sur des conversations téléphoniques.

Dobson plongea à son tour dans ses notes.

– Au cours de la période visée, Monica Lewinsky et Linda Tripp ont discuté entre elles à une cinquantaine de reprises de la relation amoureuse de Lewinsky avec le président des États-Unis. Nous possédons les enregistrements de trente-huit de ces conversations que Tripp a accepté d'enregistrer pour nous. Mieux, Tripp a préparé avec Mark certains des appels qu'elle passait à Lewinsky afin d'en tirer le maximum d'informations préjudiciables et embarrassantes pour Clinton.

– Mais on ne s'est pas limité aux conversations téléphoniques, ajouta Crozier. On a recueilli des informations complémentaires auprès d'autres sources, notamment des employés de la Maison-Blanche, pour corroborer les propos de Lewinsky. Il y avait plein de monde qui était au courant.

– Qu'est-ce qui s'est passé au juste ? Vous avez tous les deux surtout fait allusion à des fellations de la petite Lewinsky jusqu'ici.

Flagerty ne semblait pas tout à fait convaincu de la pertinence des faits portés à son attention. Il lui en fallait plus pour être sûr de vraiment tenir Clinton. Sentant l'hésitation de son interlocuteur, Crozier tira une autre feuille de son dossier.

– Selon les calculs de mon adjoint, qui a établi une chronologie détaillée de la relation, Lewinsky et Clinton ont eu dix rencontres sexuelles, généralement à l'intérieur ou à proximité du cabinet privé du président attenant au Bureau ovale, le plus souvent dans le couloir sans fenêtre qui y mène. Dans ses conversations avec Tripp et par des confidences à d'autres personnes, Lewinsky a déclaré que ces relations physiques excluaient le coït. D'après notre étude des conversations de Lewinsky, elle a pratiqué la fellation sur le président à neuf occasions. Chaque fois, le président a caressé et embrassé ses seins nus. Il a touché à ses organes génitaux à travers ses vêtements, puis directement. Elle affirme n'avoir amené Clinton à l'orgasme qu'à deux reprises, lors des deux dernières rencontres en février et mars de cette année. De plus, selon les propos qu'elle a tenus à diverses interlocutrices, ils ont eu des échanges sexuels téléphoniques de dix à quinze fois.

Crozier remit la feuille dans son classeur. Un silence tomba dans la pièce. Flagerty réfléchissait, puis finalement il opina de la tête, tout en faisant sauter le bouton retenant son col Mao, un geste que Dobson qui le connaissait depuis de nombreuses années interpréta, un peu trop vite, comme la manifestation de sa satisfaction.

– C'est une excellente enquête, minutieuse, détaillée, précise. Des informations extrêmement dommageables pour ce salaud de Clinton, mais c'est du ouï-dire. On n'a pas de témoin de la liaison. On n'a pas nous-mêmes enregistré de conversations entre Clinton et Lewinsky. On n'a pas de preuves matérielles. Devant l'opinion publique, que vaudront les vantardises téléphoniques d'une adolescente attardée à ses copines contre la parole du président des États-Unis ?

Dobson regarda Crozier avec un sourire complice avant d'intervenir.

– Comme je te l'ai dit en arrivant, Sean, on le tient, Clinton. On a même une information déterminante sur la relation sexuelle, que lui-même ne soupçonne pas. Une preuve matérielle indubitable que Clinton ne pourra jamais réfuter !

Dobson fit une pause pour ménager son effet. Il jeta un nouveau regard vers Crozier qui afficha sa suffisance, ce qui eut l'heur de déplaire au président d'USP.

– Allez, crache, lança Flagerty, impatient.

– Lewinsky a téléphoné à Tripp hier pour lui dire qu'elle avait retrouvé au fond de sa penderie la robe qu'elle portait lors de sa rencontre sexuelle avec Clinton en février dernier. Elle ne l'avait pas portée depuis. Elle voulait la mettre pour voir si elle avait pris du poids, elle y a découvert deux taches de sperme présidentiel. Elle a dit à Tripp qu'elle ne voulait pas faire nettoyer la robe, en souvenir de son amour déçu. Si jamais Clinton ose démentir, la preuve d'ADN sera facile à établir.

– Ah le fils de pute, on l'a par les couilles ! s'écria Flagerty en souriant, tout en frappant à main plate sur le dossier ouvert devant lui. Il faut protéger la robe par tous les moyens. Crozier, vous allez faire comprendre à Tripp que si elle veut vraiment se faire Clinton, elle doit convaincre Lewinsky de garder précieusement sa robe dans son état actuel, ne pas la faire nettoyer... sous aucun prétexte. Elle ne doit pas non plus en parler à qui que ce soit. Vous me comprenez. Rien ne doit arriver à la robe.

– Vous pensez bien que c'est la première chose que j'ai faite quand Tripp m'a rapporté la conversation, le rassura Crozier.

– Je n'ai pris aucun risque, intervint Dobson. Dès que Mark m'a averti, j'ai mis Dave Eisley, mon directeur des opérations spéciales à la sécurité interne, dans le coup. Ensemble, on a immédiatement déployé un périmètre de sécurité autour de l'appartement de Lewinsky, qui est depuis six heures ce matin sous la protection des gars d'Eisley, vingt-quatre heures sur vingt-quatre. Je planifie également avec lui une entrée clandestine dans l'appartement pour y placer des micros et des caméras. On peut penser que si jamais à la Maison-Blanche ils apprenaient l'existence de spermatozoïdes présidentiels incontrôlés, ils seraient tentés de faire comme à l'époque de Nixon et d'envoyer des... heu... plombiers... pour la récupérer.

L'allusion au sperme de Clinton et aux cambrioleurs du Watergate plongea Flagerty et Crozier dans l'hilarité.

Flagerty se félicita intérieurement d'avoir choisi Dobson, un ancien cadre de la direction des opérations clandestines à la CIA, comme vice-président à la sécurité d'USP. Un type rompu aux techniques de l'action secrète. On n'avait pas besoin de lui faire de dessin. C'est lui qui avait créé le service «action» de la sécurité interne et qui avait recruté Dave Eisley, un ancien des Bérets verts, pour le diriger. Sans eux, le problème de l'Indien au Québec n'aurait pu être contenu.

Mais brusquement, l'inquiétude assombrit de nouveau le visage de Flagerty. Lewinsky lui paraissait être un électron libre que seule la présence de Tripp dans son entourage empêchait de virevolter dans toutes les directions.

– Vous êtes bien sûr, Mark, que Lewinsky a une confiance absolue en Linda Tripp?

– Elle la considère comme sa deuxième mère, assura Crozier. Tripp a près de deux fois son âge. C'est sa confidente. Son amie intime. Si vous voulez vous en convaincre, on a fait une sélection d'extraits de leurs conversations téléphoniques les plus compromettantes pour Clinton. C'est sur le cédérom qu'on vous a remis avec le document.

Flagerty retira le CD de la pochette, se leva et alla l'introduire dans le lecteur de la luxueuse chaîne Bang &

Olufsen installée dans son bureau. Il revint s'asseoir et appuya sur la télécommande. Après quelques secondes, la voix de Monica Lewinsky remplit la pièce.

Tu aurais dû me voir, Linda, je portais une robe longue, boutonnée du cou jusqu'aux chevilles. Ça l'a rendu fou. Dès qu'on a été seuls, il a déboutonné ma robe et dégrafé mon soutien-gorge. Il me caressait les seins et disait que j'étais belle. J'étais déjà mouillée à en dégoutter par terre. Il a introduit deux doigts en moi. Je suis venue. Il a sorti sa bitte. Je l'ai sucée très intensément, mais il n'a pas voulu venir. Après, on a parlé environ quarante-cinq minutes dans le Bureau ovale. Je lui ai demandé si un jour on ferait vie commune, et devine quoi, Linda, il m'a laissé entendre que je pourrais un jour devenir sa femme…

– Il abandonnerait Hillary pour toi ? Il te l'a dit comme ça ?

– Pas aussi explicitement. Mais il m'a dit souvent que lui et Hillary, sur le plan du sexe, ce n'était pas extraordinaire depuis des années. Aussi qu'elle n'avait jamais accepté de lui faire des choses que moi je lui ai faites.

– Des pipes ? Ne me dis pas qu'Hillary ne lui a jamais fait une pipe.

– Elle lui en a déjà fait, mais il me dit qu'elles n'étaient jamais aussi bonnes que les miennes. Il dit que ça fait des années qu'elle ne lui en fait plus.

– Sais-tu s'ils couchent encore ensemble ?

– Hillary refuse de coucher avec lui depuis que Paula Jones – tu sais, la fonctionnaire de l'Arkansas à qui il a demandé une fellation alors qu'il était gouverneur de l'État – a rendu l'affaire publique. Quand elle a appris l'affaire, elle a agressé Bill physiquement dans leurs appartements privés de la Maison-Blanche. Des membres du Secret Service ont

dû intervenir pour le protéger contre la fureur aveugle de cette harpie d'Hillary...

La stagiaire s'interrompit comme si elle hésitait à confier un autre de ses secrets d'alcôve à son amie.

– Et il y a d'autres choses que je lui ai faites qu'elle n'a jamais voulu lui faire...

– Quoi donc ? Qu'est-ce que tu as bien pu lui faire à la sauvette dans un couloir qu'Hillary ne lui a jamais fait au lit ou ailleurs ?

– Il m'a demandé de lui lécher l'anus...

– Et t'as accepté, ma salope ? C'est dégueu. Il ne sortait quand même pas du bain...

– Il m'a dit qu'il venait tout juste de prendre une douche en prévision de notre rencontre. D'ailleurs, il goûtait encore le savon aromatique.

– Il faut vraiment que tu l'aimes. Comment avez-vous pu faire ça dans le couloir ? Il n'a pas enlevé son pantalon ?

– Écoute, il n'enlève jamais son pantalon. Pour que je lui lèche le cul, il a abaissé son pantalon aux chevilles et il s'est penché par-devant en appuyant ses mains sur le cadre de la porte des toilettes. Il ne pouvait pas vraiment ouvrir ses jambes, il a fallu que je lui écarte les fesses pour passer ma langue. Il me demandait aussi de le masturber. Je me suis arrêtée un instant pour lui dire que je ne pouvais pas tout faire en même temps. Mes mains ouvraient ses fesses.

– Les hommes ne sont jamais contents, commenta Linda Tripp.

– Des fois, Bill me déçoit, je pense qu'il ne m'aime pas vraiment et même qu'il me méprise.

Après un silence de cinq secondes, on entendit de nouveau la voix de Monica Lewinsky sur la plage suivante.

La chienne d'Hillary ! Linda, c'est elle, j'en suis sûre, qui a exigé mon départ de la Maison-Blanche. Lui, en tout cas, n'en savait rien.

— Voyons, ne sois pas ridicule. C'est impossible que personne ne lui ait dit qu'on se débarrassait de toi. Qu'est-ce qui s'est passé quand tu l'as vu hier ?

— Betty Currie, sa secrétaire que tu connais, m'a appelée pour me dire que le président voulait me voir. Je suis arrivée à la Maison-Blanche à cinq heures moins cinq et j'étais sortie à cinq heures et demie. J'ai expliqué à l'agent Muskett du Secret Service que je devais porter des documents au président. Il m'a fait entrer dans le Bureau ovale.

— Et vous avez eu le temps de vous témoigner de l'affection ?

— Dès que l'agent a fermé la porte, Bill m'a emmenée par la main vers le couloir. Je pleurais, je lui ai dit que lundi serait mon dernier jour. Il avait l'air vraiment contrarié. Il a sorti son pénis qui était flasque. C'était la première fois, je pense, que ça arrivait. Moi, je lui demandais si je pourrais encore le voir. Je pleurais toujours. De sa main libre, il me poussait sur l'épaule pour que je m'abaisse devant lui. Pendant que je me mettais à genoux, il m'a dit que bien sûr on continuerait de se voir, même si je n'étais plus à la Maison-Blanche, et il m'a demandé de lui mordiller le gland.

— Pas très attentionné pour une femme qui pleure pour lui.

— Il est comme ça, des fois, mon Bill. J'ai fait ce qu'il m'a demandé en sanglotant. Puis on s'est rendus dans son bureau privé. Il m'a dit : « Je ne savais pas qu'on voulait t'éloigner de moi ! » Je lui ai dit que je pensais que c'était Hillary qui était responsable de ma mutation au Pentagone. Il m'a regardée et m'a dit : « Je te promets que si je gagne

mon deuxième mandat, en novembre, je te fais revenir comme ça.»

– *Ça veut dire qu'il est quand même très attaché à toi ?*

– *Une fois, il m'a dit qu'il ne voulait pas s'accoutumer à moi comme à une drogue et que je ne devais pas m'attacher à lui. Ça m'avait fait beaucoup de peine.*

– *Tu es vraiment en amour avec ce type.*

– *Tu ne peux pas savoir, Linda. C'est l'amour de ma vie...*

Flagerty appuya sur la touche «pause» de la télécommande.

– Est-ce que c'est la relation sexuelle, qui explique son départ de la Maison-Blanche, comme le pense Lewinsky?

– La liaison était connue de tous les proches collaborateurs de Clinton, répondit Crozier. C'était la secrétaire du président, Betty Currie, qui servait d'intermédiaire et qui s'assurait que personne ne les dérange. En avril dernier, on a commencé à craindre le scandale. C'est Sandy Berger, je crois, qui a décidé de l'éloigner. Peut-être à l'instigation d'Hillary, qui ne pouvait faire autrement, elle aussi, que d'être au courant.

– Elle était toujours stagiaire, à ce moment-là? demanda Flagerty.

– Non, Clinton l'avait fait engager comme employée de la Maison-Blanche, expliqua Crozier. Elle était fonctionnaire. La Maison-Blanche lui cherchait un poste dans l'administration fédérale. Watters et moi avons pensé qu'on pourrait plus facilement l'avoir à l'œil si elle travaillait au Pentagone. Josh Cummings lui a trouvé un job dans le bureau de l'assistante du sous-secrétaire à la Défense pour les affaires publiques.

– Mais, enchaîna Dobson, elle a continué d'avoir des relations sexuelles avec Clinton qui la faisait venir à la Maison-Blanche et qui l'appelait chez elle pour du sexe téléphonique. Ça s'est poursuivi jusqu'en mai de cette année.

– L'extrait suivant porte justement sur cette dernière rencontre, intervint Crozier en faisant signe à Flagerty de redémarrer le CD.

(La voix de Monica est haletante. Celle d'une femme qui vient de pleurer et qui a de la difficulté à retenir ses sanglots.)

Cet après-midi, il m'a presque pénétrée. Je lui disais: «Vas-y mon chéri, entre dans moi», mais il n'a pas voulu. J'étais debout, la robe relevée, les fesses appuyées sur son bureau dans son bureau privé. Je ne portais pas de petite culotte. J'ai bien pensé qu'il m'étendrait sur le bureau, m'ouvrirait les cuisses et me baiserait.

– De la façon dont tu en parles, c'était ton fantasme, ça se voit!

– Ça l'est encore. Je voyais que ça le tentait vraiment. Je l'encourageais à le faire. «Vas-y, saute-moi sur ton bureau», que je lui disais. Mais il a résisté. Il m'a demandé de le sucer. J'ai réussi à le faire éjaculer. C'était seulement la deuxième fois que j'y parvenais. Tu sais quoi, Linda? J'étais fière de moi. Il était heureux. Il est allé chercher un cigare dans un tiroir de son bureau. Un gros cigare cubain. Il s'est approché de moi en souriant et m'a demandé de le sucer comme si c'était un pénis. Après, il me l'a introduit dans le vagin. J'étais tellement mouillée, il m'a baisée avec le cigare pendant plusieurs secondes en m'embrassant en même temps. Puis il l'a retiré et l'a mis dans sa bouche en me disant que j'avais très bon goût.

– Ah ! Comme ça, le président des États-Unis viole l'embargo contre Cuba à la Maison-Blanche, se moqua Linda Tripp.

Des sanglots répondirent à la remarque caustique.

– Il ne veut plus de moi. Il me l'a dit. C'est fini, Linda. Il m'a dit que durant son mariage, il a eu des centaines d'aventures, mais qu'il essayait d'être fidèle depuis qu'il avait passé la quarantaine. J'ai fondu en larmes. Je l'ai imploré, je lui ai dit que je ne pouvais me passer de lui. Mais il a été inflexible. C'est fini. Mon Dieu, mon Dieu, mon Dieu...

Un silence succéda aux lamentations. À la demande de Dobson, Flagerty arrêta l'enregistrement.

– Trois jours après cette dernière rencontre, expliqua-t-il, la Cour suprême a rejeté à l'unanimité l'argument de Clinton qui prétendait que la Constitution lui offrait l'immunité en matière de vie privée. La Cour ordonnait la poursuite de l'instruction de la plainte de Paula Jones contre Clinton pour harcèlement sexuel. Cela a sans doute définitivement refroidi les ardeurs de Clinton envers Lewinsky.

– Le financement de la bataille judiciaire de Paula Jones m'a coûté cher, observa Flagerty, mais au moins ça donne des résultats. Même si je ne réussis pas à provoquer son impeachment, sa réputation auprès de l'Amérique profonde, du monde ordinaire, est à jamais entachée. Il faut continuer à médiatiser Jones au maximum. Peu importe ce que ça coûte ! Je regrette tellement que Jennifer Flowers n'ait jamais voulu s'embarquer avec nous. Monica Lewinsky, c'est autre chose. Ça va devenir notre arme secrète de dissuasion.

– Quel épouvantable goujat, commenta Dobson, quel mufle ! Traiter une femme de cette façon. Attendre qu'elle lui ait fait une fellation et donner un orgasme avant de lui dire que la liaison est terminée !

– Et après lui avoir fait le coup du cigare, ajouta Flagerty en relançant le CD.

J'étais en train de le sucer, hier, quand quelqu'un lui a crié qu'il avait un appel téléphonique. Il a reculotté son pénis et est retourné dans le Bureau ovale pendant un instant, puis a pris l'appel dans son bureau privé. Bill m'a fait signe de reprendre la pipe pendant qu'il parlait au téléphone. J'ai obéi.

– C'était qui, au téléphone, tu penses ?

– La conversation tournait autour de la politique et j'ai pensé que ça pouvait être son conseiller Dick Morris. Après, on s'est assis et il m'a parlé de Kennedy. Bill est obsédé par lui. Il connaît tout au sujet de ses aventures sexuelles. Il m'a expliqué que lui aussi aimait les petites jeunes. Kennedy s'est envoyé une étudiante d'Harvard de 19 ans qu'il a séduite peu avant l'élection présidentielle de 1960, quand il était membre du conseil de l'université. Une fois à la Maison-Blanche, il l'a fait nommer assistante de son conseiller à la sécurité nationale McGeorge Bundy. Elle avait une maîtrise en histoire américaine et Bill dit que pour l'impressionner, Kennedy l'a baisée dans la chambre et le lit d'Abraham Lincoln, qu'il utilisait comme salle de jeux sexuels quand Jackie n'était pas à la Maison-Blanche. C'est pas à moi que ça pourrait arriver.

– Lui as-tu déjà demandé ?

– À plusieurs reprises. Il a refusé. Il dit que c'est trop dangereux. Qu'on n'est plus à l'époque de Kennedy. Il me dit que dans le temps, quand Kennedy se déplaçait aux quatre coins des États-Unis, les politiciens locaux et les permanents du Parti démocrate lui recrutaient des hôtesses de luxe

ou des volontaires « à but non lucratif » qui voulaient connaître le frisson de se faire monter par le beau John.

– Ce n'est plus comme ça aujourd'hui... En es-tu sûre, Monica ?

– Ça arrive qu'il m'appelle quand il est en voyage. La semaine passée, il m'a appelée de sa chambre d'hôtel à New York. Il fantasmait sur l'amour à trois. Il m'a dit comme il aurait aimé baiser avec moi et son ancienne maîtresse alors qu'il était gouverneur de l'Arkansas, Jennifer Flowers, tu sais la belle blonde, chanteuse de cabaret de Little Rock ? Il m'a demandé de lui décrire comment je m'y prendrais pour la séduire et comment se déroulerait une séance à trois avec Jennifer. On se masturbait tous les deux. Tu ne me croiras pas, mais je suis venue. C'était la première fois de ma vie que je venais au téléphone.

– Il t'appelle souvent, comme ça, en voyage ?

– Le lendemain, j'ai reçu un appel de lui à six heures du matin. Il était à Atlanta pour l'ouverture des Jeux olympiques. Il voulait fantasmer avec moi au sujet des filles qui pratiquent le volley-ball de plage. Imagine, ça devient un sport olympique, cette année. Il voulait que je lui explique quelles instructions je donnerais aux filles de l'équipe brésilienne pour qu'elles lui donnent, ensemble, sous ma direction, la jouissance de sa vie. Il avait devant lui, en m'écoutant, un magazine avec des photos couleur de l'équipe. Cela a pris une dizaine de minutes avant qu'il vienne. Après quoi Bill s'est exclamé : « Quelle bonne façon de commencer la journée ! »

Flagerty appuya sur la touche « arrêt ».

– C'est assez. Inutile d'écouter le reste du CD. Je le tiens, le salaud, dit-il en riant, je le tiens par les couilles… littéralement ! Cela va servir nos intérêts à USP, et à travers nous, ça va servir les intérêts du Parti républicain et de l'Amérique. On va pouvoir aller de l'avant avec nos projets sans se préoccuper de la Maison-Blanche ou du secrétaire à la Défense. Si jamais ils découvrent ce qui se passe, on leur fera écouter le CD. S'ils rechignent, on a un as dans notre jeu : la petite robe tachée de Monica.

– Clinton, observa Dobson en conclusion, est un être sans principes et sans scrupules, un individu immoral. Il a la même sexualité débridée, compulsive et obsessionnelle que son idole Kennedy.

Flagerty saisit au vol la référence à Kennedy pour flétrir la mémoire de l'ancien président démocrate qu'il détestait aussi avec férocité.

– Vous savez, Kennedy s'est fait ferrer dans une affaire de sexe par la General Dynamics. Je tiens l'histoire d'un ancien patron du groupe que j'ai rencontré chez mon futur beau-père, qui était alors sénateur républicain de l'Arizona. C'était au début des années soixante-dix. J'étais étudiant à Caltech. Sa Monica Lewinsky s'appelait Judith Campbell Exner.

– C'est un nom qui me dit quelque chose, fit Dobson. N'est-elle pas déjà passée à l'émission de Larry King, sur CNN ?

Flagerty poursuivit son histoire, une moue de dégoût aux lèvres.

– Tout en baisant Marilyn Monroe, JFK s'envoyait une magnifique Californienne âgée de 25 ans, justement cette Judith Campbell Exner, que lui avait refilée son ami Frank Sinatra. Le crooner aimait, comme ça, offrir certaines de ses conquêtes à ses copains, comme on offre de bons cigares à des amis. Le problème, c'est que Sinatra la partageait déjà avec son copain Sam Giancana, le parrain de la mafia de Chicago. Kennedy voulait recruter Giancana et la mafia pour faire assassiner Fidel

Castro. Ils se sont vus à plusieurs reprises chez elle. Vous vous rendez compte ! Quelle scène extraordinaire : le président des États-Unis en train de négocier le prix de l'assassinat d'un chef d'État étranger avec le parrain de la mafia de Chicago chez leur maîtresse commune. Le vieux J. Edgar Hoover était au courant. Il gardait ça en réserve au cas où Kennedy tenterait de se débarrasser de lui comme chef du FBI. Mais un de ses agents est allé vendre le renseignement à la General Dynamics, qui soumissionnait alors pour ce qui était, à l'époque, le plus important contrat militaire de l'histoire des États-Unis. La compagnie proposait son chasseur TFX, un avion médiocre que l'Air Force ne voulait absolument pas. Les types de la sécurité de General Dynamics ont installé des micros et des caméras dans l'appartement de la fille. Ils avaient sur film et sur ruban des rencontres entre Kennedy et Giancana. Ainsi que des séances de jambes en l'air de la fille avec Kennedy un soir et avec Giancana, un autre. Dans le même décor.

– La General Dynamics n'a pas eu de difficulté, j'en suis sûr, pour convaincre Kennedy des qualités de son fer à repasser volant, intervint Dobson, ricaneur.

Mark Crozier, un militaire de carrière, plus jeune et plus naïf que les deux autres, était incrédule.

– Vous n'allez pas me dire, Sean, que le département de la Défense a été forcé d'acheter l'appareil… le TFX ? Ce nom ne me dit rien et je suis de l'aviation.

– On l'a ensuite renommé F-111. Oui, Mark, l'administration Kennedy l'a choisi alors que l'appareil proposé par Boeing était nettement supérieur. Kennedy s'était pris les couilles dans l'engrenage. Le choix était tellement irrecevable qu'un comité sénatorial fut formé pour enquêter sur la décision. Le FBI ne révéla jamais ce qu'il savait au comité qui, heureusement pour la mémoire de Kennedy, cessa ses travaux après son assassinat. Kennedy parti, le Pentagone a considérablement réduit sa commande. La General Dynamics a quand même réalisé avec l'avion des profits de trois cents millions de dollars. Payant de tenir un président des États-Unis par le scrotum !

– Kennedy avait quand même plus de classe que Clinton, estima Dobson, envieux : Marilyn Monroe, Marlene Dietrich, Audrey Hepburn, sa belle-sœur la princesse Lee Radziwill, les plus belles femmes de l'époque, des stars, des intellectuelles. Des baises divines dans des décors de rêve, d'Hollywood à Martha's Vineyard. Pas des pipes express, les culottes aux genoux, dans la pénombre des placards du Bureau ovale, et du sexe par téléphone avec une stagiaire névrosée en mal d'affection ! Quel minable !

Flagerty réfléchit plusieurs secondes. Il se leva, signe que la rencontre était terminée. Puis il se pencha vers l'avant sur ses mains appuyées sur la table en regardant successivement ses deux interlocuteurs avec un léger hochement de tête. Crozier ne pouvait dire si son regard exprimait la haine, le mépris ou la colère contenue. Il parla sur le ton mesuré d'un juge qui prononce une sentence.

– Bill Clinton est un porc lubrique prêt à sacrifier sa carrière, son honneur, son mariage et la sécurité nationale des États-Unis pour une fellation de n'importe quelle petite traînée qui passe à portée de main. Eh bien messieurs, s'il ose s'opposer à nos projets, je vais m'occuper du sacrifice. Je vais le saigner, moi, le cochon.

8

Montréal, mercredi 5 novembre 1997, 15 h

Lorsqu'un fonctionnaire du gouvernement québécois le fit entrer dans une vaste salle, au dernier étage du siège social d'Hydro-Québec, Pierre Dumont comprit enfin qu'il ne rêvait pas. Il avait bel et bien été convoqué au bureau du premier ministre du Québec.

Une vaste table dépourvue de papiers était dressée à angle dans le coin gauche de la pièce. De part et d'autre, un profond et confortable fauteuil, mais aussi trois chaises prêtes à recevoir des invités ; dans le coin droit, un immense figuier d'intérieur cherchait la lumière en s'accotant sur la grande fenêtre. La pièce était confortable, sans trace de luxe ostentatoire. « Ce n'est peut-être pas le vrai bureau du premier ministre, se prit à songer Dumont. Seulement une pièce pour recevoir des interlocuteurs ! » Par une porte s'ouvrant dans le mur gauche, derrière la grande table, le premier ministre pénétra lentement dans la pièce de cette démarche boitillante familière aux Québécois. Il s'avança vers Dumont en souriant, lui serra la main et lui fit signe de s'asseoir dans un des fauteuils. Il s'assit dans l'autre en déposant une chemise de carton bleue sur la table.

Sur ces entrefaites, le tout nouveau ministre de la Sécurité publique, Michel Béland, entra à son tour, accompagné d'un homme grisonnant qui avait tout du cadre d'un service de police ou de renseignement quelconque, pensa Dumont. Tous deux s'installèrent sur les chaises sans dire un mot. Béland avait en main une chemise bleue au logo fleurdelisé du gouvernement, comme celle du premier ministre. L'autre homme, qui ne se présenta pas, tenait un dossier à rabat cartonné gris ; Dumont supposa qu'il appartenait à une administration différente.

Perdus dans leurs pensées, les trois représentants de l'État affichaient une mine grave. Dumont ressentit comme un malaise.

Quand il avait reçu l'appel, il avait d'abord cru à une blague de ses collègues. Il avait demandé à rappeler pour s'assurer qu'il s'agissait bien du numéro de téléphone du bureau du premier ministre à Montréal. Mentalement, il repassa les quelques dossiers dont il s'était occupé depuis les derniers mois. Il en était convaincu, surtout après ce qu'il venait d'apprendre au cours des derniers jours, que seule l'enquête sur la mort de Bill Napesh pouvait expliquer sa convocation par le chef du gouvernement.

– Vous vous êtes bien remis de votre passage à tabac ? commença le premier ministre.

Dumont fut touché par la sincérité manifeste de la question. Le premier ministre n'avait pas employé un ton ironique, il s'enquerrait vraiment de sa santé. « S'il est même au courant de la raclée que j'ai mangée, c'est qu'il connaît le dossier dans le détail » songea le policier.

– Très bien, monsieur le premier ministre.

– Bon, alors entrons dans le vif du sujet, poursuivit le chef du gouvernement québécois. Monsieur Dugas va nous brosser un portrait rapide de la situation. N'hésitez pas à intervenir si vous avez des précisions à apporter ou des questions que vous voulez qu'on éclaircisse.

Dumont nota que le premier ministre n'avait pas présenté le type grisonnant, ni indiqué à quelle administration ou à quel service il appartenait.

– Sergent-détective Dumont, vous enquêtez depuis le 18 septembre dernier sur la mort par surdose d'un Amérindien de Mistissini dénommé Bill Napesh...

– Par surdose, mais pas nécessairement accidentelle, crut bon de préciser Dumont.

Avec une trace d'agacement dans la voix, Dugas poursuivit :

– Avec votre collègue Daniel Comtois, vous vous êtes rendus dans le village de Napesh. Votre rapport, qui est joint au dossier – Dugas leva une liasse de papiers de la table –, indique que Bill Napesh travaillait pour une société américaine du nom de Ultimate Systems Providers.

Dumont opina de la tête, tandis que Dugas continuait :

– USP est une entreprise de haute technologie dont le principal client est le gouvernement des États-Unis et, en particulier, son département de la Défense.

La phrase affirmative avait plutôt l'air d'une question et Dumont se crut obligé de répondre.

– Je n'ai pas vraiment poussé mon enquête sur les relations de la compagnie avec le gouvernement américain. Mais d'après ce que j'ai pu découvrir, il y a plusieurs indices qui relient aussi USP à des Russes, sinon à la Russie. C'est de ce côté que me menait l'enquête lorsqu'elle a été arrêtée.

Dumont continuait à se demander où ils voulaient tous en venir. Le ministre de la Sécurité publique intervint à son tour.

– Justement, d'après les informations que nous avons obtenues d'Ottawa – il regarda en direction de Dugas –, vous avez fait une demande de renseignements au sujet d'un mystérieux avion cargo de type Antonov auprès du ministère fédéral des Transports et de la GRC. Vous avez même rencontré un agent du Service canadien du renseignement de sécurité, Ewan Ross, à la suite de cette requête. Que pouvez-vous nous dire à ce sujet?

Dumont était dans ses petits souliers. «Voilà le problème! pensa-t-il, Ross est venu nous voir chez Comtois. Pas au travail. Ils pensent que j'ai été recruté par le fédéral dans je ne sais quel complot contre le Québec.»

– Euh... pas grand-chose! L'agent du SCRS Ewan Ross nous a dit qu'il s'intéressait à Napesh, mais il semblait en savoir encore moins que nous. D'ailleurs, il est venu nous voir alors que le dossier avait été fermé au SPCUM. Il m'a fait envoyer des rapports qui ont révélé que l'avion avait soumis un plan de vol en direction du Texas, qui a ensuite été amendé. Le cargo s'est finalement rendu en Russie, mais c'est tout. Nous ne savons pas si le matériel embarqué à Mistissini était toujours à bord, mais on peut le supposer. Aucune trace d'atterrissage en territoire américain. Je n'ai plus jamais eu de contacts avec Ross après ça, conclut Dumont comme pour écarter tout soupçon d'un quelconque manque de loyauté.

– Vous dites que le dossier avait été fermé. Pourtant, vous, vous avez continué votre enquête en dilettante, poursuivit le premier ministre en consultant lui aussi son dossier bleu.

Le regard sombre du premier ministre du Québec s'attarda un instant sur lui et Dumont se dandina dans son fauteuil.

«Où est-ce que j'ai mis les pieds? se demanda le jeune détective. J'ai dû faire une gaffe monumentale quelque part. Je ne ferai pas de vieux os aux crimes majeurs. Je vais être chanceux si je réussis à rester dans la police.»

– Parlez-nous donc de votre visite à l'Université McGill, suggéra brusquement Michel Béland en jetant de nouveau un regard oblique vers Dugas.

Dumont manqua de souffle. Décidément, on en savait beaucoup, en haut lieu, sur ses faits et gestes.

– Oui, bien sûr. Je suis allé rencontrer Isabelle Florent, climatologue...

– La docteure Florent, qui est consultante auprès d'Environnement Canada, est une sympathisante du groupe NO HAARP, précisa Dugas en baissant les yeux vers les documents contenus dans son dossier gris. Nous avons des renseignements indiquant qu'elle a une liaison avec un activiste du nom de Peter Feldman. Le mouvement NO HAARP est...

– Écoutez, je ne sais rien de tout ça, lâcha Dumont qui perdait patience. Je suis juste allé la voir pour essayer de comprendre à quel genre d'activités se livrait USP au Québec et qu'est-ce que cette compagnie demandait à Napesh de faire. Pour le moment, selon ce que j'en comprends après ma rencontre avec madame Florent, USP mène un programme de recherche sur l'influence de l'ionosphère et du géomagnétisme sur l'environnement.

– Votre enquête... privée... progresse donc toujours ? intervint le chef du gouvernement, en insistant sur le mot privée. Pensez-vous avoir des éléments nouveaux assez rapidement ?

– Euh, bien... j'espère, monsieur le premier ministre.

– Eh bien faites, sergent-détective Dumont. Nous avons besoin de vos lumières et de votre esprit jugé très vif, selon les rapports de vos instructeurs de l'Institut de police de Nicolet. C'est rare quelqu'un qui, après un bac en sciences, opte pour la police.

De plus en plus confus, Dumont ne savait que penser. Son regard passa du premier ministre au ministre de la Sécurité publique en s'arrêtant sur le type grisonnant. Il cherchait une réponse à ses questions sur le visage de l'un d'entre eux.

– La piste va donc clairement vers la société Ultimate Systems Providers, reprit Béland.

– C'est en effet dans cette direction que j'envisageais de poursuivre mes recherches, mais je suis encore loin d'avoir les preuves nécessaires pour convaincre un procureur de porter des accusations de meurtre contre l'un de ses employés ou de ses cadres.

– Je doute que la preuve judiciaire qui permette des accusations puisse jamais être faite, intervint le premier ministre. Mais il faut absolument qu'on sache de quoi tout cela retourne. Le grand patron d'USP, Sean Flagerty, est originaire de Montréal. Même s'il vit aux États-Unis depuis plus de trente ans et qu'il est devenu citoyen américain, c'est un antisouverainiste acharné. Depuis l'arrivée au pouvoir du Parti québécois, en 1976, il s'acharne à discréditer le Québec auprès des milieux d'affaires et de la classe politique américaine. Il tient sur nous des propos encore plus odieux que ceux de son ami Conrad Black, avec qui il siège à plusieurs conseils d'administration.

– Et c'est aussi un homme très proche des éléments les plus réactionnaires du Parti républicain qui, comme Conrad Black, verraient d'un bon œil que le Canada soit purement et simplement annexé aux États-Unis, ajouta Dugas.

– C'est pour ça que les activités nébuleuses de sa société dans le nord du Québec nous inquiètent au plus haut point. Avec la mort…, il rectifia, avec l'homicide de Napesh, employé par USP, c'est encore plus troublant, résuma Béland.

Dumont venait de comprendre que le dossier Napesh avait des incidences politiques potentiellement explosives.

Le premier ministre jeta un regard interrogateur vers Dugas qui acquiesça d'un signe de tête presque imperceptible. Celui-ci referma son dossier gris, se leva, serra la main du premier ministre, du ministre de la Sécurité publique et, finalement, de Dumont.

– Bonne chance. Pour ma part, je dois me retirer, car le reste n'est pas de ma compétence. Il repassa la porte par laquelle il était arrivé avec Bélanger. Quand elle fut refermée, le premier ministre prit la parole :

– J'ai déjà obtenu du directeur de police que vous soyez détaché temporairement comme enquêteur spécial auprès du bureau du premier ministre. Vous allez pouvoir compter sur toutes les ressources du gouvernement du Québec. Le ministre de la Sécurité publique vous donnera les détails tout à l'heure. Vous aurez accès aux crédits nécessaires pour mener votre enquête de la façon qui vous conviendra et où elle vous mènera. Mais il faut que votre enquête se déroule dans le secret le plus absolu. Vos collègues apprendront par un communiqué de la direction du SPCUM que vous avez obtenu un congé pour un stage de formation aux États-Unis.

– Cette rencontre sera la seule que nous aurons tous les trois, enchaîna Béland. Ensuite, vous transmettrez directement vos rapports au premier ministre et à personne d'autre.

Le premier ministre ouvrit à son tour son dossier bleu marqué du sceau du gouvernement et en sortit une simple feuille de papier qu'il lui tendit.

– Ça pourra peut-être vous être utile un jour.

Dumont la prit et lut.

À qui de droit,
Le porteur de ce document, M. Pierre Dumont, agit au nom du gouvernement du Québec, et avec son plein assentiment. Veuillez lui prêter toute l'assistance qu'il pourrait réclamer.

Le document portait la signature du premier ministre et du secrétaire-général du gouvernement du Québec, le plus haut fonctionnaire de l'État.

Une note au bas de la feuille indiquait deux numéros de téléphone accessibles vingt-quatre heures sur vingt-quatre et où une confirmation de mandat pouvait être obtenue.

– À ma connaissance, aucun individu n'a jamais reçu un tel mandat du gouvernement du Québec. Je suis convaincu que vous l'utiliserez à bon escient et saurez surtout garder cela confidentiel, recommanda le chef du gouvernement.

Dumont, ému par la confiance qu'on lui accordait au plus haut niveau, nota quand même qu'il avait utilisé le mot «convaincu». Le premier ministre, le policier le savait, maîtrisait parfaitement toutes les nuances de la langue française. Il n'avait pas affaire à Jean Chrétien.

– Ah oui, j'allais oublier! reprit Béland. Si vous rencontrez des difficultés, disons moins dramatiques que celles qui exigeraient que vous dévoiliez votre mandat, vous pourrez me contacter personnellement. Voici mes numéros de téléphone directs, au ministère, dans mon comté, chez moi et mon cellulaire. Je verrai ce que je peux faire pour vous faciliter la tâche. Mais je ne veux rien savoir de ce que vous découvrirez, tout doit être transmis au premier ministre. Et j'insiste, oralement.

– Bonne chance, monsieur Dumont, lança alors le chef du gouvernement en se levant. Prenez votre temps, montez un dossier solide et revenez me raconter tout ce que vous aurez découvert dans deux ou trois mois.

Le premier ministre lui tendit une main que Dumont s'empressa de serrer. Une fois le chef du gouvernement ressorti par la porte où il était apparu une heure plus tôt, Dumont se tourna vers le ministre de la Sécurité publique.

– Dois-je tenir le SCRS dans le noir... ou puis-je collaborer avec eux jusqu'à un certain point?

– Pour le moment, débrouillez-vous tout seul.

– Et qu'est-ce que je fais d'Ewan Ross, du SCRS?

Béland hésita un moment comme s'il soupesait sa réponse en fonction d'éléments qu'il ne partageait pas avec Dumont.

– Pour l'instant, tenez-le à distance.

– Vous avez parlé tout à l'heure de ressources du gouvernement du Québec. Comment vais-je financer mon enquête ? Si j'ai besoin d'argent, pour me déplacer, par exemple…

– On a ouvert un compte à votre nom à la Banque Nationale, avec une ligne de crédit de trois cent mille dollars. Vous recevrez aussi une carte de crédit avec une limite de cent mille dollars. N'ayez donc aucune inquiétude à ce sujet. N'essayez pas d'économiser, vous devez vous créer le moins de problèmes possible. On veut des résultats. Trouvez qui a tué cet Amérindien et, surtout, découvrez ce que les États-Unis manigancent sur notre territoire.

– Et la Russie ? J'ai l'intention de comprendre d'abord l'aspect russe de ce dossier, fit Dumont.

– Oui, enfin, ces Russes aussi.

* * *

Dumont ne dormit pratiquement pas la nuit suivante. Il se repassa mentalement tous les éléments de l'enquête, cherchant des indices dont il aurait pu ignorer l'importance et surtout tentant de trouver une couverture qui lui donnerait les coudées franches dans ses investigations. En effet, il ne pouvait plus se présenter comme un policier de Montréal. Son enquête devait être entourée de la plus grande discrétion. Et ce n'était que dans des circonstances « de vie ou de mort » qu'il était autorisé à dévoiler son mandat.

C'est vers quatre heures du matin qu'il eut son éclair de génie. Il se ferait passer pour un assistant d'Isabelle Florent. Cette couverture serait idéale. Cela justifierait son intérêt pour la climatologie et les sujets connexes. Comme il avait un bac en sciences, il pourrait sans doute maîtriser assez facilement les notions scientifiques de base pour lui permettre d'être crédible dans son rôle d'assistant de recherche. Il ne comprenait pas les réticences du dénommé Dugas à l'endroit de la chercheuse. Elle travaillait peut-être pour Environnement Canada, mais elle n'était certainement pas dans la poche d'USP. Si la compagnie américaine avait quelque chose à se reprocher, Isabelle Florent, en tant qu'écologiste, était sans aucun doute sa meilleure alliée. Elle pouvait lui offrir la couverture idéale et il était sûr qu'elle serait disposée à collaborer avec lui. Dès neuf heures le lendemain matin, il lui téléphona pour prendre rendez-vous.

À dix heures, il était dans son bureau. Il dissimula sa véritable mission. Il lui parla d'une opération d'infiltration ultrasecrète de la police de Montréal pour découvrir le ou les meurtriers de Napesh, ce qui n'était pas loin de la réalité.

– Vous prendre comme assistant de recherche ? dit-elle avec surprise. Je ne sais pas.

Dumont joua à fond la fibre écologiste de la chercheuse.

– Écoutez, vous êtes une sympathisante du groupe NO HAARP, votre ami Feldman vous a donc mis au courant de pas mal de choses. Vous devez m'aider à découvrir qui a tué Napesh et ce que trame USP contre l'environnement.

– Justement, c'est un peu bizarre, pour une écologiste comme moi, de travailler avec la police. Habituellement, on n'est pas du même côté de la barricade, si je peux dire. Si jamais mes amis de NO HAARP ou Peter apprennent le subterfuge, je vais être considérée comme une traîtresse. Même chose ici, à l'université, les profs qui travaillent avec la police, c'est plutôt mal vu. Je ne sais pas. Je ne veux pas perdre mon emploi à l'université et être déconsidérée aux yeux de mes amis si jamais ça se découvre.

Dumont commença à penser que ce n'était peut-être pas une bonne idée de prétendre agir dans le cadre d'une enquête policière. Mais avait-il le choix, ses véritables mobiles devaient rester secrets.

– Je ne vous demande pas de faire quoi que ce soit d'illégal.

– Ce n'est pas une question de légalité ou d'illégalité. C'est qu'une écologiste professeure d'université ne peut pas collaborer secrètement avec la police...

– Mais une professeure d'université, écologiste de surcroît, se doit de faire tout en son pouvoir pour empêcher qu'une immense entreprise américaine proche du Pentagone ravage l'environnement de la planète. Écoutez! Dans un premier temps, tout ce que je vous demande, c'est une formation accélérée en climatologie... c'est tout. Et je suis prêt à payer ce cours privé par un don à NO HAARP.

Dumont sentit que ses arguments étaient en train de vaincre les réticences de Florent. Elle regarda sa montre.

– Bon, laissez-moi réfléchir au sujet de la formation accélérée. Je vais vous appeler lundi matin. Maintenant excusez-moi, je dois diriger un séminaire de doctorat dans une demi-heure. Il faut que je me prépare.

Dumont se leva, lui serra la main et sortit de son bureau. Un petit sourire en coin illumina son visage alors qu'il marchait vers l'ascenseur. Une fois encore, son charme avait fait plus d'effet que ses arguments, pensa-t-il. C'était souvent ce qui lui arrivait avec le sexe opposé.

Comme prévu, le lundi matin elle lui téléphona pour lui dire qu'elle acceptait. Ils pouvaient se rencontrer pour la première séance de formation dès le début de l'après-midi. Dumont lui demanda si elle avait réfléchi à la possibilité qu'il devienne son assistant de recherche.

– Samedi je vous dirai si je vous accepte ou non dans mon équipe de recherche. Je ne peux pas me permettre de vous prendre et qu'à la première question qu'on vous pose vous soyez complètement noyé. Je veux bien vous servir de couverture, mais pas au point de compromettre ma carrière et mon travail.

– Ça me va. C'est normal !

À treize heures, il se présenta au bureau de la chercheuse. Florent l'attendait de pied ferme. Elle s'amusait déjà à la pensée de le voir patauger dans des notions scientifiques auxquelles il ne comprendrait rien. Elle lui servit un cours de base sur les aurores boréales, les basses fréquences, l'ionosphère et d'autres sujets connexes.

À son grand étonnement, les deux premières heures de cours se passèrent plutôt bien. Dumont posait des questions sensées et pertinentes, prenait de nombreuses notes et semblait parfaitement à l'aise avec les informations scientifiques qu'elle lui balançait, parfois à l'état brut, juste pour voir comment il s'en tirerait.

Au fur et à mesure, Florent commença à se prendre au jeu. Elle devint plus précise dans ses explications, s'assurant qu'il avait bien tout saisi avant d'entamer un nouveau sujet.

De son côté, Dumont ressentit les changements que son comportement attentif provoquait dans leur relation. Il se mit à penser que c'était peut-être son intelligence plus que son charme macho qui la séduisait. Il n'avait pas besoin de manipuler ces cordes-là, sa rapidité d'esprit suffisait. Il en était un peu déçu.

– Pourriez-vous éventuellement me donner des noms de personnes à contacter en Russie ? lui demanda Dumont avant de la quitter ce soir-là.

– C'est un peu compliqué, car beaucoup de cerveaux russes sont maintenant aux États-Unis. La seule que je connaisse personnellement, c'est Galya Krasnikova, une spécialiste en électromagnétisme. C'est une personne d'un âge avancé. Elle en sait pas mal sur les programmes de recherche russes. Elle-même a participé à plusieurs d'entre eux. Je n'ai pas son numéro personnel, mais en passant par l'Académie des sciences de Russie, ce sera facile de la joindre.

La formation se poursuivit le lendemain. Le programme s'échelonna sur le reste de la semaine en fonction des disponibilités de Florent, à raison de trois ou quatre heures par jour.

Vendredi 7 novembre 1997, 13 h 17

– Dépêche! lança Piotr Melnik en arrivant dans la cuisine. Il avait abandonné son poste d'observation dans la chambre avant du logement, de laquelle il était censé surveiller l'arrivée de Dumont ou de sa femme.

– T'es trop nerveux! Laisse-moi le temps de poser le premier micro, lui répliqua Georgi Pakhaline en dévissant la plaque du thermostat commandant la plinthe électrique de la cuisine. À peine l'eut-il soulevée qu'il entendit la clé tourner dans la serrure de la porte d'entrée.

– Merde, on est faits comme des rats, lança-t-il rageur à son complice. Pourquoi t'as quitté la fenêtre?

Les deux intrus se plaquèrent contre un mur, à l'entrée du salon.

Stéphanie retira son imperméable et l'accrocha à la patère derrière la porte, tournant le dos au corridor menant au salon. Elle avait pris l'après-midi de congé. Une façon de récupérer quelques-unes des heures supplémentaires qu'elle avait consenties à son employeur depuis plusieurs mois. Elle se retourna brusquement lorsqu'elle entendit un bruit venant du salon. Melnik lui décocha un coup de poing en plein visage et, avant même d'avoir pu lâcher un cri, elle se retrouva par terre sans connaissance. Les deux hommes se précipitèrent vers la porte avant.

Dumont venait de garer sa voiture à une trentaine de mètres de son domicile, du côté opposé de la rue, et s'apprêtait à couper le contact lorsqu'il aperçut deux hommes qui dévalaient les escaliers de son duplex. Il en était sûr, l'un des deux était celui qu'il avait surpris deux semaines plus tôt en train de traficoter autour de sa voiture dans un stationnement du Plateau Mont-Royal, avant de se faire mettre K.-O. par son complice. Ils coururent jusqu'à un quatre-quatre Blazer-Jimmy gris qu'ils avaient stationné un peu plus haut dans la rue et démarrèrent à toute allure. Arrivés à l'intersection, ils tournèrent sur Jean-Talon en direction ouest. Ils n'avaient pas repéré Dumont qui les avait immédiatement pris en filature.

Discrètement, Dumont tenta de rapprocher sa voiture du véhicule des fuyards mais, brusquement, un énorme camion de livraison entreprit de sortir à reculons d'une ruelle. Le poids lourd s'interposa entre la voiture du policier et le Jimmy, bloquant momentanément la route.

– Hostie! jura Dumont en appliquant rapidement les freins.

Le long camion mit plusieurs secondes à manœuvrer pour se placer dans le sens de la circulation. Exaspéré, Dumont tenta un dépassement par la droite, mais fut bloqué par une voiture stationnée. Regardant au-delà du camion, il se rendit compte qu'il avait perdu de vue le quatre-quatre des fuyards. Il n'avait plus le choix, il devait absolument le faire intercepter maintenant et ne pas leur laisser la chance de lui filer entre les doigts. Dans un geste de frustration, il asséna un gros coup de poing sur son volant, ce qui déclencha un coup de klaxon. Le chauffeur du camion prit le coup d'avertisseur pour un reproche et lui fit un doigt d'honneur par sa fenêtre ouverte.

Dumont ne répliqua pas à l'insulte et composa plutôt le numéro de la centrale de communication de la police de Montréal sur son cellulaire. Il s'identifia et expliqua qu'il filait un quatre-quatre Jimmy conduit par un homme qu'il soupçonnait d'être son agresseur dans une affaire qui remontait à plusieurs jours. La description du véhicule, le numéro de plaque et les coordonnées que fournit Dumont furent immédiatement retransmis aux autopatrouilles du secteur.

Le Blazer-Jimmy gris portant une plaque de véhicule de location fut remarqué par une autopatrouille alors qu'il franchissait l'intersection Saint-Denis en direction ouest sur Jean-Talon. Entre-temps, Dumont avait réussi à dépasser le camion et s'était rapproché des Russes. Seuls trois véhicules les séparaient lorsqu'il vit l'auto-patrouille du SPCUM, gyrophares allumés, enfiler une rue transversale pour aller se poster immédiatement derrière le Jimmy.

Melnik lâcha une bordée de jurons en russe et appuya sur l'accélérateur pour tenter de doubler une petite Firefly qui se traînait devant lui. Il percuta ainsi une voiture de livraison de pizzeria qui venait en sens inverse.

– On file à pied. Toi, va par là! fit-il en montrant du menton le trottoir nord de la rue, tout en sortant un pistolet de sa ceinture.

La policière qui conduisait l'autopatrouille s'avançait déjà vers le Jimmy en dégainant son arme lorsque Melnik, par la portière ouverte de son véhicule, tira trois balles dans sa direction. La première alla trouver le panneau-annonce d'un autobus de la STCUM qui franchissait l'intersection de Saint-Denis, la deuxième fut stoppée par le gilet pare-balles de la policière et, malheureusement, la troisième lui perfora la gorge et dévia sur sa colonne vertébrale pour finalement se loger à la base arrière de son cerveau. Un coup de feu partit de son arme tandis qu'elle l'échappait pour porter ses deux mains à la gorge et tombait. Dumont, qui avait quitté sa voiture et courait en direction de l'accident l'arme au poing, vit le partenaire de la policière ouvrir le feu sur Melnik. Plusieurs balles atteignirent le Russe, qui s'affala à genoux, le corps retenu entre la portière et le véhicule. Du sang coulait abondamment de son œil gauche. Le policier qui avait fait feu constata en s'approchant que l'homme n'était plus en état de nuire. Déjà une seconde autopatrouille, sirène hurlante, arrivait sur les lieux.

– Police! Police, attention! Attention, il y en a un deuxième! cria Dumont à ses collègues en uniforme, tenant bien haut dans sa course son badge du SPCUM.

Quand il arriva à la hauteur de la policière, l'effroi se lisait dans ses yeux grands ouverts. Ses lèvres bougeaient, mais seuls des gargouillis s'échappaient de son larynx éclaté. Elle expira avant que Dumont puisse faire quoi que ce soit. Le second policier fut pris d'un violent choc nerveux en découvrant sa coéquipière la tête au milieu d'une mare de sang qui continuait de s'agrandir. En larmes, il se jeta dans les bras d'un des agents de la seconde autopatrouille. L'autre était en train de demander des secours en décrivant la scène sur sa radio individuelle. Dumont s'avança vers le Blazer-Jimmy, l'arme pointée. Personne à l'intérieur. Sur le trottoir, deux femmes hurlaient; l'une d'elles serrait une petite fille contre elle. Des passants étaient accroupis ou étendus par terre dans des entrées de commerce ou blottis contre des voitures stationnées. Personne n'avait vu le deuxième homme s'enfuir. Dumont était à remettre son pistolet dans son étui lorsque son cellulaire vibra. C'était Stéphanie. Elle était en pleurs. Il pensa que ce n'était vraiment pas le moment.

– Pierre, mon Dieu, mon Dieu, Pierre, il faut que tu t'en viennes à la maison tout de suite, criait-elle au milieu des sanglots. Je viens d'être battue par un homme qui était dans la maison lorsque je suis entrée.

– Qu'est-ce que tu fais à la maison, tu devrais être à ton travail à cette heure-ci? Qu'est-ce qui est arrivé?

gronda-t-il, lui aussi profondément choqué par la scène qui venait de se dérouler sous ses yeux et incapable de s'en détacher pour accorder toute son attention à sa femme.

Elle réussit à contenir ses larmes.

– J'ai reçu un épouvantable coup de poing en plein visage. J'ai perdu connaissance.

– Bon! Heureusement, c'est pas très grave!

Se rendant compte de la sottise de ses paroles, il se maudit de les avoir laissé échapper.

– Comment ça, sacrament, c'est pas grave? On vient battre ta femme chez toi et c'est pas grave?

C'était la première fois que Dumont entendait Stéphanie jurer de cette façon. Elle était véritablement hors d'elle.

– Excuse-moi chérie, ce n'est pas ce que j'ai voulu dire. Ils auraient pu te faire beaucoup plus de mal.

Dumont tentait tant bien que mal de rattraper son idiotie, mais il se rendit compte qu'il ne faisait que s'enfoncer.

– Comment tu sais qu'il y en avait plus d'un?

Stéphanie était au bord de la crise d'hystérie.

– Je les ai pris en filature lorsqu'ils sont sortis de la maison. Un des deux vient d'être tué sur Jean-Talon près de Saint-Denis, expliqua-t-il en inspirant profondément pour contrôler ses émotions et maîtriser son timbre de voix.

Elle était maintenant déchaînée.

– Crisse! Tu veux dire que t'as vu deux hommes sortir d'ici et que t'as même pas pensé une seconde venir voir ce qu'ils faisaient chez toi? Ce qu'ils avaient fait à ta femme? Mon sacrament!

– Écoute Stéphanie, je pouvais pas savoir que tu étais à la maison à une heure de l'après-midi. Tu comprends ça, non?

Elle avait déjà raccroché.

* * *

L'enquête sur la mort de la policière Audrey Blais et de Piotr Melnik fut confiée à la Sûreté du Québec, puisque des policiers du SPCUM étaient impliqués dans l'affaire.

L'enquête allait révéler que l'homme abattu par la police portait sur une chaîne autour du cou une étoile surmontant un numéro. Il s'agissait manifestement d'un emblème régimentaire de l'époque soviétique. Grâce à la collaboration de l'ambassade russe à Ottawa, à laquelle les enquêteurs de la Sûreté du Québec avaient remis des échantillons d'ADN, on ne tarda pas à établir clairement l'identité du mort : Piotr Melnik, ancien membre des forces spéciales soviétiques, avait servi en Afghanistan avant de combattre ensuite en Tchétchénie dans une unité Spetnaz, les forces spéciales de l'Armée rouge. S'il était clairement établi que Melnik était l'un des deux agresseurs de Dumont, il était impossible de le relier à la mort de Bill Napesh. La concierge de Napesh ne put l'identifier, malgré la photo de l'homme en uniforme fournie par l'ambassade russe.

Après la fusillade de la rue Jean-Talon, Pakhaline s'était immédiatement réfugié dans la planque que les deux hommes s'étaient aménagée dans une maison de chambres de la rue Saint-Hubert. Il ne doutait pas que Melnik fût rapidement identifié. Ne lui avait-il pas dit mille fois d'enlever l'emblème régimentaire porte-chance que son compagnon ne pouvait se résoudre à abandonner ? Il fit un grand ménage dans sa chambre et plaça tous ses effets personnels et ceux de Melnik, incluant leurs vêtements, dans un sac à déchets. Dans sa voiture de location, il traversa le pont Jacques-Cartier. Il était vingt et une heures. Il laissa le sac dans un bac à rebuts, derrière un centre commercial du boulevard

158

Taschereau. Puis il alla brûler ses faux papiers, leurs cartes de crédit et tous les documents qui auraient permis de le retracer, dans une poubelle dans un terrain vague de Longueuil.

Comme prévu, à vingt-deux heures, il reçut de nouvelles instructions sur son cellulaire. Il fallut dix minutes à son interlocuteur pour lui expliquer qu'il devait se rendre dans un casse-croûte ouvert vingt-quatre heures sur vingt-quatre à Cornwall, une petite ville ontarienne située sur le Saint-Laurent non loin de la frontière du Québec. Là-bas, il devait entrer en contact avec un homme portant une casquette de baseball bleue affichant un W rouge. Ce dernier devait lui faire passer la frontière américaine avant le lever du jour.

* * *

C'était la première fois que Woody Lazore faisait passer la frontière à un Russe. Il croyait l'avoir identifié à son accent. Encore que les seuls Russes qu'il avait entendu parler anglais jouaient dans des films et à la télévision. En général, il faisait surtout passer des Asiatiques disposés à payer les deux mille dollars américains qu'il exigeait pour les emmener faire une balade nocturne d'une demi-heure environ sur le Saint-Laurent, aux limites de la réserve d'Akwesasne, à cheval sur la frontière. No man's land inaccessible aux policiers et aux douaniers des deux pays, le territoire mohawk était au centre des activités criminelles transfrontalières, du trafic d'armes à celui des stupéfiants, en passant par l'immigration illégale en direction des États-Unis.

Une fois déposé en territoire américain, Pakhaline fut pris en charge par un autre Mohawk en VTT et conduit vers une route de terre où l'attendaient deux hommes et un Grand Cherokee blanc. Le soleil se levait à peine. L'un des deux hommes, un moustachu, l'accueillit d'une poignée de main, et d'un sourire forcé, il lui fit signe de prendre place à bord du véhicule. L'autre, le chauffeur, l'ignora complètement.

Moins de deux heures plus tard, les deux hommes laissèrent Pakhaline à la réception d'un motel situé à proximité du Clinton County Airport de Plattsburg, dans l'État de New York. Durant tout le trajet, la conversation avec le moustachu avait été réduite au minimum. Ce dernier lui avait remis cinq mille dollars américains en coupures de vingt et cent dollars, et son vrai passeport russe, qu'il n'avait pas vu depuis des mois. L'accompagnaient des billets d'avion et divers faux documents qui le présentaient comme un homme d'affaires de Riazan, au sud de Moscou, en visite aux États-Unis pour acheter de l'équipement de foresterie. En le laissant devant la réception du motel, le moustachu lui souhaita bonne chance, toujours avec le même sourire crispé.

Après une douche rapide, Pakhaline se fit conduire en taxi dans un centre commercial où il arriva peu après l'ouverture des magasins. Il déjeuna avant de s'acheter des vêtements, une trousse de toilette et une valise. Puis il rentra se changer au motel. Il était midi lorsqu'il paya sa chambre et demanda qu'on lui appelle un taxi pour l'aéroport. Pakhaline était visiblement tendu et dévisageait la moindre personne dont le regard semblait un peu insistant en sa direction. Il n'avait qu'une hâte, quitter au plus vite le territoire américain.

Sa place était réservée sur le vol régulier de Commutair vers l'aéroport Logan International de Boston avec escale à Burlington, au Vermont. Il eut amplement le temps de faire de nouveaux achats aux boutiques hors taxes dans la salle des départs internationaux de Logan, où il attendit près de deux heures avant que le vol Delta Airlines à destination de Moscou fût annoncé. L'embarquement se déroula sans problème.

Après une demi-heure de vol, il quitta son siège pour se rendre aux toilettes. Il déchira en menus morceaux tous les faux documents en sa possession, ne conservant que son propre passeport, puis il regagna son siège et toute tension le quitta enfin. Il s'endormit dans le 747 qui le ramenait chez lui.

9

Moscou, 17 novembre 1997, 16 h 40

L'Airbus A320 aux couleurs d'Air Canada roula au ralenti sur le tarmac en direction du terminal 2 de l'aéroport Cheremetievo de Moscou. Les traits tirés, Pierre Dumont poussa un soupir de soulagement, pas mécontent d'être enfin arrivé. La portion Montréal-Francfort avait été sans histoires, mais l'escale d'une durée prévue de deux heures en avait finalement pris trois. Parti de Montréal depuis dix-neuf heures la veille, il y avait près de vingt-quatre heures qu'il était en route. Heureusement, il avait pu dormir quelques heures au-dessus de l'Atlantique.

Tout juste venait-il de franchir les contrôles douaniers que deux jeunes hommes, plutôt mal mis et l'air louche, l'apostrophèrent dans un mauvais anglais. Dumont pensa qu'ils n'avaient pas exactement l'allure slave. Il comprit qu'on lui proposait de changer son argent à la sauvette. Il n'avait aucune confiance dans ce genre de propositions et ses réflexes de policier lui interdisaient de telles entorses aux lois. Il n'eut pas le temps de les éconduire qu'une voix lança derrière lui, en anglais : « Ne faites pas affaire avec ces hooligans tchétchènes ! »

L'homme rabroua les deux individus dans une langue qui, à l'oreille de Dumont, ne semblait pas être du russe, et les deux changeurs au noir s'éloignèrent rapidement.

– Ces bandits vous proposaient des anciens roubles, des billets démonétisés, fit l'homme en s'approchant de Dumont et dont l'anglais était teinté d'un fort accent russe. Chaque jour des voyageurs étrangers se font prendre.

Âgé d'une soixantaine d'années, portant des cheveux gris très courts, l'homme était de taille moyenne et paraissait en excellente forme physique. Voilà quelqu'un qui s'entraîne pour tenir la forme! estima le policier.

– Je n'accepte jamais ce genre de proposition qui cache le plus souvent une... une..., Dumont cherchait le mot anglais pour exprimer sa pensée.

– ... arnaque, compléta le Russe en français. Je suis chauffeur de limousine. Peut-être avez-vous besoin d'être conduit à Moscou? proposa-t-il en sortant rapidement une carte de visite de la poche de sa veste.

«Semionov Limousine Service», annonçait la carte en caractères latins d'un côté et cyrilliques de l'autre. Propriétaire: Guennadi Semionov. Suivaient des numéros de téléphone et de téléavertisseur.

– Je n'ai pas de roubles. Je vais d'abord devoir changer de l'argent.

– N'en changez pas ici à l'aéroport, vous n'aurez pas un bon taux. Je vous conduis en ville. Le taux sera beaucoup plus acceptable à votre hôtel.

– Où avez-vous appris à parler français? s'enquit Dumont, avec une trace d'étonnement dans la voix.

Chauffeur à l'ambassade de Belgique pendant quinze ans, Guennadi Semionov expliqua qu'il s'était lancé dans les affaires peu après sa retraite. Dumont trouvait le Russe sympathique. Le fait qu'il parle français y était sans doute pour quelque chose. Avant de retenir ses services, il préférait attendre et se faire une opinion à son sujet durant le trajet de vingt-neuf kilomètres qui séparait l'aéroport international de la ville. Il n'avait pas l'intention de laisser quiconque s'imposer à lui.

– Vous venez de Montréal, n'est-ce pas ? Vous parlez français avec le même accent que la fille de ma nièce qui vit au Canada. Elle est venue passer quelques semaines chez moi durant les vacances scolaires l'été dernier. Qu'est-ce qui vous amène à Moscou ?

Dumont répondit qu'il s'occupait de météo, qu'il venait rencontrer des collègues.

– Selon ma nièce, l'hiver est tout aussi rigoureux et pénible à Montréal qu'à Moscou, mais l'enlèvement de la neige y est nettement supérieur, paraît-il, continua Semionov pour meubler la conversation durant le trajet.

Lorsqu'ils furent arrivés à l'hôtel, le chauffeur aida Dumont à sortir ses bagages du coffre et à les transporter dans le hall de l'établissement. Il attendit que le Canadien change des devises. Dumont paya l'équivalent en roubles de trente dollars américains.

– Êtes-vous disponible pour les prochains jours ? Quels sont vos tarifs ? Semionov donna un chiffre en roubles que Dumont estima à l'équivalent de soixante-quinze dollars américains.

– Marché conclu, mais je vous offre l'équivalent de cent dollars US, puisque vous allez aussi me servir d'interprète.

Le visage du Russe s'éclaira d'un large sourire, il accepta avec empressement.

L'hôtel Arbat, situé dans la célèbre rue piétonnière du même nom, était un édifice en brique claire sans charme particulier. Construit à la fin des années soixante, il nichait entre plusieurs immeubles autrefois occupés par les apparatchiks du Parti communiste. Dumont souhaita que la chambre réservée par téléphone depuis Montréal ne fût pas un trou à rats.

Il poussa la porte de la pièce avec crainte, s'attendant au pire. Il fut agréablement surpris. Elle était spacieuse et avait même un petit coin salon. Toutefois, l'ameublement suranné était passablement fatigué. Dumont posa son sac au pied du lit sur un banc à la tapisserie effilochée et entrebâilla la porte de la salle de bains. Malgré les cent dollars américains la nuit exigés dans cet établissement, la direction n'avait pas jugé bon de remplacer la vieille baignoire rouillée, ni de changer les vieux conduits glougloutants. La philosophie d'économie de bouts de chandelle de l'ère soviétique n'était pas passée de mode. Les entrepreneurs moscovites n'étaient pas encore familiarisés avec les règles du confort tel que l'entend le capitalisme occidental.

Il tendit l'équivalent de deux dollars américains au chasseur en guise de pourboire, les yeux du jeune homme brillèrent de satisfaction. Visiblement, Dumont s'était fait un nouvel ami, car la pratique n'était pas courante en Russie.

Après s'être rapidement rafraîchi, Dumont descendit au bar de l'Arbat, histoire de prendre le pouls de la faune locale.

Le mélange étonnant d'épais tapis rouges, de meubles laqués noirs, de fauteuils de velours cramoisi et de lustres de cristal le laissa pantois. L'ambiance était feutrée et chaleureuse. Une agréable véranda, désertée durant la mauvaise saison, mais grouillante d'activité l'été, offrait une vue superbe sur une terrasse aménagée, des fontaines et le jardin. Le jardin d'hiver était en rénovation.

Dumont prit place au bar et commanda une vodka. Le barman lui apporta une Stolitchnaïa, à base de blé et de seigle, la plus réputée de Russie. Une cabine téléphonique de bois foncé attira son regard, elle trônait dans un coin et était si vieille qu'il pensa qu'elle devait dater de l'époque tsariste.

Puis il se dirigea vers le restaurant de l'hôtel qui accueillait tout au plus une douzaine de convives. Il était presque vingt heures, l'heure de se mettre à table en Europe. La cuisine locale lui étant totalement étrangère, il ne tenta aucune expérience gastronomique qui aurait risqué de mettre à mal son estomac et de gâcher son séjour. Il choisit sagement un plat de pâtes, sauce au fromage, qui se révélèrent trop cuites. Puis, une fois le thé, très fort et sucré à la confiture, avalé, et le décalage horaire le rattrapant, il monta se coucher.

* * *

À la première heure, le lendemain matin, le policier montréalais entreprit de contacter Galya Krasnikova, la spécialiste de l'électromagnétisme qu'Isabelle Florent lui avait suggéré de rencontrer lors de son voyage à Moscou. La professeure de McGill avait eu quelques difficultés à joindre sa collègue retraitée. Elle lui avait envoyé un message à son adresse courriel de l'Académie des sciences, mais il était resté plus d'une semaine sans réponse. Florent s'était passé la réflexion que Krasnikova n'avait peut-être pas d'ordinateur à la maison et qu'elle ne passait que très irrégulièrement prendre ses messages à l'Académie. Un courriel arriva finalement avec des excuses pour le délai. La retraitée russe acceptait volontiers de rencontrer l'étudiant recommandé par Florent. Cette dernière lui avait expliqué que Dumont rassemblait de la documentation sur les recherches soviétiques dans le domaine du magnétisme terrestre et de l'ionosphère.

Ce fut une élégante grand-mère à la chevelure argentée remontée en chignon, vêtue d'un tailleur gris souris qui accentuait son regard bleu glace, qui ouvrit la porte du minuscule trois-pièces, au cinquième étage d'un immeuble en bordure de la Moskova devant lequel son chauffeur Guennadi Semionov venait de le déposer. Elle l'accueillit avec un chaleureux sourire, dans un français impeccable, et le conduisit au salon, une véritable bibliothèque où les quatre murs étaient tapissés de livres du sol au plafond.

Dumont s'enfonça dans un profond sofa caramel et aussitôt un superbe chartreux aux grands yeux orange sauta sur ses genoux.

– Je vous présente monsieur Sacha. Il est très réservé, d'habitude, avec les étrangers... Je pense qu'il vous aime beaucoup. Vous prendrez bien un peu de thé ?

Dumont fit signe que oui. Elle mit l'eau à bouillir dans un luxueux samovar en cuivre électrique. Puis, d'une théière où les feuilles de thé étaient déjà infusées, elle versa un liquide très concentré dans deux verres décorés d'une tranche de citron qui les attendaient sur une table basse en compagnie d'un petit plat de confiture.

– C'est du vrai thé à la russe. Lorsque l'eau aura bouilli dans le samovar, j'en ferai couler par le bec verseur dans les verres, lui précisa-t-elle sur un ton didactique.

La chercheuse prenait son temps et Dumont appréciait ses gestes précis, remplis d'attention. Il ne voulait pas la bousculer. La confiance ne s'acquiert que lentement, disait l'un de ses instructeurs à l'Institut de police.

– Ainsi c'est Isabelle Florent, de McGill, qui vous a suggéré de me contacter ?

– La professeure Florent m'a conseillé de venir vous voir puisque j'étais de passage à Moscou en touriste. Je mène actuellement une étude sur l'électromagnétisme. Et en fouillant dans la littérature scientifique, j'ai trouvé beaucoup d'allusions à un programme de recherche russe appelé Woodpecker.

Si elle était étonnée, la chercheuse ne le montra pas.

– Bien sûr, Woodpecker ! Ce programme remonte aux années soixante-dix. Je travaillais à l'Académie des sciences, à l'époque. C'était un programme très secret, vous savez. Nous étions en pleine guerre froide. En fait, depuis les années cinquante, des recherches sur les ondes électromagnétiques sont menées intensivement, tant ici qu'aux États-Unis. Nous étions inspirés par les recherches de Nikola Tesla, un Croate qui travaillait aux États-Unis.

– Et ça fonctionnait ? demanda Dumont.

– D'après ce que des collègues associés à ces recherches m'en ont dit, nous avons construit ce que l'on pourrait appeler un canon électromagnétique, en fait un puissant générateur d'ondes. On voulait trouver des façons de brouiller les communications. Certaines régions d'Amérique du Nord auraient été bombardées par ces ondes. Si mes souvenirs sont exacts, ce sont des générateurs de technologie Tesla, situés à Riga, en Lettonie, et à Gomel, en Biélorussie, qui diffusaient sur le Canada. Toutefois, cela n'a pas seulement affecté les ondes radio. Aux États-Unis, certains chercheurs ont attribué l'échouage de pétroliers à ce bombardement magnétique, tandis que d'autres ont parlé de troubles au cerveau humain…

– D'après ce que j'ai pu lire, commenta Dumont, les adeptes des théories de conspiration font leurs choux gras de ces rumeurs depuis des décennies.

– Les rumeurs se fondent souvent sur des réalités scientifiques. Le globe terrestre, comme le système nerveux, est soumis à un environnement électromagnétique. Nous avons remarqué que la fréquence de résonance de l'ionosphère est presque identique à celle du cerveau humain.

– De quoi exciter les paranoïaques ! fit Dumont. D'ailleurs, de plus en plus de gens ne veulent plus habiter près de lignes à haute tension parce qu'ils ont peur de développer un cancer ou une autre maladie.

– Et ils n'ont pas tort, fit Krasnikova avant de poursuivre. Vous savez très bien que la météo influe sur les changements d'humeur, alors imaginez la puissance d'une arme qui pourrait influencer les ondes cérébrales des populations visées.

– C'est complètement dingue !

Dumont commençait à croire que l'élégante sexagénaire était un peu dérangée.

– Vous me pensez folle, continua Krasnikova.

Dumont sursauta. Il en serait presque venu à croire que la chercheuse lisait dans ses pensées.

– En fait, personnellement, je n'accepte pas toutes ces spéculations qui relèvent souvent de la mauvaise science-fiction. Mais il ne fait aucun doute qu'Américains et Russes ont englouti des milliards dans des projets de recherche plus ou moins fantaisistes sur ces questions. Et c'est sans compter les sommes colossales investies dans les recherches sur la manipulation climatique.

Elle arrivait enfin à ce qui intéressait Dumont. Le dossier qu'Isabelle Florent lui avait confié ainsi que les différents indices recueillis au Lac-Saint-Jean ou dans le Grand Nord pointaient dans cette direction.

– C'est l'un des rêves de l'humanité depuis la nuit des temps, monsieur Dumont, poursuivit Krasnikova sur un ton professoral. Vos Indiens faisaient des danses de la pluie. Les paysans du monde entier prient Dieu afin que le temps favorise leurs récoltes.

– Il y aurait en effet des conséquences sociales importantes si on pouvait contrôler à souhait les précipitations de neige sur une ville comme Montréal... ou Moscou, enchaîna Dumont. Les économies formidables que cela permettrait... C'est du domaine du possible, selon vous ?

– Pas demain peut-être, mais le jour n'en est plus loin.

Dumont voulait faire étalage de ses connaissances fraîchement acquises auprès d'Isabelle Florent.

– Ce que vous venez de me dire correspond à ce que m'a dit la professeure Florent à McGill. Vous pensez que c'est en agissant sur la haute atmosphère qu'on pourrait y arriver ?

– On y arrive, monsieur Dumont, on y arrive. Ici et aux États-Unis. Je vous ai parlé des recherches russes des années soixante-dix. Des informations ont circulé assez librement dans les milieux scientifiques, dans les années quatre-vingt, alors que l'on avait mis de côté leurs aspects militaires pour privilégier la recherche civile du contrôle du climat, dans le domaine de l'agriculture notamment. Plusieurs articles à caractère scientifique ou historique avaient alors été publiés sur ces questions. Mais depuis trois ou quatre ans, il ne se publie plus rien. Je pense que...

La vieille dame ne compléta pas sa phrase. Un long silence s'ensuivit.

Sacha s'étira de tout son long sur les genoux de Dumont avant d'aller se réfugier contre sa cuisse gauche. Distraitement, le policier caressa le matou.

– Écoutez, finit-elle par reprendre, le mieux que vous puissiez faire est de lire des ouvrages consacrés à la question. Essayez de mettre la main sur le livre du lieutenant-colonel et physicien Tom Bearden, un Américain de la Louisiane. Ce livre, tout simplement intitulé *Fer-de-Lance*, a été publié en 1988. Vous y trouverez une multitude de détails sur notre programme de contrôle du climat Fer-de-Lance, du nom du redoutable serpent sud-américain. Je pourrais vous fournir quelques notes sur le sujet, mais tout est en russe. Je doute que cela vous soit très utile.

– Vous pensez donc, osa Dumont, que des recherches portent de nouveau sur des applications militaires de ces programmes ?

– Vous comprendrez, monsieur Dumont, qu'il m'est difficile de discuter de ces questions avec un étranger, même un ami d'Isabelle. D'ailleurs, parlez-moi un peu de votre travail avec elle.

Heureusement que Florent lui avait exposé en détail l'état de ses recherches actuelles en climatologie.

Galya servit une autre tasse de thé bouillant à son hôte, accompagnée de quelques *vareniki*, sorte de beignets sucrés fourrés aux fruits, saupoudrés de sucre glace. Ils échangèrent quelques propos concernant leur amie commune, Isabelle Florent, et des considérations générales sur leurs pays respectifs avant de se quitter.

– Alors, vous avez appris des choses intéressantes? lui demanda Semionov lorsque Pierre réintégra le taxi qui l'avait attendu pendant plus d'une heure.

À l'aller, Dumont avait raconté qui il allait visiter et indiqué plus vaguement les raisons de sa visite. Il était seize heures lorsque le taxi le déposa devant l'hôtel. Dumont donna congé au chauffeur. Il avait besoin de se reposer à cause du décalage horaire.

– Si vous avez besoin de moi, vous n'avez qu'à m'appeler sur mon téléavertisseur. Le numéro est sur ma carte de visite.

Mais plutôt que de monter à sa chambre, Dumont décida de se promener à pied dans le vieux quartier de l'Arbat, qui entourait l'hôtel. C'est la Russie traditionnelle, pensa Dumont, le Vieux-Moscou, un peu l'équivalent du Vieux-Montréal, tout en appréciant le charme fané de ses ruelles et de ses vieux édifices. Il avait lu dans un dépliant touristique déposé dans sa chambre que le quartier attirait les intellectuels et les artistes qui avaient commencé à s'y installer au XIXe siècle. Il dénicha une merveilleuse maison de bois transformée en musée. Il crut comprendre qu'elle avait appartenu à un personnage célèbre et regretta ne pas s'être fait accompagner par Semionov, qui aurait pu déchiffrer pour lui la plaque en caractères cyrilliques qui ornait sa façade et lui expliquer les raisons de la notoriété de son ancien propriétaire.

Dumont flâna au hasard pendant près d'une demi-heure avant de revenir vers son hôtel par la vieille rue piétonnière Oulitsa Arbat, à l'ombre de l'imposant édifice gothique-stalinien du ministère des Affaires étrangères. Quelques magasins d'antiquités attirèrent son attention. Stéphanie aurait adoré chiner dans ces boutiques regorgeant d'objets anciens. Alors qu'il se passait cette réflexion, il capta un regard trop insistant dans une vitrine. Manifestement, il était suivi. Lentement, il pivota sur ses talons, mais son suiveur, un professionnel, avait déjà disparu au détour d'une ruelle, entre deux immeubles ornés de tourelles et de chevaliers. Se pourrait-il que les services de sécurité russes soient au courant de la présence d'un policier québécois en mission officieuse en Russie?

Il acheta un *International Herald Tribune* d'une vieille dame dont le kiosque était tout près de la Maison-musée Pouchkine. À un coin de rue de son hôtel, Dumont s'arrêta dans un café. Le boui-boui ne payait pas de mine. Pas exactement un endroit à touristes, pensa-t-il. Le local était emboucané de fumée de *papirossi*, rempli d'ouvriers, de vendeuses et même, devina Dumont à leurs ceinturons et gants blancs, de deux agents de la police de la circulation, probablement venus avaler une bouchée avant de prendre leur quart de fin d'après-midi sur la place Rouge, située à deux pas.

L'aspect vestimentaire de Dumont, qui trahissait l'occidental financièrement à l'aise, attira les regards lorsqu'il pénétra dans le café. Il prit une chaise avec vue sur la porte à une table placée contre un mur au fond de l'établissement. Il se demanda s'il réussirait à identifier la filature si, comme il le soupçonnait, il était suivi. Il parvint à commander un café et un sandwich en anglais avant de se mettre à la lecture du journal.

L'homme qui franchit la porte du café attira tout de suite son attention. C'était un costaud qui devait faire dans les cent vingt kilos pour une taille de près de deux mètres. Sa tête rasée lui donnait des airs de famille avec l'acteur américain Yul Brynner, version grand format. Un physique qui ne passait pas inaperçu. Dumont se dit que ça ne pouvait pas être l'homme qui le suivait. Il l'aurait immédiatement repéré. Le chauve se dirigea droit vers la table du policier québécois. Dumont commença à penser à se défendre, mais il constata que l'individu souriait.

– Monsieur Dumont, je me présente : Bogdan Ilyine, dit-il en français. Nous avons des intérêts communs dont j'aimerais vous entretenir. Permettez que je m'asseye ?

Sa voix puissante et gutturale acheva de lui donner un air de moujik, ce qu'il n'était pas. Formé à l'école du KGB des années cinquante, l'ex-agent soviétique parlait couramment l'anglais et l'allemand, et se débrouillait en français. Dumont lui fit signe de prendre place, tout en demeurant sur ses gardes.

– *Otchen priiatna !* lança le colosse jovial en serrant vigoureusement la main du policier, avant de poursuivre en français.

– Nous avons des amis communs qui…

– … des amis qui me veulent sans doute du bien, enchaîna Dumont, narquois.

– Des amis qui espèrent vous aider dans votre enquête et qui veulent aussi s'assurer qu'il ne vous arrivera rien de désagréable durant votre séjour ici, répliqua le Russe avec bonhomie.

Dumont était abasourdi. Comment pouvait-il savoir les véritables raisons qui l'amenaient en Russie ? La prof retraitée et le chauffeur de limousine pensaient tous deux qu'il était chercheur en climatologie. Les informations que l'homme détenait devaient absolument venir de Montréal, mais certainement pas du SPCUM, puisque personne n'y était au courant de sa mission et de son voyage à Moscou.

– Et que disent donc nos amis communs à mon sujet, monsieur Ilyine?

Dumont avala une goutte de thé noir, trop sucré, et grignota son sandwich au jambon du bout des lèvres, puis un morceau de blini nature. Le Russe poussa la confiture vers lui avec un sourire entendu et jeta instinctivement un regard vers la salle avant de parler.

– Ils disent que vous avez découvert des activités extrêmement préoccupantes qui menacent non seulement votre pays, mais la planète entière.

Même si ces propos étaient extrêmement graves, Ilyine les tenait sur un ton légèrement enjoué.

– Ces activités que vous dites menaçantes pour la planète entière semblent être menées à partir d'ici, en Russie, précisa Dumont.

– Il ne fait aucun doute que des Russes sont impliqués. Comme vous le savez, nos autorités policières ont collaboré avec diligence aux requêtes d'informations que nous avons reçues par Interpol et nous recherchons activement l'homme soupçonné de meurtre chez vous. Celui-là même qui vous a aussi assailli, votre femme et vous.

Dumont fit valoir que ce ne serait pas la première fois, en Russie comme au Canada, que certains services liés à l'État soient engagés dans des activités illicites.

Le Russe se mit à rire.

– Et comment vos amis comptent-ils m'aider?

– Ils réfléchissent encore à la meilleure façon de vous donner un coup de pouce. Il faut comprendre qu'ils n'ont appris votre arrivée qu'avec un très bref préavis. Pour une multitude de raisons, ils veulent que leur aide soit tout aussi officieuse que l'est votre mission.

L'homme, que Dumont trouvait plutôt sympathique, ne correspondait pas à l'image sinistre qu'il se faisait des agents des services secrets russes, même s'il en avait le physique jusqu'à la caricature. Au moment où l'homme se levait pour le quitter, il risqua une blague en lui serrant la main.

– Ce n'est sans doute pas une femme jalouse qui vous a fait ça, demanda Dumont en faisant allusion à la balafre blanche qui lui barrait la joue droite.

– Ah ça? Un petit différend à Berlin-Est il y a très longtemps, fit-il sur un ton badin.

* * *

Dumont avait regagné sa chambre depuis une demi-heure lorsque le téléphone sonna.

– Si vous voulez savoir pour qui travaille Georgi Pakhaline, dit la voix en anglais avec un fort accent russe, venez demain vers seize heures au parc Gorki, près de la Galerie Tretakiov.

Dumont se rappela qu'il s'agissait du nom du deuxième Russe impliqué dans la fusillade de la rue Jean-Talon. Il répéta l'information en l'inscrivant sur un bloc-notes. L'homme avait raccroché avant qu'il ait eu le temps de lui demander de s'identifier.

Il descendit consulter le concierge, qui lui expliqua que la Galerie Tretakiov se trouvait dans un autre quartier de la ville. Trop loin pour s'y rendre à pied. De retour à sa chambre, il composa le numéro du téléavertisseur de son chauffeur Guennadi Semionov, qui le rappela immédiatement.

– Pouvez-vous me conduire demain en fin d'après-midi, disons vers quinze heures trente, au parc Gorki près de la Galerie Tretakiov? demanda Dumont.

– Certainement, monsieur Dumont. Vous voulez faire un peu de tourisme? Habillez-vous chaudement. Je vous recommande de visiter le parc plutôt le matin. Les journées sont courtes, à Moscou, actuellement. Il n'y a pas beaucoup de touristes à cette heure-là, au parc Gorki.

Dumont pensa que c'était exactement ce que voulait son interlocuteur anonyme.

Semionov passa prendre Dumont à l'heure dite pour le conduire au célèbre parc moscovite.

– Non loin de la galerie où vous voulez aller, il y a un curieux parc de sculptures, qu'on appelle par dérision le cimetière des statues déboulonnées. On y a placé les statues de vieux bolcheviques qu'on a déplacées en 1992. C'est horrible. Personne n'y vient jamais, c'est tellement laid.

Dumont trouva étrange que Semionov ne lui demande pas pourquoi il tenait à se rendre dans un tel endroit. Il commençait à ressentir un certain malaise envers son chauffeur.

S'étendant sur plus de cent vingt hectares sur les rives de la Moskova, manèges, chemins forestiers, lacs, patinoire en hiver et théâtre de verdure en été faisaient de l'endroit le lieu de promenade de prédilection des Moscovites et des touristes.

Le chauffeur guide s'arrêta un instant pour que son compagnon puisse admirer l'immense statue de cent mètres de haut de Pierre Le Grand, érigée au cours de l'été précédent pour marquer le tricentenaire de la fondation de la flotte russe. Puis il entraîna le Montréalais vers la Nouvelle Galerie Tretiakov, une énorme bâtisse blanche consacrée à l'art russe depuis la Révolution, c'est-à-dire à l'art soviétique, essentiellement. Par un sentier maintenant plongé dans la pénombre, ils débouchèrent dans un bosquet où çà et là se dressaient de hideuses statues bolcheviques, notamment celle de Felix Dzerjinski, fondateur de la Tcheka, ancêtre des services secrets russes. Sa statue avait été déboulonnée de son socle en août 1991, devant la Loubianka, siège du KGB, qui abritait également une sinistre prison où de nombreux opposants avaient disparu pendant le régime soviétique.

– En fait, ce lieu devait devenir un musée contre le totalitarisme, mais ça n'a pas l'air d'être parti pour ça. Il y a quelques années, les statues gisaient en vrac sur le sol.

Dumont l'écoutait d'une oreille distraite, car un frisson de crainte l'avait brusquement saisi à la nuque. Sans pouvoir s'expliquer pourquoi cette idée lui était venue, il s'attendait au pire.

Guennadi était en train de donner à Dumont un rapide cours d'histoire soviétique quand une balle siffla à leurs oreilles et vint frapper le socle de la statue de Dzerjinski. Ils n'avaient rien entendu venir. Leur agresseur devait utiliser un fusil à lunette avec silencieux. C'est alors que Dumont ressentit une vive brûlure à la taille, du côté gauche. Semionov fit preuve d'un extraordinaire sang-froid. Il se précipita sur le policier et l'entraîna derrière le monument, l'obligeant à s'étendre au sol.

Dumont n'était pas encore remis de sa surprise lorsqu'une autre balle ricocha sur la statue. Il porta sa main à sa figure. Elle était couverte de sang. Un éclat de pierre l'avait atteint à la joue.

Les deux hommes se tapirent le mieux possible derrière l'imposante sculpture, attendant la suite des événements. Un doigt sur les lèvres, Semionov lui enjoignit de garder le silence. Un bruissement de feuilles leur parvint soudain sur leur droite, Dumont ragea de ne pas être armé. Alors qu'ils s'attendaient à être atteints à bout portant, ils virent apparaître Bogdan Ilyine, un revolver à la main, plié en deux, tendant de se fondre dans une haie de troènes afin de les rejoindre.

– Restez caché, monsieur Dumont, murmura-t-il. On tente de débusquer le tireur.

Semionov et Ilyine prodiguèrent les premiers soins à Dumont. Ils constatèrent que la balle ne l'avait qu'effleuré.

– Vous avez vraiment eu de la chance, lui dit Semionov en lui appliquant un pansement de la trousse de premiers soins qu'il était allé chercher en toute hâte à sa voiture. Cette balle était destinée à votre cœur. Vous devez votre vie au fait que le tireur a mal estimé la distance ou à une question de température et de densité de l'air qui a joué en votre faveur.

Quelques minutes plus tard, alors qu'Ilyine était en conversation agitée en russe sur son téléphone cellulaire, un homme armé et de toute évidence connu d'Ilyine et de Semionov surgit par le sentier. Ilyine le présenta.

– Nikita Boldyrev. Comme Semionov, il est du Federal'naya Sloujba Bezopasnosti, FSB, comme vous dites en Occident.

Même si Ilyine n'avait pas précisé s'il appartenait lui-même au FSB, il était visiblement quelqu'un en autorité, puisque Boldyrev lui fit rapport.

– Personne. J'ai regardé partout. Le type a dû filer rapidement après la deuxième balle, quand il s'est rendu compte que son coup avait échoué.

– Comment avez-vous été avertis? interrogea Dumont, suspicieux. L'arme avait un silencieux.

– Nous n'étions pas avertis qu'il allait y avoir un attentat, mais vous étiez sous surveillance, comme je vous l'ai dit lors de notre rencontre au café, hier. Semionov vous protège depuis la première seconde où vous avez mis le pied sur notre territoire. Et nous étions à l'écoute lorsque vous avez été contacté par téléphone. Votre interlocuteur vous a attiré ici non pas pour vous parler, mais pour vous tuer, et à très longue distance. Semionov prêta son épaule à Dumont pour qu'il se redresse.

Le Montréalais grimaçait de douleur.

– J'ai horriblement mal au côté.

– Par ici, ma voiture n'est pas loin, indiqua Boldyrev. Je vous emmène à l'hôpital.

Dumont fut rapidement conduit à l'American Medical Center de Moscou, où une dizaine de médecins russes formés en Europe et en Amérique du Nord veillaient sur la santé des nombreux touristes et travailleurs européens et nord-américains de la capitale, leur assurant des services de qualité équivalente à ceux qu'ils auraient reçus dans leur pays.

Ce fut la docteure Svetlana Mikhalhova, de garde en cette fin d'après-midi, qui le reçut. Formée à l'Université McGill de Montréal, elle parlait couramment le français et l'anglais.

– La balle n'a fait que déchirer votre épiderme et traverser du gras. On va désinfecter la plaie, puis faire quelques points de suture. C'est une intervention mineure. On vous gardera de vingt-quatre à quarante-huit heures, ensuite il faudra simplement faire attention. Elle ajouta avec une pointe d'humour : pas de squash ou de kick-boxing avant une ou deux semaines !

– Et le fragment au visage ? s'inquiéta Dumont.

– Plus de peur que de mal. Deux points de suture seulement. Vous n'en garderez même pas de cicatrice.

Tandis que Dumont était conduit à l'hôpital, les agents du FSB continuaient de fouiller les alentours du parc Gorki dans l'axe du tir qui avait atteint Dumont. À environ quatre cents mètres des lieux de l'attentat, ils firent une étonnante découverte. Georgi Pakhaline gisait, une balle dans la tête, sur le toit d'un immeuble qui offrait une vue parfaitement dégagée sur la statue de Dzerjinski. Le tueur à gages avait encore son fusil à lunette à la main. L'information fut aussitôt transmise à Ilyine.

***

180

Le lendemain, Bogdan Ilyine se présenta dans la chambre de Dumont.

– J'espère que vous êtes bien traité et que vous ne garderez pas un trop mauvais souvenir de votre séjour à Moscou, monsieur Dumont. Pour faire en sorte qu'il vous soit utile, j'ai certaines informations à vous transmettre. Mais auparavant, une petite précision… Nous avons trouvé le cadavre de Pakhaline sur le toit d'un immeuble, à plusieurs centaines de mètres de la statue de Dzerjinski, avec un fusil de tireur d'élite Dragunov SVD.

– Est-ce le FSB, qui a réglé son compte au tueur, ou est-ce que ce sont ses employeurs qui se sont débarrassés d'un témoin encombrant ? questionna Dumont.

– Ce n'est pas nous. D'autres questions ?

Le sergent-détective sourit.

– J'aimerais maintenant savoir qui vous représentez exactement. Hier, vous m'avez dit que vos deux compagnons étaient du FSB, mais vous n'avez rien dit à votre sujet.

– Et c'est bien ainsi. Votre enquête est officieuse et mon rôle l'est tout autant. Mais soyez assuré que les renseignements que je vais vous transmettre proviennent des sources les plus autorisées des organes de sécurité de la Fédération de Russie.

Il marqua une pause pour que Dumont prenne bien conscience de l'importance des informations et surtout des sources. Puis il reprit :

– Comme vous le savez déjà par le rapport qui a été transmis à Interpol, Melnik et Pakhaline étaient effectivement des hommes de main employés en tant que tueurs à gages par des groupes criminels russes.

– Et ils sont allés à Montréal ! s'exclama Dumont.

– Deux fois plutôt qu'une. En fait, ils y ont même séjourné trois fois. Pakhaline est rentré à Moscou quelques jours avant votre arrivée, en provenance des États-Unis.

Dumont attrapa la poignée du levier au-dessus de son lit pour se redresser sur son oreiller.

– Et leur employeur actuel ?

– C'est là que ça se complique. Ce sont d'anciens soldats qui ont pris part à la guerre de Tchétchénie dans le Caucase. Depuis la fin de la guerre, l'an dernier, ils ont joint les rangs d'un groupe dirigé par un certain Dimitri Trygubenko, qui se spécialise dans la vente de nos secrets industriels et scientifiques à l'étranger. Trygubenko est soupçonné d'avoir fourni des centrifugeuses à l'Inde et à l'Iran. C'est par lui que les deux hommes auraient été mis en contact avec le bureau moscovite d'un groupe d'ingénierie américain recrutant des gardes du corps pour protéger son personnel dans certaines des anciennes républiques soviétiques d'Asie centrale.

– Vous avez le nom du groupe ? demanda Dumont.

– Sullivan-Kolko International, répondit Ilyine, mais ce qui va vous intéresser, c'est que cette entreprise appartient, par l'intermédiaire de différentes sociétés écrans, à USP, Ultimate Systems Providers.

– Tiens, tiens ! Il y a de bonnes raisons de croire que Melnik et Pakhaline ont tué chez nous un Amérindien qui voulait livrer aux autorités des renseignements sur les activités scientifiques clandestines d'USP au Québec. Vos renseignements renforcent mes soupçons à l'égard d'USP.

– USP emploie aussi des scientifiques russes renégats. Nous sommes convaincus que Dimitri Trygubenko a vendu à USP, pour des millions de dollars, certaines de nos technologies militaires secrètes. Ce qui a permis à cette entreprise d'épargner des centaines de millions de dollars d'investissement dans la recherche et le développement. Certains de nos meilleurs chercheurs ont d'ailleurs émigré aux États-Unis pour aller travailler dans les centres de recherche d'USP.

Ilyine demanda à Dumont de l'excuser un instant. Il sortit de la chambre pour revenir quelques instants plus tard avec Galya Krasnikova.

– Ça fait plaisir de voir que tout va bien, commença la chercheuse retraitée. J'ai appris ce qui vous était arrivé par monsieur Ilyine, qui m'a demandé de venir vous parler.

– Galya, lui demanda Ilyine, racontez à monsieur Dumont ce que vous savez d'USP.

– Comme vous le savez sans doute déjà, c'est un conglomérat spécialisé dans la science et la haute technologie. Ce qui est moins connu, c'est qu'USP investit clandestinement des centaines de millions de dollars dans des recherches en climatologie. Ils m'ont même fait une offre, en 1992, mais il aurait fallu que je déménage au Texas avec le maximum de notes et de documentation sur les programmes de recherche russes..., et ça, c'est de la trahison. Il n'en était pas question, même si on me faisait un pont d'or pour que je me joigne à une équipe de chercheurs.

– Certains de nos compatriotes n'ont pas eu vos scrupules, Galya Krasnikova, intervint Ilyine.

– C'est vrai. D'ailleurs, l'un de mes plus proches collaborateurs, Yuri Boukarov, avait déjà fui aux États-Unis dans les années quatre-vingt avec les plans et devis de plusieurs équipements que nous étions en train de développer.

– Il a travaillé en électromagnétisme? demanda Dumont.

– Oui. Il était même impliqué dans le projet Fer-de-Lance dont je vous ai brièvement parlé quand vous êtes venu chez moi. Ici, nous n'avons plus les moyens de poursuivre ce type de recherches, mais les Américains s'en donnent toutes les possibilités.

Ilyine intervint pour compléter les informations de Krasnikova.

– Nous savons, de sources en lesquelles nous avons la plus haute confiance, que Boukarov travaille actuellement sur un projet mené en parallèle avec le programme High-Frequency Active Auroral Research Program, du département de la Défense américain. USP y agit comme maître d'œuvre du Pentagone.

Dumont résuma à haute voix ce qu'il comprenait de la situation.

– Donc, USP a récupéré des scientifiques soviétiques qui ont travaillé au projet Fer-de-Lance pour monter un programme similaire, financé par le Pentagone et dissimulé dans le programme HAARP.

– C'est exactement ce que nous pensons, fit Ilyine. Ils veulent faire la pluie et le beau temps! ironisa-t-il.

La conversation s'interrompit brusquement lorsque la docteure Svetlana Mikhalhova revint prendre des nouvelles de son patient. Elle lui apprit qu'il pourrait quitter l'hôpital le jour même.

Dès le lendemain matin, à son arrivée au siège du SCRS à Ottawa, Roger Dugas, directeur adjoint et chef des opérations, trouva sur son bureau le rapport du FSB, coté urgent et très secret, relatant les événements de Moscou.

10

Galveston, Texas, 22 novembre 1997
Après avoir survolé la grande banlieue sud de Houston, l'hélicoptère Bell Textron 412 bleu nuit traça un arc allongé au-dessus de la baie de Galveston. De sa place, du côté gauche de la cabine, Sean Flagerty pouvait voir au loin les plages de sable du golfe du Mexique. Les deux autres passagers regardaient défiler les installations du quartier général de la NASA de Clear Lake, situé à proximité du campus d'Ultimate Systems Providers, pendant que le pilote amorçait son approche de l'héliport du siège social de ladite société. L'appareil se posa en sifflant sur le toit de l'édifice de huit étages situé sur le bord de l'eau.

Une heure plus tôt, le président du puissant groupe technologique était allé accueillir ses visiteurs de Washington, Josh Cummings, président du Defense Policy Board, et Steve Watters, sous-secrétaire adjoint à la Défense, à l'aéroport William P. Hobby de Houston, qui assurait la desserte des vols intérieurs.

Les pales du rotor tournaient encore lorsque les trois hommes se hâtèrent vers l'escalier menant au bureau du président d'USP, juste à un demi-niveau plus bas, à droite de l'héliport. Entièrement vitrée, la pièce offrait à Flagerty un coup d'œil saisissant sur la baie de Galveston.

Les trois hommes s'installèrent dans de profonds fauteuils de cuir marron patiné, tandis que Rose Manigan distribuait à chacun un dossier vert bouteille identifié au logo de l'entreprise.

– Vous y trouverez un rapport succinct concernant nos activités de recherche et développement. C'est une synthèse de l'exposé oral que monsieur Flagerty vous présentera dans quelques instants, précisa-t-elle à l'intention des deux invités du patron. Vous avez également, dans la pochette du dossier, un cédérom d'un rapport écrit de plusieurs centaines de pages, en format PDF, ainsi que des séquences audiovisuelles de démonstration des différents systèmes d'armes.

– Comme vous le voyez, embraya Flagerty en ouvrant aussitôt sa propre chemise cartonnée, nous sommes arrivés dans la dernière ligne droite. Plusieurs de nos systèmes d'armement sont en toute fin de développement. On passe au stade des essais opérationnels.

– Tu ne nous aurais pas fait descendre de Washington si tout allait parfaitement bien, fit Josh Cummings en déposant le dossier sur une table basse devant lui, sans même avoir pris la peine de l'ouvrir. En général, les questions touchant les protocoles d'évaluations conjointes se règlent entre tes ingénieurs et nos services.

Steve Watters, qui parcourait l'index du dossier, releva les yeux.

– Le dossier est complet sur le système de guidage autonome USP-90 destiné à la prochaine génération de missiles de croisière et de drones, mais il ne contient rien sur le programme d'armes à énergie dirigée. C'est pourtant votre programme prioritaire.

– En fait, nous avons subi une série de contretemps, répondit Flagerty en grimaçant. L'exploitation des renseignements scientifiques liés à Fer-de-Lance est beaucoup plus difficile que prévu.

– Encore des retards ! s'exclama Cummings, agacé. Ça fait plus de quinze ans que vous êtes en développement. L'acquisition des progrès technologiques russes et le recrutement des hommes qui les ont réalisés devaient vous permettre de gagner entre cinq et dix ans. Alors… ?

Le ton de Cummings indisposa Flagerty. Ses épais sourcils se relevèrent à son insu, découvrant un regard noir où brillait une lueur de colère. Rose Manigan, qui le connaissait bien, en déduisit que son patron bouillonnait à l'intérieur, même s'il semblait encore parfaitement maître de lui à l'extérieur.

– Je suis sûr que nous sommes sur le point de réussir. Pour réaliser le premier essai en grandeur réelle que je prévois pour janvier prochain, j'ai besoin de cent millions de dollars de plus.

– Le secrétaire à la Défense va grimper au plafond, lâcha Watters, incrédule. Cette fois, impossible de retourner devant le Congrès pour demander une rallonge budgétaire ! Les sénateurs et leurs services de recherche ne sont pas des idiots. On va finir par découvrir que vos recherches sur les ultra-basses fréquences ne sont pas destinées en priorité à réaliser des transmissions inviolables avec des sous-marins, des drones ou notre futur avion de combat sans pilote.

– C'est pourquoi je compte sur vous, laissa tomber Flagerty d'un ton sec et qui ne supportait aucune réplique. Il va falloir être extrêmement prudents. On ne veut surtout pas que des sénateurs viennent fouiner dans nos affaires. Il est sans doute possible de dissimuler la somme parmi les crédits liés aux programmes de recherches. Cent millions sur une cinquantaine de milliards… c'est faisable !

Le sous-secrétaire adjoint à la Défense se rencogna dans son fauteuil. Dans le passé, il s'était déjà frotté au caractère bien trempé de son interlocuteur et ne souhaitait pas renouveler l'expérience, du moins pas dans sa position actuelle.

– Le secrétaire à la Défense Cohen est préoccupé par le danger des armes scalaires électromagnétiques, compléta Flagerty. Il l'a répété il y a encore quelques mois, en avril pour être plus précis, dans un colloque organisé par le sénateur Sam Nunn à l'Université de la Géorgie. Il faut que vous le convainquiez qu'USP est sur le point de faire une percée dans ce domaine.

– Il pense qu'il finance des recherches défensives dans ce domaine, avança Steve Watters. Il craint que la technologie ne tombe entre les mains d'organisations terroristes. Sandy Berger, de la Maison-Blanche, et lui sont loin de se douter que vous poursuivez les recherches sur les capacités offensives des armes scalaires commencées sous l'administration Reagan.

– Cohen est un crétin naïf, l'un des personnages les plus répugnants du Parti démocrate, avec Clinton bien sûr, répliqua Flagerty avec mépris.

– Il faut prendre notre mal en patience, tempéra Cummings. On n'en a plus que pour deux ans à subir ce dégénéré de Bill Clinton à la Maison-Blanche. Tantôt, à l'aéroport, vous parliez d'autres menaces encore plus immédiates pour nos projets…

– Encore une fois, elles nous viennent du Canada, du Québec, scanda Flagerty.

– Quoi! Encore? s'exclama Cummings. Je croyais que l'affaire de l'Indien était réglée.

– Cette fois, il s'agit d'un jeune policier de Montréal qui met son nez dans des affaires qui ne le regardent pas, expliqua Flagerty. Il semble avoir pris l'initiative de rouvrir l'enquête sur la mort de l'Indien.

– Un petit flic merdeux qui enquête sur USP et le Pentagone, ça ne devrait pas être une très grosse menace, s'exclama Watters, moqueur.

– Jusqu'à maintenant ! Les deux Russes qui se sont occupés de l'Indien et qui étaient chargés de le surveiller ont été butés. L'un par la police de Montréal et l'autre par nous, afin d'effacer toute trace de notre implication. Flagerty relata à ses invités les péripéties de Moscou.

– Sean, tu dis que le type n'agit pas à titre officiel, que son séjour à Moscou n'a pas été organisé dans le cadre d'Interpol, mais en même temps tu racontes qu'il avait l'appui des autorités russes. Alors pour qui travaille-t-il ?

– Ça ne peut être que le gouvernement du Québec. Les séparatistes sont au pouvoir, s'enflamma Flagerty, la voix sèche, saccadée et le souffle rapide. Ils ont perdu le référendum, mais ils ont politiquement le vent dans les voiles. C'est comme au début des années quatre-vingt, ils ont été battus à plate couture et pourtant ils ont été reportés au pouvoir.

Sean Flagerty était particulièrement remonté, et lorsqu'il enfourchait son cheval de bataille, c'est-à-dire le Québec, il n'y avait plus moyen de l'arrêter. Rose Manigan fit un signe qui enjoignait à Cummings et Watters de prendre leur mal en patience. La tempête se calmerait aussi vite qu'elle s'était déchaînée. Tandis que Flagerty continuait sur sa lancée, Manigan s'esquiva. Elle avait déjà entendu ce laïus des dizaines de fois.

– Je hais ces mangeurs de grenouilles. J'ai quitté Montréal, j'ai quitté le Canada parce que je ne pouvais plus les souffrir. Des perdants frileux, comme les Canadiens d'ailleurs, mais en plus minables, en plus bornés, en plus mesquins. Le jour où j'ai renoncé à ma citoyenneté canadienne pour devenir Américain a été le plus beau jour de ma vie.

– L'Amérique et le Parti républicain te doivent beaucoup, Sean. La contribution d'USP à la sécurité nationale du pays est immense, lança Cummings, mielleux.

– Jamais je n'aurais réalisé le centième de ce que j'ai fait si j'étais resté au Canada avec son armée merdique moins bien équipée que la police municipale de New York et à peine capable d'affronter une bande de voyous indiens masqués.

Cummings trouva plutôt cocasses les propos de Flagerty sur les Indiens. Ce dernier avait soutenu financièrement le soulèvement mohawk de 1990 au Québec et une partie des armes utilisées par les Indiens leur avait été fournie en sous-main par le service de sécurité d'USP. Flagerty poursuivit sur sa lancée.

– Il faut en finir avec le Canada et le Québec. Dans dix ans, quinze ans, vingt ans au plus. Nous avons besoin de leurs richesses naturelles, des hydrocarbures, de l'hydroélectricité. L'eau plus l'électricité, c'est l'hydrogène, l'énergie de l'avenir. Il faut tout faire pour réduire la souveraineté du Canada et contrer par tous les moyens celle du Québec. Imaginez! Ces ignares, ces joueurs de hockey pensent qu'ils sont capables de se construire un pays. La plupart d'entre eux sont incapables d'apprendre trois mots d'anglais, sans doute parce que ça dépasse leurs capacités intellectuelles. Ah! Je rêve du jour où les provinces canadiennes deviendront des États américains.

– N'a-t-on pas déjà suffisamment de Latinos sur notre territoire sans nous embarrasser des Québécois? s'étonna Cummings.

– Qui parle de donner au Québec un statut d'État au sein de l'Union? Je les vois, moi, comme Porto Rico. Associés, mais sans sénateurs, sans représentants. D'ailleurs, il va falloir faire quelque chose au sujet des Latinos. L'espagnol se propage partout comme un cancer. J'ai vu ce qui est arrivé à Montréal et au Canada avec Trudeau et Lévesque dans les années soixante et soixante-dix. Il faut éviter ça à l'Amérique. USP finance des mouvements en faveur de l'anglais, seule langue officielle, dans vingt-neuf États maintenant. Des Latins au Sud, d'autres au Nord, nous sommes encerclés par cette race de fainéants.

Flagerty s'était tourné vers la baie de Galveston et, les bras écartés, il semblait vouloir englober la planète.

– Il est temps de réaliser la destinée dont les pères fondateurs de cette république rêvaient. Je vois un vaste continent où nous parlerons tous la même langue et d'une seule voix. L'unité politique de l'Amérique anglo-saxonne est à notre portée. L'Amérique doit reprendre sa liberté d'action. L'OTAN, l'ONU, ce sont des foutaises. Regardez comment ils se sont empêtrés dans les Balkans. Les seuls sur qui nous pouvons vraiment compter sont les peuples de notre race, les peuples anglo-saxons : le Royaume-Uni, l'Australie, la Nouvelle-Zélande et le Canada anglais. Notre destinée est de diriger cette planète et notre instrument est la république américaine. Nous, les Anglo-Saxons, sommes les moteurs de l'évolution mondiale depuis la défaite de Napoléon à Waterloo. Nous devons nous assurer de le rester dans le prochain siècle. Nous sommes vraiment les seuls à comprendre ce qu'est la démocratie. Pour notre plus grande prospérité, mais aussi pour le plus grand bien de la planète entière, nous devons assurer notre hégémonie sur le monde. Pour cela, il faut chasser de la Maison-Blanche ce méprisable Clinton et ses clowns démocrates. Par tous les moyens. Le Parti républicain doit prendre le pouvoir. L'avenir de l'humanité en dépend.

Watters et Cummings, pourtant habitués aux diatribes de Flagerty, échangèrent des regards stupéfaits et un rien inquiets. Ils n'étaient pas loin de penser que leur hôte avait complètement disjoncté. La violence de son discours et son regard éperdu, jumelés à son charisme naturel, en faisaient un homme convaincant. Même s'ils partageaient ses convictions, les deux hommes étaient toujours un peu mal à l'aise d'entendre Flagerty les exposer avec autant de fanatisme.

Après quelques secondes de silence pendant lesquelles Flagerty reprit ses esprits, il continua d'un ton apaisé :

– Je dois présider ce soir un dîner-bénéfice à Houston en faveur du Parti républicain. Le gouverneur Bush en est l'invité d'honneur. Il faut absolument qu'il obtienne le ticket républicain aux présidentielles de 2000.

– Bush junior n'a pas la même envergure que son père, avança Cummings. Intellectuellement, on le dit très limité.

– Avec mon ami Dick Cheney à ses côtés comme vice-président, il ferait un excellent président. Mais avant de réaliser nos objectifs politiques, avant de nous emparer de la Maison-Blanche, il nous faut déjà jeter les bases d'une suprématie militaire décisive au siècle prochain.

Puis, sans transition, Flagerty revint à son dossier et s'adressa à Cummings qui présidait le Defense Policy Board.

– Nous allons commencer très bientôt les tests définitifs pour vérifier expérimentalement la possibilité d'utiliser la météo comme arme de guerre. Ce sera la première fois dans l'histoire qu'une arme scalaire sera utilisée opérationnellement. USP est sur le point de donner au pays la première génération d'armes imparables. J'y pense depuis la première fois que j'ai lu des textes de Tesla, alors que j'étais encore étudiant au Lower Canada College de Montréal, au début des années soixante. J'en rêve depuis près de quarante ans et bientôt mes rêves vont devenir réalité.

– Nos recherches ne progressaient plus depuis dix ans. Ce sont nos Russes qui nous ont permis ces progrès décisifs ? interrogea Watters.

– Oui, mes Russes ! souligna Flagerty. La technologie qu'ils ont apportée avec eux a permis une percée tant sur le plan de la science fondamentale que sur celui de l'ingénierie des systèmes opérationnels. Mais c'est aussi parce que j'y ai mis cent millions de dollars. Mes Russes plus mes cent millions ! C'est cet argent que le gouvernement va devoir me rembourser, avant que les actionnaires d'USP se rendent compte des manœuvres comptables qui nous ont permis de dégager ces sommes.

– Comment allez-vous justifier les essais ?

– On parlera de développer des parades contre des attaques climatologiques. Il faut faire des expériences pour se défendre contre de telles armes. Et puis il y a les applications dans le domaine des transmissions. En plus des sous-marins, on va parler de communications inviolables avec nos drones de reconnaissance stratégique et nos futurs avions de combat sans pilote.

– Si j'ai bien compris, fit Cummings, le nouvel émetteur a été construit ici même.

– Dans les prochains jours, il sera démonté par nos techniciens et transporté à Siple Station, en Antarctique, à bord d'avions cargo Hercules de la Navy. L'équipe de sept scientifiques et ingénieurs qui va réaliser l'expérience, les seuls sur place à être dans le secret, arrivera à Siple Station au début de décembre pour commencer là-bas le réassemblage et la calibration de l'émetteur de basses fréquences extrêmes. Jamais un appareil d'une telle capacité n'a été conçu depuis que Tesla a tenté des expériences au Colorado, en avril 1899. La marine nous prête également son plus puissant générateur portatif.

– Évidemment, des communications inviolables avec ses sous-marins, ça intéresse la Navy au plus haut point, commenta Cummings en riant.

– Et certaines des transmissions prévues sont effectivement destinées à un sous-marin nucléaire en plongée sous la banquise, au nord du Groenland. On va faire d'une pierre deux coups, ajouta Flagerty.

– Quand comptez-vous réaliser votre premier essai ? s'enquit Watters.

– Au début de janvier. Notre intention est de provoquer des averses de neige inhabituelles sur des territoires inhabités du Nouveau-Québec.

– Il va falloir être prudents, j'insiste, Sean, intervint Cummings. Dans le passé, les premiers tests de préfaisabilité ont créé des problèmes. Vous êtes sûrs, cette fois, de bien maîtriser la technologie ? Les conditions météo ne doivent pas avoir de conséquences négatives significatives pour les populations boréales en question.

– Mais il faut qu'elles soient d'une amplitude suffisante pour confirmer la capacité opérationnelle du système d'armes. Sinon tout ça ne sert à rien, répliqua Flagerty, tranchant.

– À propos, pourquoi faire l'essai au-dessus du Québec ? s'enquit Watters. On leur a déjà créé des calamités météo dans le passé. Pourquoi pas la Corée du Nord ? Au moins, si ça tourne mal, ce n'est pas un pays ami qui écoperait...

– D'abord, je ne considère pas le Québec comme un pays ami. Les gens qui le dirigent sont une cinquième colonne française en Amérique du Nord. Et si vous faites allusion à ce qui est arrivé à Montréal durant l'été 1987, c'était bien malgré nous. À l'époque, on ne savait pas encore bien moduler les émissions de Siple Station. Mais là, il n'y a rien à craindre. Tout ce que je veux faire, c'est de balancer de la neige sur des Esquimaux. Pas de quoi fouetter un ours polaire ! Pas un crime contre l'humanité ! conclut ironiquement Flagerty.

Watters n'osa pas évoquer les autres bavures causées au cours des années au Québec par les expériences d'armes scalaires d'USP. Toutefois, les images de l'inondation du Saguenay lui revinrent en mémoire. Il se souvenait notamment d'une étrange petite maison blanche qui avait su résister aux éléments déchaînés, comme un témoin de leur innommable ratage.

Flagerty poursuivit :

– Je n'ai pas le choix. Dans l'état de développement du programme, on doit encore avoir recours au magnétisme terrestre pour altérer le climat. On peut déjà envisager de s'écarter de plus en plus des lignes de forces magnétiques, mais pour l'instant on est limité. Et les lignes magnétiques terrestres dans l'hémisphère Nord aboutissent dans le nord du Québec. Pas en Corée, en Chine ou en Russie. C'est une réalité incontournable. Pour ce qui est du projet HAARP en tant que tel, qui sert de couverture à notre programme de modification climatique, on a pu le déplacer en Alaska justement parce qu'on a résolu le problème des communications à ultra-basses fréquences. On a pu s'affranchir de certaines contraintes, mais pas pour influer sur la météo.

– Et ça fait vingt ans qu'on bouleverse la météo dans la région du Lac-Saint-Jean et ailleurs au Québec sans qu'on puisse contrôler vraiment ce qu'on fait. J'espère cette fois qu'on maîtrise la technologie, parce que ça risque de créer toute une catastrophe avec la puissance du nouveau transmetteur, s'inquiéta Watters.

– Tant que nous n'aurons pas testé notre nouveau système, impossible d'assurer que nous ne provoquerons pas quelques problèmes ici et là, mais croyez-moi, cela n'aura aucune répercussion majeure, rassura Flagerty, même s'il n'en était pas entièrement convaincu.

«De toute façon, pour lui le Québec, c'est de la merde. Il se moque éperdument de ce qui peut s'y passer, songea Watters, un peu inquiet, mais si le pot aux roses est découvert, c'est nous, à la Défense, qui devrons nous expliquer.»

– C'est vraiment dommage qu'on n'ait pas eu cette arme durant la guerre du Golfe en 1991. On aurait pu plonger l'Irak dans des tempêtes de sable, regretta Cummings. Deux semaines avant de passer à l'attaque... La déroute aurait été encore plus spectaculaire et on aurait peut-être évité qu'ils incendient les puits de pétrole du Koweït.

– Nous serons prêts, la prochaine fois, lança Watters, qui voulait absolument écarter les éventuels problèmes du Québec de sa conscience.

– À propos, j'ai décidé que dorénavant tout ce qui touche de près ou de loin à cette opération portera le nom d'Opération Waspuk, ours polaire en langue crie, la langue de notre ancien employé canadien qui a connu une fin tragique, ajouta Flagerty avec une touche de méchanceté dans la voix.

* * *

Par la fenêtre de son bureau, Flagerty regardait l'hélicoptère transportant les deux hommes du Pentagone filer vers le nord au-dessus de la baie de Galveston lorsque Rose Manigan passa sa tête à la porte : « Dave Eisley est arrivé. »

Eisley était un géant d'une cinquantaine d'années qui dépassait les deux mètres pour plus de cent cinquante kilos de muscles. Roux, cheveux ras à la militaire, il se tenait droit comme un I. Ses yeux, légèrement enfoncés dans leurs orbites, lui conféraient naturellement un air inquiétant. Après la première guerre du Golfe, Eisley, qui était alors membre des Forces Delta, avait décidé de mettre ses compétences au service d'USP, sur la recommandation de Cummings, un ami de sa famille.

À trente ans, Eisley s'était joint à la première unité des forces spéciales, baptisée Special Forces Operational Detachment Delta, fondée secrètement en 1977 sous la houlette du colonel Charlie A. Beckwith. Cette unité spécialisée dans les actions de commandos et de contre-terrorisme, notamment la libération d'otages et la guérilla urbaine, avait été révélée au public lors de l'échec de la tentative de libération des otages de l'ambassade américaine à Téhéran. Basées à Fort Bragg, en Caroline du Nord, les Forces Delta s'étaient bien reprises, depuis cet échec, et avaient mené à bien de nombreuses missions secrètes, notamment au Panama, au Nicaragua, à la Grenade, puis lors de la première guerre du Golfe et en Bosnie.

Comme la plupart des soldats des Forces Delta, Eisley faisait preuve d'une arrogance et d'un manque de sens hiérarchique notable.

Il pénétra dans le bureau de Flagerty portant le treillis noir des membres du service de sécurité d'USP et des rangers impeccablement cirés.

– Ouais, vous m'avez demandé? lança-t-il tout de go.

Flagerty n'aimait pas le personnage, mais il appréciait son efficacité, et il trouvait que son arrogance, sa suffisance et surtout la brutalité de ses manières lui donnaient une certaine allure.

– Eisley, vous aviez raison! Faire appel aux deux Russes n'a pas été la meilleure idée que j'aie eue. Heureusement, vous avez mis un terme à cette affaire navrante avant qu'elle ne nous mette vraiment dans l'embarras. Encore une fois, USP vous doit une fière chandelle.

– Je vous l'avais dit de ne pas faire confiance à des mafieux russes. Maintenant, le petit flic est sur ses gardes. Ça va être plus compliqué de s'en débarrasser. Mais pas impossible. Pas impossible…

– Je me demande comment ce minable policier de Montréal peut nous serrer de si près. Comment s'appelle-t-il déjà?

– Pierre Dumont, répondit Eisley en se laissant tomber dans un fauteuil.

Le chef des opérations spéciales d'USP fit mine de tirer un cigare de la poche de son treillis, mais le regard de Rose Manigan lui fit renoncer à son projet.

197

– Si vous voulez mon avis, continua Eisley, je pense que Dumont bénéficie d'une protection particulière. Ce n'est pas possible autrement. Comment voulez-vous qu'un simple sergent-détective puisse enquêter de Mistissini jusqu'en Russie sans que quelqu'un lui ait donné carte blanche ? À mon avis, ça ne peut être que le gouvernement du Québec. Certainement pas les autorités fédérales canadiennes. Surtout depuis le référendum, il n'y a pas tellement de coopération entre les deux.

– Rien n'indique que les services de sécurité fédéraux canadiens soient dans le coup ? lança Flagerty sous forme de question.

– Pour le moment, nous n'avons rien décelé dans ce sens, confirma Eisley. Cummings m'assure que le SCRS n'a contacté ni la CIA ni le FBI sur cette question.

– Mais ça ne veut pas dire qu'ils n'ont pas lancé une enquête sur nos activités sans en avertir le gouvernement américain, argumenta Flagerty.

– C'est pourquoi il y a urgence de régler le cas de Dumont. Dans la mesure du possible, j'aimerais qu'il lui arrive un accident. Et s'il n'y a pas moyen de s'en débarrasser proprement, il faut le flinguer purement et simplement. Et tant pis ! S'il travaille effectivement pour le gouvernement québécois, le gouvernement fédéral va penser à une crise de paranoïa ou, à la limite, à un piège à cons politique dont il voudra se tenir bien loin.

– Pas sûr, pas sûr, réfléchit Flagerty. En tant que Canadien de naissance, je sais un peu comment ils pensent là-haut. Je ne crois pas qu'il faille l'éliminer, pas tout de suite, du moins. Si on s'en débarrasse, ça risque d'attirer l'attention d'Ottawa. S'ils ont déjà la puce à l'oreille. La Maison-Blanche, je n'en ai pas peur avec l'as que j'ai dans mes cartes. Mais on risquerait d'avoir le FBI sur le dos et avec ce qu'on prépare pour janvier, on n'a vraiment pas besoin de ça.

– Que suggérez-vous ? s'enquit Eisley en étendant ses longues jambes devant lui, prenant toutes ses aises.

Le patron d'USP soupira de réprobation, mais ne dit rien. « Quel rustre mal dégrossi ! » pensa-t-il.

– Pour l'instant, il faut veiller à ce qu'il ne s'approche pas trop près de nous. Vous n'interviendrez que sur mon autorisation.

– Comptez sur moi.

– Ce n'est pas possible qu'un petit flic à la con fasse déraper ce projet. Cette fois, on ne peut pas se permettre de rater notre coup. Et ça dépend en grande partie de vous, Eisley. Dobson doit prendre sa retraite au printemps prochain. Pour vous, il y a en vue le poste de vice-président à la sécurité interne d'USP. Si ça foire, pour vous comme pour moi, c'est la prison.

D'un signe du menton, sans se lever de son bureau, Flagerty congédia le soldat. Eisley replia ses jambes rapidement, se leva, ne serra pas la main de son patron et sortit du bureau en marmonnant.

En le regardant sortir, Flagerty pensa que jamais il ne confierait un poste de vice-président à un tel individu.

11

Washington DC 24 novembre 1997
Dumont descendit de son taxi devant le 1101, 17th Street
NW, à un saut de puce de la Maison-Blanche. Il avait
rendez-vous avec un certain Éric Lavergne, directeur du
Bureau du tourisme du Québec à Washington. Le
rendez-vous avait été pris par la secrétaire du ministre de
la Sécurité publique.

Depuis les années quarante, le Québec entretenait
une importante délégation à New York, mais Ottawa
s'était toujours opposé, pour des raisons politiques, à ce
qu'il en ouvre une à Washington. Il devait donc se
contenter d'un bureau de tourisme.

Quand le PQ était au pouvoir, comme c'était le cas
en ce moment, le gouvernement veillait à nommer un
représentant plus «politique» dans la capitale américaine. Éric Lavergne était de ceux-là. Il verrait donc à
faciliter les déplacements et les contacts de Dumont
dans le District de Columbia et, simultanément, à lui
permettre de rester en relation avec le gouvernement du
Québec.

Lavergne savait que la mission du policier était
importante. Ce n'était pas tous les jours que la secrétaire
du ministre de la Sécurité publique prenait la peine de
téléphoner pour signaler qu'il devait prêter assistance,

dans toute la mesure du possible, à un Québécois de passage. Elle n'avait pas voulu lui expliquer les raisons précises de la venue de Dumont à Washington. Tout ce qu'on lui avait dit, c'est que le visiteur voulait rencontrer des personnes capables de le renseigner confidentiellement sur une société nommée Ultimate Systems Providers et sur son PDG, Sean Flagerty.

À trente-cinq ans, l'œil du Québec à Washington affichait un embonpoint certain, un front haut passablement dégarni et une jovialité à toute épreuve. Il portait des vêtements de bonne coupe, mais mal assortis. À peine les poignées de main échangées, il invita Dumont à dîner chez lui. Il le conduisit d'abord en taxi au Georgetown Inn, sur Wisconsin Avenue, où il lui avait fait réserver une chambre.

– Je suis là pour vous aider. Vous pouvez compter sur moi pour tout ce dont vous pourriez avoir besoin.

– C'est ma première visite à Washington, fit Dumont en regardant à l'extérieur. Ça me semble une belle ville. Je suis surpris, contrairement à New York et aux autres grandes villes américaines, il n'y a aucun édifice en hauteur...

– Les règlements d'urbanisme l'interdisent.

Lavergne lui expliqua que le Georgetown Inn était au cœur de l'un des quartiers les plus sympathiques de Washington, à la fois résidentiel et très animé, avec de bons restaurants et des galeries d'art renommées.

Dumont admira au passage le dôme doré de la Riggs National Bank, à la jonction des deux grandes artères du secteur, M Street et Wisconsin Avenue.

Lavergne attendit Dumont dans la voiture pendant que le policier s'inscrivait à l'hôtel et y laissait sa valise aux bons soins du concierge. Le taxi conduisit ensuite les deux hommes à quelques rues de l'hôtel, où Lavergne et son invité descendirent afin d'emprunter une allée étroite en bordure d'un canal menant à la résidence de Lavergne, une superbe maison de style fédéral. Le Québec ne pouvait faire moins pour son représentant dans la capitale du pays le plus puissant du monde.

Dumont eut l'impression d'avoir quitté l'Amérique pour une petite rue typique d'un village britannique. L'automne s'éternisait et offrait encore quelques belles journées. Les feuilles rougies formaient un tapis humide sous leurs pas.

Lavergne avait épousé une avocate américaine rencontrée dans un colloque à l'Université du Vermont, à Burlington. C'était Liza, une jolie brune au début de la trentaine qui faisait partie d'un cabinet d'avocats réputé installé dans le célèbre Watergate Complex. Durant le repas qu'elle avait préparé, Lavergne expliqua à Dumont en quoi consistait son véritable travail à Washington, en dehors de ses occupations d'agent de tourisme. Le policier apprit ainsi que son mémoire de maîtrise à l'UQAM avait porté sur le financement des campagnes électorales sénatoriales par les principaux lobbies à travers les comités d'action politique.

– Plusieurs des enjeux continentaux importants pour les États-Unis relèvent des provinces au Canada. Ma mission, expliqua-t-il à Dumont, est de faire comprendre aux décideurs politiques l'importance du Québec comme partenaire nord-américain dans les secteurs névralgiques de l'énergie, de l'environnement, du commerce et de la sécurité. De les assurer et… euh… de les rassurer aussi. Quels que soient les liens que le Québec entretiendra à l'avenir avec le Canada, nous serons toujours un État nord-américain, et un partenaire fiable et crédible pour les États-Unis.

Lavergne donnait à Dumont l'impression d'être un homme efficace qui semblait connaître tout le monde qui comptait à Washington. Il avait développé des relations au Capitole et dans les cercles politiques influents, instituts, lobbies et «think tanks».

– En cette période postréférendaire, expliqua-t-il, je m'efforce de présenter une vision alternative du Québec et de son gouvernement, une vision autre que celle propagée par l'ambassade du Canada ou par les médias anglo-canadiens haineux comme le *National Post* et *The Gazette*, desquels, bien souvent, les analystes américains tirent leurs informations sur le Québec.

– Vous a-t-on mis au courant de ce qui m'amène à Washington ? demanda Dumont en se délectant d'une coupe de vin californien qu'il trouva excellent.

– On m'a fait comprendre que vous accomplissez une mission délicate pour le gouvernement du Québec. C'est à peu près tout. La secrétaire du ministre de la Sécurité publique m'a demandé de vous trouver quelqu'un pour vous parler du groupe USP. Son patron Sean Flagerty est un des hommes d'affaires les plus influents du pays. On m'a dit que vous n'aviez pas beaucoup de temps.

Dumont hocha la tête en silence. Lavergne s'attendait sûrement à ce qu'il lui donne quelques explications, mais comme le policier n'y était pas enclin, il poursuivit :

– Il s'adonne que la petite amie d'un collègue de ma femme vient de faire une étude sur le groupe. Son nom est Shirley Casgrain. Nous avons reçu le couple à dîner le mois dernier. C'est une Franco-Américaine de troisième génération qui a redécouvert ses origines et qui s'est passionnée pour le Québec. Elle a perfectionné son français en suivant un cours intensif d'été à l'Université Laval. Elle et son copain vont souvent à Montréal et à Québec, où ils envisagent de s'acheter un pied-à-terre. Bref, Shirley, qui a un bac en sciences du MIT, est recherchiste pour le sénateur démocrate de l'Alaska, William Burke, qui préside un des comités scientifiques du Sénat. C'est aussi une écologiste radicale, c'est ce qui l'a amenée à faire sa recherche sur

USP, plus ou moins à l'insu de son patron, semble-t-il. Le tort que les États-Unis causent à l'environnement de la planète l'angoisse beaucoup. Malgré sa bonne volonté, elle n'avait pas tellement envie de vous rencontrer. Et pas seulement parce les élus et leurs attachés sont réticents à rencontrer des représentants du Québec autrement que sous le parrainage de l'ambassade du Canada...

– Et pourquoi donc ?

– Elle vous expliquera elle-même. Donc, pas question de vous rencontrer au Sénat ou au Bureau du tourisme du Québec. Shirley vous attendra demain, à dix heures, aux US National Archives, à l'entrée qui donne sur Constitution Avenue. Vous la reconnaîtrez facilement. C'est une petite rousse, pas mal du tout, et très élégante pour une écolo. Pas une « granola ».

À l'heure dite, Shirley Casgrain attendait Dumont en haut d'une volée de marches blanches menant à l'imposant bâtiment à la façade néoclassique des Archives nationales. Il la reconnut au premier coup d'œil. C'était une femme d'un peu plus de trente ans, petite, pas plus d'un mètre soixante, aux épais et longs cheveux flamboyants qui retombaient en cascade ondulée sur ses épaules. Ses grands yeux verts étaient mis en évidence par un tailleur Calvin Klein de couleur sauge qui lui allait à ravir. Dumont pensa que ses origines québécoises cachaient sans doute aussi des racines irlandaises.

– Eh bien, monsieur Dumont, vous pouvez vraiment remercier Éric Lavergne pour cette rencontre. Il m'a assuré que mon nom ne figurerait dans aucun compte rendu que vous pourriez en faire.

Casgrain lui saisit le bras et l'entraîna à sa suite à l'intérieur du bâtiment. Ils se retrouvèrent dans la Rotonde, qui protégeait entre ses murs une vitrine affichant les quatre pages de la Constitution des États-Unis.

– Je vous en donne ma parole, madame Casgrain, la rassura aussitôt Dumont. Mais dites-moi, si ce n'est pas indiscret, pourquoi tant de précautions autour d'une simple rencontre d'information ?

– C'est à cause du sujet de votre recherche d'information, les activités d'USP. Ça relève de la sécurité nationale des États-Unis. En tant que recherchiste du sénateur Burke, j'ai prêté le serment de ne rien dévoiler de ce que je pourrais apprendre dans les documents classifiés qui passent entre mes mains. Je m'intéresse aussi à USP… personnellement.

Ce disant, elle afficha un léger sourire qui dévoila une belle rangée de dents éclatantes. Elle est bien jolie, songea Dumont.

– C'est ce qu'Éric m'a dit, vous venez de fouiller ce dossier. Je ne comprends pas très bien.

– Je vous explique. USP développe un important projet en Alaska. Le sénateur pour qui je travaille appuie ce projet appelé HAARP. En fait, il croit qu'il y va de l'intérêt économique de l'État, mais aussi parce qu'USP a financé sa campagne électorale. Les documents secrets auxquels j'ai eu accès par mon travail m'ont incitée à entreprendre une recherche personnelle à l'insu du sénateur, et cela m'a convaincue que ce projet était extrêmement dangereux pour l'environnement. C'est pourquoi, encore une fois, je vous parle en toute confidentialité, parce qu'Éric m'a affirmé que je pouvais vous faire confiance. Si le sénateur Burke apprenait que je vous ai rencontré pour parler d'USP, je perdrais sans doute mon emploi et j'aurais peut-être de sérieux embêtements avec le FBI.

– Je vous répète que vous pouvez compter sur mon entière discrétion, madame Casgrain. Je dois vous dire que ce que j'ai appris jusqu'ici sur USP va dans le sens de vos appréhensions.

Tous les deux s'arrêtèrent pour s'asseoir sur un banc de marbre mis à la disposition des visiteurs. À cette heure de la journée et en cette saison, il n'y avait pas foule dans le célèbre monument.

– D'après ce que j'ai cru comprendre des propos d'Éric Lavergne, le gouvernement du Québec s'inquiète des activités d'USP?

– C'est à peu près cela, fit Dumont, qui ne voulait pas ouvrir complètement son jeu.

– Moi, je me suis intéressée à USP à cause de son implication dans le programme HAARP sur les aurores boréales, un programme qui soulève une certaine opposition en Alaska.

Ses magnifiques yeux verts hypnotisaient Dumont tout autant que ses propos.

– Je devine qu'un programme sur les aurores boréales, à première vue assez inoffensif, peut en cacher un autre, se força-t-il à continuer, alors qu'il ne pensait qu'à l'inviter à partager son repas... et peut-être autre chose.

– En fait, au cours des expériences menées dans les années soixante-dix et quatre-vingt pour le compte du Pentagone, à Siple Station en Antarctique, USP s'est aperçu que l'émission d'ondes à basses fréquences, que l'on avait surnommées *whistlers*, avait un effet imprévu. Ces ondes, dans certaines conditions, modifiaient la météo locale en altérant la haute atmosphère.

– L'ionosphère, fit Dumont, se rappelant le cours intensif que lui avait donné Isabelle Florent sur la question, à McGill, et se raccrochant à ce mot pour empêcher son esprit de déraper plus longtemps sur des questions beaucoup moins scientifiques. Et avec ces découvertes, le programme d'USP a changé de vocation, je suppose?

– Vous êtes bien renseigné, s'étonna la jeune femme, dont le sourire n'était pas loin de faire chavirer le sergent-détective. Sous le couvert de développer un moyen pour communiquer avec les submersibles en

207

plongée, Flagerty et ses ingénieurs cherchent depuis à découvrir comment l'émission de *whistlers* peut modifier les conditions météo en un point donné du globe. Évidemment, cette découverte a soulevé l'enthousiasme de certaines personnes au Pentagone, où l'on envisage depuis des décennies d'utiliser la météo comme arme de guerre. Depuis, USP a reçu des milliards de dollars pour développer des armes scalaires.

— Armes scalaires? demanda Dumont, revenant brutalement sur terre.

— Là, je vous ai eu, sourit Casgrain, qui avait percé à jour les pensées de son interlocuteur. Scalaire est un terme scientifique très difficile à expliquer en peu de mots. Disons simplement qu'il s'agit d'armes à effet environnemental comme le climat ou même les tremblements de terre. Ça repose en partie sur les théories d'un savant croate du début du siècle, Nikola Tesla.

— Mon ami Tesla! Ce n'est pas la première fois que quelqu'un me mentionne son nom, fit Dumont avec un large sourire, en se demandant si son interlocutrice avait deviné ses pensées concupiscentes.

— Parlez-moi de Flagerty. Éric m'a dit qu'il en mène large.

— Flagerty a l'oreille de plusieurs représentants et sénateurs, surtout des républicains, mais aussi quelques démocrates, comme mon patron. Il a aussi dans sa poche des hauts responsables civils et militaires de la Défense. Il vit en symbiose avec le Pentagone, son client et sa principale source de revenus . Politiquement, il se situe à l'extrême-droite du Parti républicain.

Casgrain jeta un œil autour d'elle avant de poursuivre; elle semblait un peu inquiète. Comme pour confirmer ses appréhensions, deux hommes s'arrêtèrent à proximité de l'endroit où ils étaient assis. La recherchiste interrompit ses propos, craignant visiblement d'être épiée. Lorsque les hommes repartirent, elle reprit son exposé.

– Il finance des campagnes électorales et ses entreprises emploient plus de généraux que certaines petites armées. Flagerty est le généreux donateur de plusieurs fondations et instituts de recherche sur les questions internationales et de défense qui réunissent des penseurs de la droite réactionnaire. Ces gens-là sont férocement contre l'accord de Kyoto. Dans des conférences et des revues, ils préparent l'après-Clinton, un bouleversement radical de la politique étrangère américaine.

– Donc, il veut influencer indirectement la formulation de la politique américaine. Mais des colloques et des articles de revue, ça ne change pas le monde demain matin, commenta Dumont.

– Attention! Il ne vise pas seulement à modifier le cadre intellectuel de la politique. Depuis plusieurs années, il place ses pions dans les plus hautes instances du Parti républicain. Des hommes qui lui sont dévoués prennent en main les commissions clés du parti et siègent à différents groupes de réflexion qui mettent au point la politique de défense, la politique étrangère et la politique énergétique de la future administration républicaine. Son poulain est le gouverneur Bush, du Texas, le fils de l'ancien président. Sans l'appui financier d'Ultimate Systems Providers, George W. Bush n'aurait jamais été élu gouverneur du Texas, où est situé le siège du groupe.

– Flagerty est un Américain fier de l'être et dominateur, comme aurait pu dire le général de Gaulle.

– Américain? fit Casgrain dans une exclamation ironique. C'est un Canadien anglais qui a obtenu la citoyenneté américaine. C'est l'un de vos compatriotes, monsieur Dumont. Un multimillionnaire albertain dont la famille s'est enrichie dans la production pétrolifère et gazière. La moitié de la production de la province est exportée aux États-Unis. Il est devenu citoyen américain après avoir fait son service militaire aux États-Unis. Alors que des jeunes Américains fuyaient la conscription vers le Canada, Flagerty, lui, s'est porté volontaire pour servir dans les marines.

– Vous semblez particulièrement bien informée sur le personnage. Ce n'est sans doute pas pour votre sénateur que vous avez rassemblé ces informations ?

Elle ne répondit pas à sa question.

– Ses parents lui ont fait faire ses études secondaires au Lower Canada College de Montréal et à l'Université McGill. Ils voyaient en lui un futur premier ministre du Canada et ils voulaient donc qu'il apprenne le français à Montréal.

– En l'inscrivant dans des bastions de la bourgeoisie anglo-montréalaise. On ne voulait quand même pas qu'il fréquente les indigènes de trop près, ajouta Dumont sur un ton amer.

– Justement, l'effervescence du Québec de l'époque ne lui plaisait pas du tout. J'ai trouvé un vieil article du journal *Montreal Star* où, en tant que président d'une association étudiante, il dénonçait avec virulence les revendications pour faire du français la langue d'enseignement à McGill. C'est après son bac qu'il a décidé de s'enrôler dans les forces armées américaines. Il a déclaré à un autre quotidien, avant de quitter Montréal, qu'il allait défendre le monde libre contre le communisme et qu'il quittait le Québec parce qu'il refusait de vivre sous la domination des Français dans son propre pays. À la fin de son engagement, il a fait un doctorat en sciences et un MBA au California Institute of Technology, où il a rencontré la fille d'un sénateur républicain de l'Arizona qu'il a épousée.

– C'est lui qui a créé USP ?

– Non. Il y a d'abord travaillé comme ingénieur avant de gravir rapidement les échelons, jusqu'au poste de Chief Technological Officer, ce qui l'a placé à la direction de l'ensemble de la recherche et du développement du groupe. Comme ingénieur, il a travaillé sur le développement de nouvelles technologies d'armement.

– Tout cela a évidemment été financé par le Pentagone, réfléchit Dumont à haute voix.

– L'Advanced Research Projects Agency, qui s'occupe de mettre au point les nouveaux systèmes d'armement du Pentagone, y a englouti des milliards de dollars depuis le début des années quatre-vingt. Tout cela sous le sceau du secret. Les sommes allouées au programme ont été ventilées dans d'autres postes budgétaires. Il est difficile de savoir exactement combien a été dépensé.

– Pas facile non plus, je suppose, de savoir si cela a donné des résultats opérationnels.

– D'après ce que j'en sais, le projet a connu un regain d'activité ces dernières années. Depuis la chute de l'Union soviétique, en fait. On dit qu'USP a eu accès à, je devrais dire a acheté, des scientifiques russes qui travaillaient dans une perspective semblable. Mais qui ce me trouble et qui embête mon patron, qui aimerait mieux ne pas le savoir, c'est que le Pentagone a permis à USP d'installer son premier émetteur d'ultra-basses fréquences en Antarctique, au cours des années soixante-dix, sur une base appelée Siple Station. Cela va sans doute vous intéresser. L'une des expériences de transmission de Siple Station impliquait l'utilisation de la navette spatiale *Challenger*, qui survolait le Québec.

– Sainte-Hedwidge! s'exclama Dumont.

– Sainte-Hedwidge? fit Casgrain, alors qu'un trait d'étonnement balayait ses grands yeux verts.

– De Roberval, compléta Dumont. C'est un village au Lac-Saint-Jean où USP possédait une ferme dans les années quatre-vingt. Je comprends maintenant pourquoi elle était encombrée d'appareils électroniques. Qu'est-ce que vous savez d'autre à ce sujet?

Casgrain ne répondit rien, elle semblait déchirée, angoissée. Depuis quelques minutes, elle triturait une mèche de ses magnifiques boucles rousses, un geste qui trahissait à la fois son impatience et sa crainte d'être allée trop loin dans le détail de ses informations.

– Il m'est impossible de répondre à cette question, monsieur Dumont, lâcha la Franco-Américaine après une longue hésitation.

– Ça vous est impossible parce que vous ne voulez pas répondre, n'est-ce pas? interrogea Dumont.

Les réflexes du policier qui affronte le témoin réticent ou le complice d'un acte criminel avaient pris le dessus chez le sergent-détective.

– En répondant à cette question, je violerais un serment que j'ai prononcé m'engageant à ne jamais rien révéler de ce que j'ai appris grâce à mon accès privilégié à des informations secrètes dans le cadre de mes fonctions de recherchiste au Sénat des États-Unis.

– Je suis policier de profession, Shirley, et je crois être assez perspicace quand j'ai à juger la nature des gens. Vous me paraissez une personne profondément honnête. Vos engagements sociaux et politiques en témoignent. Vous êtes donc déchirée entre votre promesse de secret et votre sens de l'éthique qui vous pousse à révéler une action que vous considérez comme immorale ou criminelle.

Elle hésita encore un long moment, pesant le pour et le contre, et se mordillant les lèvres presque au sang.

– Qu'est-ce qui s'est donc passé de si grave dans l'espace quand la navette spatiale a survolé la région du Lac-Saint-Jean en 1985, Shirley? s'acharna Dumont.

La jeune femme jeta encore un coup d'œil soucieux autour d'elle, sa nervosité débordait par tous les pores de sa peau. Un peu de sueur perla à son front, malgré la fraîcheur des lieux où ils discutaient. Puis, si bas que Dumont dut se pencher vers elle pour saisir ses propos, elle se décida à dévoiler ce qu'elle avait appris sous le sceau du secret.

– La navette spatiale a procédé à des injections de gaz de son système de manœuvre orbital de façon à créer un trou dans l'ionosphère en diminuant la concentration du plasma. L'allumage a duré quarante-sept secondes, provoquant dans l'ionosphère le trou le plus important et le plus persistant jamais observé jusqu'à aujourd'hui.

– C'est de l'inconscience pure et simple, s'indigna Dumont, plus fort qu'il ne l'aurait souhaité.

– Il y a pire, monsieur Dumont, murmura Casgrain en posant une main glacée sur celle de Dumont.

– Pire? répéta Dumont, tellement perplexe qu'il ne remarqua même pas le geste de la jeune femme.

– Le département de la Défense a fait réaliser quelques années plus tard une étude sur les conséquences à long terme de cette expérience. L'étude estimait que l'expérience spatiale de 1985 avait causé des centaines de cas de cancer, particulièrement des cancers du cerveau, dans la région du Lac-Saint-Jean dans les années qui ont suivi. Les effets néfastes du trou ionosphérique avaient été amplifiés par les émissions d'ultrabasses fréquences qu'USP faisait pleuvoir sur la région à partir de sa base de Siple Station, en Antarctique.

– C'est plus que de l'inconscience, c'est de la négligence criminelle. Dumont était sidéré et il avait du mal à se maîtriser.

Quelques visiteurs tournèrent la tête, alertés par son éclat de voix. Il s'empressa de reprendre, beaucoup plus bas :

– Faire ça au-dessus du territoire d'un pays voisin, qui est aussi un de ses plus proches alliés! Je comprends maintenant pourquoi la base de réception a par la suite été déplacée de Sainte-Hedwidge à Baie-du-Poste, un village indien beaucoup plus au nord. On voulait diminuer les dommages collatéraux.

– Les Québécois étaient quantité négligeable pour les ingénieurs d'USP et les généraux du Pentagone. Les Indiens encore plus…

– Ces gens-là ont joué avec des vies humaines comme si cela n'avait aucune importance !

Casgrain confia à Dumont que c'était après avoir eu connaissance de ces informations qu'elle s'était intéressée au Québec et qu'elle avait renoué avec ses racines.

– Éric Lavergne savait ce qu'il faisait lorsqu'il m'a mis en contact avec vous.

Puis Dumont relança la conversation sur un autre sujet.

– Les démocrates sont au pouvoir. En principe, donc, il devrait leur être facile, tout comme pour votre sénateur, de savoir ce qui se passe entre le Pentagone et USP et de mettre un terme à toute activité qui irait à l'encontre de la politique de la Maison-Blanche.

– Ce n'est pas si simple, monsieur Dumont. Une bonne partie des hauts dirigeants militaires de ce pays est d'allégeance républicaine. La direction civile du département de la Défense grouille aussi de sympathisants républicains qui se préparent pour le retour d'un président républicain à la Maison-Blanche.

– Ces types ne joueraient pas cartes sur table avec l'administration démocrate ?

– Ils ont un profond mépris pour le président Clinton qu'ils considèrent comme un fumeur de pot, qui a évité de faire son service militaire à l'époque du Vietnam et qui veut maintenant obliger la hiérarchie militaire à accepter les homosexuels sous les drapeaux.

– L'affaire de cette ancienne fonctionnaire de l'Arkansas qui poursuit Clinton pour harcèlement sexuel et dont on lit la saga dans les journaux ne doit pas l'aider non plus avec les milieux ultraconservateurs, avança Dumont.

– Pas vraiment, non. Ce sont d'ailleurs des hommes proches de la droite du Parti républicain qui paient les avocats de Paula Jones. Et il y a le cas de l'Antarctique dont je vous parlais tout à l'heure.

– Pas d'allégations de sexe en Antarctique pour Clinton, j'espère?

La femme éclata de rire. Il avait atteint son but, la boutade l'avait un peu décrispée. Depuis de longues minutes, elle était aussi tendue que les cordes d'un violon.

– Non, mais Clinton en serait bien capable, si ce qu'on dit à son sujet est vrai, blagua-t-elle à son tour. Les expériences menées par USP et le Pentagone sur les ultra-basses fréquences à partir de Siple Station seraient en violation flagrante du traité de non-militarisation de ce continent. Dans la mesure où ce sont des recherches militaires. Ça dure depuis les années quatre-vingt et selon moi, l'administration Clinton refuse d'embêter les trois administrations républicaines précédentes, les deux de Reagan et celle de Bush. Imaginez le scandale si la communauté internationale apprenait que depuis près de quinze ans les États-Unis contreviennent au Traité sur l'Antarctique.

Dumont pensa que c'était un élément de plus à ajouter à son dossier sur les activités d'USP.

– Si je résume bien vos propos, la station de réception pour les transmissions de Siple Station qui se trouvait au Québec a maintenant été déplacée en Alaska. C'est donc à ce projet que collaborait Bill Napesh, songea tout haut Dumont.

Et il expliqua à la jeune femme qui était l'Amérindien et comment il avait trouvé la mort.

– Avez-vous une idée, demanda Dumont, de l'état d'avancement du projet?

– D'après moi, ils y sont presque. L'échéance initiale était 2015, mais depuis qu'ils ont intégré les avancées scientifiques des Russes dans ce domaine, ils ont fait des progrès considérables. HAARP en Alaska est probablement la phase expérimentale finale avant de passer aux essais réels.

– Vous sympathisez visiblement avec le groupe écologiste NO HAARP.

– Je suis dans une position difficile en tant que recherchiste pour un sénateur démocrate qui donne son appui à HAARP. Mais j'ai en effet des contacts avec le groupe. Je sais qu'ils essaient de monter un dossier béton pour mettre des bâtons dans les roues d'USP et consorts.

– Dans quelle mesure l'administration Clinton est-elle au courant, elle est complice, non ? questionna encore Dumont.

– De ma position, difficile de dire si la Maison-Blanche ne sait pas ou si elle ne veut pas savoir. Mon patron n'est pas le candidat idéal pour partir en guerre contre USP. Tout ce que je peux faire pour l'instant, c'est travailler discrètement avec des personnes comme vous ou les gens de NO HAARP pour étoffer le dossier et peut-être découvrir l'élément déclencheur qui pourrait mettre fin à ces recherches.

– Espérons que vous et moi y parviendrons avant que cela provoque une terrible catastrophe, madame Casgrain.

– Je le souhaite aussi. Bon, allez, je vous quitte. Je vous laisse quelques documents qui vont sans doute vous aider dans votre enquête. Si vous avez besoin de me parler de nouveau, passez par Éric Lavergne. Mais, très franchement, j'aimerais mieux qu'on ne se revoie pas ! Soyez prudent, monsieur Dumont, lui enjoignit-t-elle en lui tendant la main.

* * *

Rentré à l'hôtel, Dumont consulta la centaine de pages que contenait le document à reliure spiralée que Shirley Casgrain lui avait remis. Il s'agissait de résumés d'une douzaine de brevets déposés au United States Patent and Trademark Office entre 1987 et 1997 par des scientifiques travaillant pour USP, notamment Terry Miles, Mark Wiggins et Yuri Boukarov, trois chercheurs s'intéressant à l'électromagnétisme. Une note d'accompagnement de la jeune femme affirmait que les premiers brevets des années quatre-vingt semblaient relever de l'Initiative de défense stratégique, la fameuse «Guerre des Étoiles» de Ronald Reagan.

Dumont parcourut d'abord rapidement le dossier. Comme l'affirmait la jeune femme, à première vue ces brevets traitaient bien d'applications militaires et de modifications environnementales importantes. Parmi ces brevets, deux retinrent particulièrement l'attention du policier.

US Patent Number 4 605 686
Date of Patent : July 13, 1987
Inventor : Mark Wiggins
Assignee : USP Inc., Galveston, TX

Ce brevet décrivait une méthode consistant à émettre un rayonnement électromagnétique à partir d'une station terrestre située en Alaska, dans un endroit où une ligne de force du champ magnétique intercepte la surface de la Terre. Selon le géophysicien, une application appropriée de cette invention à des endroits stratégiques et avec les sources de puissance requises pouvait provoquer des interférences ou même interrompre totalement les communications sur une importante partie de la Terre. Des applications militaires importantes pouvaient en découler. Selon Wiggins, des modifications climatiques seraient également possibles, par exemple l'altération du profil des vents, l'absorption des rayonnements solaires ou encore la transformation de composition moléculaire de l'atmosphère.

US Patent Number 4 155 271
Date of Patent : December 11, 1987
Inventor : Mark Wiggins and Terry Miles
Assignee : USP Inc., Galveston, TX

Cette fois, les deux chercheurs d'USP proposaient l'Alaska pour développer leur appareil. Dans ce brevet, ils parlaient d'une méthode d'échauffement de l'ionosphère qui devait influer sur les climats ou perturber des communications radio. Le document se référait au physicien Nikola Tesla, notamment en ce qui traitait de la transmission d'énergie sans fil.

Au fur et à mesure de sa lecture des douze brevets, Dumont se rendit compte qu'ils décrivaient effectivement tous des applications militaires dans le domaine des modifications environnementales, de la production et du transfert de grandes quantités d'énergie. Plusieurs d'entre eux présentaient Yuri Boukarov comme inventeur ou co-inventeur. Cela confirmait qu'USP, comme le lui avait dit Galya Krasnikova à Moscou et comme le lui avait confirmé Shirley Casgrain, avait recruté des chercheurs russes et acquis, probablement volé, pensa Dumont, des secrets technologiques de l'époque soviétique.

* * *

Flagerty appréciait beaucoup plus le restaurant Palm de la 19e Rue, au centre-ville de Washington, que celui de Tyson's Corner, plus proche des bureaux d'USP, de l'autre côté du Potomac, en Virginie.

Il avait dégusté une entrecôte coupe New York servie avec pommes au four et sauce au poivre qui faisait la réputation de la chaîne de *steakhouses*, et en particulier de sa succursale de la capitale américaine. Ses deux invités, qui siégeaient avec lui au conseil d'administration de l'American Enterprise Institute, avaient opté pour des homards du Maine «de trois livres ou plus», selon les indications sur la carte.

Le président d'USP s'était commandé une demi-bouteille d'un excellent bordeaux qui était maintenant vide devant lui. Il avait acquis cette mauvaise habitude française au cours de ses années passées à Montréal.

Ses deux interlocuteurs, fidèles aux traditions conservatrices américaines, s'en étaient tenus aux martinis particuliers du Palm, qui faisaient également la réputation de la maison. Flagerty ne comprenait pas comment il était possible d'associer le goût des martinis, même ceux du Palm, avec de la nourriture. Mais il n'était pas là pour donner des cours sur les vins et la gastronomie. Flagerty voulait convaincre les deux hommes, eux aussi PDG d'importantes sociétés dans les domaines de la défense et des communications, des mérites de son poulain, le jeune et dynamique gouverneur du Texas, George W. Bush, pour succéder à Bill Clinton. Le dessert avait été commandé et la conversation sur les mérites de Bush avait à peine commencé lorsque le cellulaire de Flagerty bourdonna. Il s'excusa et prit l'appel. C'était sa secrétaire Rose Manigan.

– Doug Dobson vient de me dire qu'il a une information pour vous. Il dit que le renseignement est suffisamment important pour que je vous dérange durant votre lunch avec messieurs Elbridge et Perry. Il voudrait que vous le rappeliez immédiatement.

Sitôt la communication interrompue, il joignit par composition automatique le chef de la sécurité d'USP.

– Quelque chose d'important ? fit Elbridge, le président de Motorola international.

– Je ne sais pas encore, répondit Flagerty, qui savait que Dobson ne le dérangerait pas à moins qu'il s'agisse d'une affaire où des décisions importantes étaient requises.

– Allô ! Sean, il faut qu'on se voie rapidement. Il y a des choses dont je ne veux pas parler au téléphone. Rose m'a dit que vous êtes chez Palm. Je suis moi-même pas loin. On pourrait se rencontrer, disons, « Off The Record », dans quinze minutes.

– OK, j'arrive.

Flagerty avait compris l'allusion presque transparente de Dobson. Il s'excusa auprès de ses convives, les invita à terminer leur repas sans lui. En sortant, il avisa le maître d'hôtel de mettre l'addition sur son compte. Puis il salua au passage Donald Rumsfeld, l'ancien secrétaire à la Défense de Gerald Ford, qui déjeunait avec Tim Russert, l'un des journalistes vedettes de la NBC.

Le chauffeur de Flagerty le déposa au coin de H Street et Madison Avenue, sur le trottoir de Lafayette Park. Sitôt sorti de la limousine, un sourire traversa le visage du président d'USP, lorsqu'il aperçut la Maison-Blanche à travers le feuillage automnal du parc. Clinton devait se désespérer de ne plus avoir Monica pour le bichonner durant ses après-midi tranquilles. Il chassa sa pensée irrévérencieuse pour traverser la rue et entrer au Hay-Adams, un petit hôtel de style Renaissance italienne construit dans les années vingt et devenu le plus prestigieux de la capitale américaine, à cause notamment de sa proximité avec la présidence des États-Unis. Le portier le salua d'un retentissant « Bonjour, monsieur Flagerty ». Il descendit au sous-sol où se trouvait le bar de l'hôtel, tout en chêne foncé et en velours rouge, qui portait le nom de Off The Record. À cette heure de l'après-midi, seules quelques tables étaient encore occupées. Dobson avait pris place à une table-banquette, au fond de la salle, près du foyer. Le président d'USP s'assit près de lui sur la banquette.

– Alors, qu'est-ce qui se passe ?

– Tu sais, Sean, le flic montréalais qui se mêle de choses qui ne le regardent pas ? Eh bien, il est en ville.

– Qu'est-ce qu'il fait ici ? Qu'est-ce qu'il cherche ?

D'un geste autoritaire, il renvoya le serveur qui s'avançait pour prendre sa commande.

– Il est arrivé ici, semble-t-il, directement de Moscou où, comme tu le sais, il nous a causé quelques problèmes qu'on a dû régler de façon radicale. C'est Cummings qui m'a prévenu. Un type à nous, à la NSA, a eu accès à des communications entre le gouvernement du Québec et son Bureau du tourisme, ici à Washington. Québec demandait à son représentant, un certain Éric Lavergne, d'aider quelqu'un, qu'on lui a présenté comme un enquêteur spécial du gouvernement du nom de Pierre Dumont, à se renseigner sur Ultimate Systems Providers et son président. J'ai immédiatement mis Eisley et ses hommes sur la piste.

– Qu'est-ce que ça donne ? Cette fois, Flagerty enleva son pardessus en laine de vigogne.

– Dumont est descendu au Georgetown Inn. Jusqu'ici, Lavergne, le type du Québec à Washington, l'a mis en contact avec une recherchiste du sénateur Burke, Shirley Casgrain, une sympathisante du groupe NO HAARP.

Flagerty était rassuré, il tira délicatement sur les manches de sa veste à col Mao pour qu'elle tombe mieux.

– Bah, ce n'est donc pas si grave que ça, pour l'instant du moins. La petite conne va lui servir ses sornettes habituelles tirées des bulletins de NO HAARP.

Dobson crut bon d'en remettre.

– Ouais, tu as sans doute raison, c'est une souris de bibliothèque. Tout ce qu'elle sait lui vient de documents existants classés dans des archives et des bibliothèques ou sur Internet. Elle n'a pas de sources en chair et en os. Personne ne la renseigne.

– Mais ça ne règle pas notre problème avec le policier montréalais, commenta Flagerty en marquant la mesure du bout des doigts sur la table devant lui, accompagnant la musique qui jouait en sourdine. Et la fille lui a peut-être donné des renseignements secrets qu'elle a pu obtenir en tant que recherchiste d'un sénateur.

– Eisley suggère qu'il lui arrive un accident, mais je ne pense pas que ce soit la solution.

– Eisley, malgré toute son efficacité, manque d'un brin de finesse, mais ce n'est pas pour ça qu'on l'a engagé. Ici, avec Dumont, je lui ai déjà dit, il faut une approche plus subtile. Je suggère qu'on le contacte, puisque nous l'avons sous la main. D'ailleurs Doug, je pense que c'est un cas pour toi.

Flagerty expliqua ensuite son plan à Dobson.

* * *

Washington DC, 28 novembre 1997
Shirley Casgrain avait recommandé à Dumont de compléter sa collecte d'informations sur USP et ses recherches par une visite à la Bibliothèque du Congrès.

Sa formation universitaire avait préparé le policier aux recherches documentaires en bibliothèque. Il avait hâte de visiter l'une des bibliothèques les plus prestigieuses du monde. Depuis presque deux cents ans, l'imposant édifice de style Renaissance italienne recevait non seulement des ouvrages d'histoire américaine et mondiale, mais aussi des documents spécialisés, dont de nombreux rapports scientifiques en provenance des quatre coins du monde. En arrivant dans First Street, où se dressait l'édifice monumental de la bibliothèque, Dumont s'arrêta pour apprécier la fontaine de Neptune, le dieu romain de la mer, dont le bruit de cascade accompagna ses pas dans les deux volées de marches menant à l'entrée principale, surmontée d'une arche de granit.

La vision qui s'offrit à lui en pénétrant dans l'édifice lui coupa le souffle. De magnifiques arcs et colonnes de marbre, un escalier majestueux, des statues de bronze, des vitraux, des mosaïques et des fresques murales éclairées par une lumière orangée, le Great Hall affichait une magnificence qu'il n'avait jamais eu l'occasion de voir. Il fit le tour de l'entrée à pas comptés, s'imprégnant de toute la beauté et de la majesté des lieux.

Puis il se dirigea vers le comptoir d'inscription, car pour avoir accès aux salles de lecture, une carte d'adhérent était nécessaire. Il présenta son passeport, on prit sa photo, et quelques minutes plus tard, on lui remit une carte plastifiée lui donnant enfin accès au Saint des Saints.

En empruntant le corridor est, il passa devant l'un des trois seuls exemplaires existants de la Bible de Gutenberg. Il s'arrêta un moment pour l'admirer, pour ensuite se diriger, droit devant lui, vers la Main Reading Room. Une jeune femme suivait nonchalamment Dumont depuis son arrivée. À l'aide d'un minuscule appareil photo numérique, elle avait déjà pris plusieurs clichés de lui.

Encore une fois, il fut impressionné par ce qui s'offrait à ses yeux. Il n'avait jamais vu une bibliothèque semblable. L'enceinte circulaire était dominée par une coupole culminant à une cinquantaine de mètres de hauteur, au-dessus des tables de lecture. Huit immenses colonnes de marbre et huit statues de femmes de trois mètres de haut cernaient cet antre du savoir. En levant les yeux, il découvrit une splendide mosaïque de Minerve en marbre, en haut de l'escalier menant à la Galerie des visiteurs, qui surplombait la grande salle de lecture.

Dans l'avenir, pensa Dumont en balayant la pièce d'un regard circulaire, toutes ces connaissances se retrouveront sur Internet. Mais pendant encore des dizaines d'années, une bonne partie du savoir accumulé par l'humanité ne se trouvera que sur les rayons de grandes bibliothèques comme celle-ci.

Lecteur avide, il aurait presque oublié la raison de sa visite pour jouer les touristes si le bibliothécaire en charge de la salle à ce moment-là ne l'avait interpellé pour lui demander ce qu'il voulait. Il expliqua le but de sa visite, montra sa carte d'abonné. L'homme était affable et le conduisit vers un ordinateur devant lequel Dumont s'installa pour interroger la banque de données de la bibliothèque.

Une fois qu'il aurait repéré les documents qu'il recherchait, le préposé l'assura qu'il pourrait les consulter en prenant place à l'une des petites tables de bois éclairées d'une lampe, dans la zone centrale de la pièce, juste sous la coupole.

Ne sachant par où commencer, Dumont se dit que le plus simple serait le mieux. Il tapa tout bonnement l'acronyme HAARP. En quelques secondes, l'ordinateur lui renvoya trois titres qu'il consulta rapidement avant de jeter son dévolu sur un livre intitulé *Angels Don't Play this HAARP: Advances in Tesla Technology*, de Nick Begich et Jeane Manning. Il effectua ensuite une recherche avec les mots *Fer-de-Lance*, ce qui lui permit de voir apparaître l'ouvrage du colonel Bearden que lui avait recommandé Galya Krasnikova, la chercheuse moscovite. Il essaya également des mots clés en français, notamment manipulations climatiques, armes environnementales, ce qui lui permit de trouver un document belge daté de 1992, *Les Conflits verts: la détérioration de l'environnement, source de tensions majeures*, GRIP, Institut de recherche et d'information sur la paix et la sécurité, et en anglais il tapa les mots clés *weather secret weapon*, qui le conduisirent à un article de l'Associated Press daté de 1974, de la plume d'un certain Howard Benedict.

Jugeant qu'il avait assez de lecture pour commencer, il demanda au bibliothécaire de lui sortir les documents en question et prit place dans la rotonde.

Il consulta d'abord un document dont le titre avait particulièrement attiré son attention: *Weather as a Force Multiplier: Owning the Weather in 2025*. Il s'agissait d'une étude commandée par le chef d'état-major des forces aériennes américaines sur les concepts, les capacités et les technologies dont les États-Unis devraient disposer pour s'assurer au XXIe siècle de maintenir leur supériorité militaire. Présenté le 17 juin 1996, ce rapport avait été produit par le service Environment de l'Air Force Academy, l'institution qui forme les officiers de l'armée de l'air des États-Unis. Une équipe de sept chercheurs, tous des officiers supérieurs, avait collaboré à la rédaction du document.

Réfléchissant à ce que Shirley Casgrain lui avait dit, Dumont eut tout à coup une idée. Il se leva et retourna à la console du fichier informatisé de la bibliothèque. Il pianota le mot *Roberval*, associé successivement à ionosphère, magnétosphère, ELF, ULF et VLF, abréviations anglaises pour différentes catégories d'émissions de basses fréquences. Les deux premières entrées ne donnèrent aucun résultat. La troisième, et la dernière, lui donna des résultats encore plus surprenants que ce qu'il anticipait.

«Investigation of the high-altitude X-ray flux at Roberval, Quebec, stimulated by VLF emissions at the conjugate point, Siple Station, Antarctica», S.E. Flagerty, NSF-DOD, 7/79.

«Investigation of electron precipitation at Roberval, Quebec, associated with VLF activity at Siple Station, Antarctica», S.E. Flagerty, NSF-DOD, DPP75-13566, 4/1/82.

«Recent magnetospheric research over Roberval, Quebec, and Nikola Tesla's Theories on earth's magnetism», S.E. Flagerty, *Journal of Geophysical Research*, v. 53, pp. 341-352 Jan. 1980.

Donc, pensa Dumont, le PDG d'Ultimate Systems Providers était lui-même un des scientifiques à l'origine des recherches ionosphériques impliquant le Québec. Ces recherches avaient été financées par la National Science Foundation conjointement avec le département de la Défense, comme l'indiquaient clairement les sigles NSF-DOD.

Un autre article du *Journal of Geophysical Research* de janvier 1986 faisait état de transmissions de *whistlers*, depuis Siple Station, dans la magnétosphère pour étude par la «station conjuguée» de Roberval-Québec. Il ne fit pas sortir ces documents, se contentant de noter les titres et les références.

Cela confirmait tous les indices qu'il avait pu recueillir depuis le début de l'enquête sur la mort de Bill Napesh. Le Pentagone avait bel et bien réalisé des expériences sur la propagation d'ondes dans l'ionosphère au-dessus du Québec, et cela à partir d'une base située en Antarctique et nommée Siple Station, et avec le concours de la «station conjuguée» de Roberval.

* * *

Doug Dobson rejoignit la jeune femme qui était chargée de filer Dumont à l'entrée du Jefferson Building. Elle lui montra une photo du sergent-détective sur l'écran intégré de son petit appareil photo numérique.

– Ça fait maintenant près de trois heures qu'il consulte des documents qui se rapportent aux sphères d'activité d'USP.

Elle fit un compte rendu des requêtes de documents de Dumont, tout en conduisant Dobson jusqu'à l'endroit où se trouvait le policier. Dobson alla s'asseoir à la table de travail voisine.

Dumont avait noirci de nombreuses feuilles de son bloc-notes. Il avait pris le plus de notes possible, surtout des mots clés, de manière à effectuer d'autres recherches dans la banque de données.

– Fascinant tout ça, n'est-ce pas monsieur Dumont? lança Dobson à voix basse.

Dumont sursauta et se tourna vers Dobson. L'homme lui souriait. Il lui répondit de façon anodine, car, trop absorbé dans ses pensées, il n'était pas tout à fait sûr que l'autre ait bel et bien prononcé son patronyme.

– Les grandes bibliothèques regorgent d'informations qui sont souvent difficilement accessibles ailleurs. Une bonne partie de ces écrits, par exemple – Dumont regarda en direction des documents reliés qui se trouvaient sur sa table de travail – ne doivent pas être disponibles ailleurs qu'au Pentagone et dans les services gouvernementaux.

– Les documents ne disent pas toute la vérité et souvent même ils contiennent des erreurs, des faussetés et des mensonges. Mais je n'ai pas à vous montrer comment évaluer des sources ou faire des enquêtes, vous êtes policier, n'est-ce pas?

Cette fois, Dumont lui accorda toute son attention. Il se demanda si l'homme était du FBI, mais il écarta rapidement cette hypothèse. Un policier se serait présenté comme tel et lui aurait expliqué les raisons de la rencontre plutôt que d'engager la conversation à brûle-pourpoint. Pourtant, l'homme avait la posture, l'assurance de quelqu'un qui l'avait été ou qui avait pratiqué une profession connexe.

– À qui ai-je l'honneur ? demanda Dumont.

– Disons, selon la formule consacrée, à quelqu'un qui vous veut du bien. Mon identité n'a pas vraiment d'importance. Vous avez rencontré Shirley Casgrain il y a quarante-huit heures dans la Rotonde du US National Archives. Je présume que ce n'était pas pour admirer la Constitution des États-Unis.

Dumont comprit qu'il avait été suivi. Devant sa mine déconfite, Dobson éclata de rire.

– Ne faites pas cette tête. Tout se sait à Washington. Shirley a dû vous parler du projet HAARP, c'est son dada par les temps qui courent, elle en parle à tout le monde. Cette jeune femme voit des conspirations partout. Un coup de vent qui secoue un cocotier dans une île des Antilles ou quelques sapins en Alaska, et ça trouble ses humeurs, la pauvre.

Dumont sauta sur l'occasion pour ramener la conversation à ce qui l'intéressait.

– Il y a aussi, à l'occasion, quelques sapins et quelques érables au Québec qui sont secoués par vos coups de vent. Il avait lourdement insisté sur l'adjectif possessif. Effectivement, il a été question de HAARP, mais en quoi ça vous regarde, au juste ?

Dobson ignora la question.

– La pauvre fille fait de HAARP une idée fixe, surtout depuis qu'elle trompe son petit copain avec un représentant du groupe NO HAARP, ici à Washington. Croyez-vous vraiment que le gouvernement américain cautionnerait des agissements contraires à nos lois, monsieur Dumont ?

– Ça ne me surprendrait pas du tout et ça ne serait pas la première fois de son histoire. Le programme HAARP soulève beaucoup d'interrogations, et lorsque ses effets sinistres se font sentir dans mon pays, il est normal que mon gouvernement s'y intéresse, vous ne pensez pas ? Dumont regretta immédiatement d'avoir fait allusion à son mandat.

Dobson prit ses propos comme une confirmation que Dumont n'agissait pas dans le cadre d'une enquête policière sur le meurtre de Napesh, mais à un autre titre pour le gouvernement du Québec.

– Le programme HAARP n'a rien à voir avec les modifications environnementales, continua de dénier Dobson. Et même si USP fournit du matériel au Pentagone pour l'étude des aurores boréales, jamais vous n'y trouverez quelque chose d'illégal.

Dumont nota qu'il se portait à la défense d'USP alors que lui n'avait fait aucune allusion à l'entreprise.

– Eh bien, parlez-moi donc d'USP, puisque que vous semblez être bien informé sur ses activités.

Dumont se tourna carrément vers son interlocuteur, mettant bien en évidence son bloc-notes et son crayon, comme s'il n'attendait que ses confidences pour prendre d'autres notes.

– Bon, je crois que notre conversation s'arrête ici, lança soudain Dobson, désarçonné par tant d'aplomb. C'est tout ce que j'avais à vous dire, monsieur Dumont. Ah, au fait, un petit conseil ! Vous ne semblez pas beaucoup fréquenter votre ambassade. On vous y aurait peut-être signalé qu'un citoyen canadien qui recherche des renseignements classifiés sur la sécurité nationale des États-Unis auprès de l'assistante d'un sénateur qui a accès à des secrets militaires risque d'avoir des problèmes. C'est, ma foi, le genre de chose qui intéresserait le contre-espionnage du FBI. Je vous souhaite une bonne journée, monsieur Dumont.

L'homme se leva et disparut rapidement.

En retournant en taxi au Georgetown Inn, Dumont songea qu'il était urgent de retourner à Montréal et de faire son rapport au premier ministre. Pour lui, l'enquête était concluante. Il ne voyait pas ce qu'il pourrait découvrir de plus. Cela relevait maintenant du politique. Il appartiendrait aux plus hautes instances du Québec de décider ce qu'il fallait faire avec les informations qu'il avait recueillies au cours des quinze derniers jours, tant en Russie qu'à Washington. Il se dit qu'il devrait quitter rapidement le territoire américain, au cas où l'homme de la bibliothèque du Congrès s'aviserait de signaler ses activités au FBI.

Il était seize heures. Dès son retour à sa chambre, il réserva un siège à bord d'un avion qui partait pour Toronto à dix-neuf heures. Il n'y avait aucun vol direct vers Montréal en soirée. Il avait tout juste le temps de faire ses bagages et de se rendre à l'aéroport Ronald-Reagan. Du taxi qui le menait à l'aéroport, il téléphona à Éric Lavergne pour le remercier de sa collaboration.

12

Montréal, bureau du premier ministre,
samedi 3 décembre 1997, 10 h
Pierre Dumont retrouva le même siège que lors de sa visite précédente au bureau du premier ministre. Ce dernier et le ministre de la Sécurité publique étaient déjà installés lorsqu'il avait pénétré dans la pièce, accompagné maintenant d'Isabelle Florent. Cette fois, le policier remarqua les deux toiles de maîtres qui ornaient le mur derrière le chef du gouvernement québécois. Un Pellan et un Riopelle. Dumont songea qu'il devait être bien impressionné la première fois qu'il avait mis les pieds dans cette salle, car il n'avait pas remarqué ces tableaux.

Florent était mal à l'aise. Elle s'était engagée, bien malgré elle, dans une histoire dont elle aurait préféré ne rien savoir. Deux jours plus tôt, Dumont l'avait contactée pour discuter avec elle des aspects scientifiques de ce qu'il avait appris en Russie et à Washington. La porte de la salle de réunion s'ouvrit de nouveau pour laisser entrer deux hommes et une femme qui saluèrent d'un signe de tête le premier ministre avant de prendre place en silence autour de la table. Dumont reconnut l'homme grisonnant qui avait participé à la réunion précédente.

Le premier ministre amorça la discussion en s'adressant directement au policier.

– Monsieur Dumont, entama-t-il sur le ton légèrement enjoué de quelqu'un qui s'apprête à dévoiler une espièglerie, je vous dois des explications qui apporteront des éclaircissements concernant certains événements que vous avez vécus à Moscou et à Washington.

Il tourna son regard vers l'homme qui portait fort bien barbe poivre et sel et veste croisée prince de galles, que Dumont avait reconnu sans savoir son nom.

– Le ministre Béland et moi-même avons cru qu'il valait mieux, pour toutes sortes de raisons, ne pas vous dévoiler l'identité de Roger Dugas lors de notre rencontre précédente, mais il est maintenant temps de le faire. Monsieur Dugas est le directeur adjoint et chef des opérations du SCRS.

L'homme sourit à l'intention de Dumont.

– Nous avons veillé discrètement sur vous en Russie et aux États-Unis, monsieur Dumont. Et, mes félicitations pour le sang-froid que vous avez manifesté tant à Moscou qu'à Washington !

Dumont esquissa une moue, visiblement il était un peu dépité qu'on ne l'ait pas mis dans la confidence dès la première réunion.

Le chef du gouvernement québécois continua les présentations.

– Paul Demers est l'un de mes conseillers politiques, il a une vaste expérience des relations internationales et des négociations fédérales-provinciales. C'est lui qui agira dorénavant à titre de représentant spécial pour tout ce qui touche la situation actuelle.

Il fit une pause en désignant d'un signe de tête la femme assise à côté de Dugas.

– Paul agira en étroite collaboration avec madame Judith Hayes, qui est la coordonnatrice pour la sécurité nationale au cabinet du premier ministre Chrétien.

Le policier n'en revenait pas. Il y avait donc une collaboration secrète dans ce dossier entre Ottawa et Québec, entre les deux premiers ministres, malgré leur divergence d'opinion sur l'avenir constitutionnel du Québec, malgré le plan B et les clarifications demandées à la Cour suprême sur la validité des résultats d'un futur référendum.

– Le premier ministre Chrétien et moi – le chef du gouvernement du Québec pesait ses mots – considérons qu'il en va de l'intérêt du Canada et du Québec que nous collaborions étroitement pour faire face aux ingérences… Il hésita et reprit : … aux activités clandestines, criminelles et contraires au droit international, auxquelles se livrent des éléments liés au gouvernement américain sur le territoire du Québec.

Même si le leader québécois avait été tenu au courant de ses faits et gestes, et surtout de l'attentat de Moscou, il demanda à Dumont de lui exposer ce qu'il avait découvert, tant dans la capitale russe que par la suite à Washington, notamment pour permettre aux nouveaux participants de se familiariser avec la situation.

– En fait, précisa Dumont sans consulter le rapport qu'il avait rédigé avec la collaboration d'Isabelle Florent et qu'il avait pourtant à la main, j'ai pu valider des informations selon lesquelles, depuis les années soixante-dix et sans doute plus tôt, les États-Unis et l'ancienne Union soviétique, notamment, ont fait des recherches pour développer des armes scalaires. Ils se sont particulièrement intéressés aux possibilités de modifier à volonté le climat. Dans le jargon militaire américain, c'est ce qu'on appelle le concept Environmental Warfare.

Dugas intervint pour signaler une déclaration du secrétaire d'État à la Défense américain, William Cohen, quelques mois plus tôt, où il exprimait sa crainte de voir des États ou des groupes s'engager dans des actions de terrorisme écologique.

– Je m'en souviens, corrobora le ministre de la Sécurité publique. Il avait parlé de la possibilité de déclencher à distance des tremblements de terre ou des éruptions volcaniques.

– C'est exactement ce qu'on appelle des armes scalaires, confirma Dumont. Les modifications climatiques sont actuellement le domaine de prédilection des recherches sur ce type d'armement. Même si plusieurs conventions internationales interdisent les manipulations hostiles de l'environnement, cela n'a jamais empêché les recherches de se poursuivre, aux États-Unis comme ailleurs dans le monde. Tout le monde a entendu parler de la technique de l'ensemencement des nuages, que ce soit dans le cadre d'applications militaires ou civiles.

– Mais si nous sommes ici, l'interrompit le chef du gouvernement, c'est que nous savons maintenant avec certitude que les États-Unis et des entreprises liées au département de la Défense américain utilisent notre territoire depuis vingt ans pour mener clandestinement ces expériences de guerre climatiques. Cela a commencé, je pense, au Québec et ça se poursuit maintenant en Alaska. Un projet appelé... HAARP, fit-il en jetant un coup d'œil rapide sur les notes qu'il avait prises en lisant le rapport que Dumont lui avait remis la veille.

– Si vous le permettez, monsieur le premier ministre, je vais laisser Isabelle, qui s'y connaît mieux que moi, vous expliquer.

– Officiellement, HAARP est un programme de recherche auquel collaborent des partenaires américains publics et privés, enchaîna la chercheuse de McGill. On parle de plusieurs universités renommées : Stanford, UCLA, Clemso, Pen State, Maryland, Cornell, MIT. HAARP a débuté comme un projet de science pure sur les aurores boréales.

– À l'origine, cela n'avait donc rien à voir avec des modifications climatiques ? demanda le dirigeant québécois.

– Exactement, répondit Florent. C'est un peu par hasard qu'ils se sont aperçus au début des années quatre-vingt que l'effet des ultra-basses fréquences sur l'ionosphère pouvait modifier le climat. Une entreprise a occupé un rôle clé dans la mise en œuvre de HAARP : USP, c'est-à-dire Ultimate Systems Providers.

Isabelle Florent regarda Dumont, une façon de lui renvoyer la balle.

– C'est un gigantesque conglomérat de sociétés technologiques de Galveston au Texas, enchaîna le sergent-détective. Le Pentagone a confié à USP, presque en sous-traitance, la recherche et le développement des applications militaires liées aux manipulations de l'ionosphère. En menant au début des années quatre-vingt des expériences de transmissions vers un récepteur installé dans une ferme de Sainte-Hedwidge, ils se sont aperçus que cela influait sur les conditions météorologiques dans la région du Lac-Saint-Jean.

– À partir de là, poursuivit Florent, le projet HAARP semble avoir évolué selon deux axes. La partie principale du programme s'est déplacée vers l'Alaska. Une composante secrète a été maintenue au Québec où elle a été déplacée de Sainte-Hedwidge vers Baie-du-Poste, maintenant le village autochtone de Mistissini, sur le grand lac Mistassini. C'était une région beaucoup moins habitée. C'était donc plus discret. Moins de gens risquaient de se plaindre de la météo.

– C'est lorsqu'il a voulu vous alerter, intervint le directeur-adjoint du SCRS, que Bill Napesh l'Indien, qui était chargé de l'entretien et de la surveillance des appareils semi-automatisés, a été assassiné. Et on a tenté de camoufler le meurtre en surdose de drogue.

– D'après votre enquête, Dumont, est-ce que cette technologie est au point ou les résultats sont-ils encore plus ou moins aléatoires ? s'enquit Béland.

– Les informations que j'ai recueillies à Moscou auprès d'une scientifique qui a travaillé sur les programmes de recherche dans ce domaine, à l'époque soviétique, laissent croire que des progrès spectaculaires ont été réalisés en Russie dans les années quatre-vingt. Et Ultimate Systems Providers a engagé les scientifiques russes qui pilotaient le programme à Moscou...

– Le Service fédéral de sécurité russe, le FSB, intervint Dugas, nous a avertis que certains des scientifiques en question ont transféré illégalement leurs découvertes scientifiques et les technologies à USP. Les services de sécurité russes collaborent étroitement avec nous dans ce dossier. Je crois, monsieur Dumont, que vous avez été à même de le constater durant votre séjour à Moscou.

– En effet, j'ai été un peu surpris de leur empressement... Mais je comprends maintenant pourquoi, compléta Dumont en souriant à Dugas.

– Et d'après ce que m'a dit Éric Lavergne, vous avez pu valider ces informations à Washington ? insista Béland.

Dumont réfléchit un instant :

– Les documents que j'ai consultés et les personnes que j'ai rencontrées ne laissent aucun doute quant au type d'expériences menées dans l'atmosphère au-dessus du Québec par USP pour le compte du Pentagone. D'abord en 1985, les Américains ont sciemment créé un trou dans l'ionosphère à l'aide de jets de gaz à partir de la navette spatiale *Challenger* au-dessus du Lac-Saint-Jean, faisant totalement fi des dangers qu'une telle expérience pouvait représenter pour la santé de la population locale. Il y a également des raisons de croire que plusieurs anomalies climatiques qui ont frappé le

Québec depuis vingt ans sont la conséquence des expériences d'USP.

– La tempête de 1996 ? demanda le premier ministre, consterné.

– C'est malheureusement très possible.

– Les émissions radioélectriques qui provoquent ces phénomènes proviennent de l'Antarctique, fit Béland.

– Oui, et c'est l'aspect politiquement et diplomatiquement délicat. Ces recherches sont essentiellement à caractère militaire.

– Un traité international interdit toute activité militaire en Antarctique et les États-Unis sont signataires de ce traité, intervint Judith Hayes avec un léger accent anglais.

– Ainsi, Dumont, à la lumière de toutes les informations que vous avez recueillies, vous êtes en train de nous dire que le Québec sert de champ d'essais pour de nouvelles armes climatiques américaines, tonna le chef du gouvernement.

– Je ne peux pas aller aussi loin, monsieur le premier ministre. Il n'y a pas de preuve, jusqu'ici, que l'intention était de provoquer des catastrophes climatiques. Mais ce qui est sûr, c'est que certaines de ces expériences ont eu pour résultat de bouleverser le climat du Québec et celui des zones périphériques dans des provinces et des États américains voisins, confirma Dumont.

– Depuis quelques années, nous avons vécu trop de cataclysmes inexplicables pour que cela ne soit qu'une simple coïncidence, estima Dugas.

Un long silence s'abattit sur les participants à la réunion, comme s'ils prenaient soudain conscience de ce que leurs propos laissaient présager. Ce fut le chef du gouvernement qui, le premier, reprit la parole. Il s'adressa aux deux représentants du gouvernement fédéral.

– Il faut entrer en contact avec le gouvernement des États-Unis, lui étaler le dossier et lui demander l'heure juste. J'ai peine à croire que la Maison-Blanche soit au courant de toutes les implications de ces recherches, surtout des préjudices qu'elles nous ont causés. Je ne peux croire non plus qu'un type comme Bill Clinton ait autorisé un assassinat sur le territoire d'un pays voisin, fidèle allié des États-Unis.

– Je suis de votre avis, fit Hayes. Le président n'est sans doute pas au courant de tous les tenants et aboutissants de ces opérations. Ça ne serait pas la première fois dans l'histoire des États-Unis que le Pentagone mènerait des programmes non autorisés par la Maison-Blanche ou le Congrès. Il va falloir aller directement à la Maison-Blanche avec ce dossier, court-circuiter le département d'État et les voies diplomatiques normales.

– Notre dossier me paraît très solide et convaincant, ajouta Béland. Tout tourne autour d'Ultimate Systems Providers.

– Vous écrivez que son patron, Sean Flagerty, est un Canadien naturalisé américain violemment anti-québécois, fit le premier ministre en feuilletant son dossier. Vous en êtes sûr?

– Ça m'a été dit à Washington et confirmé par une simple recherche de presse. Ses déclarations publiques dans ce sens ont été nombreuses dans les années soixante-dix, affirma Dumont.

– Alors, à votre avis, comment procède-t-on maintenant? demanda le chef du gouvernement à l'ensemble des personnes présentes.

– Il faut d'abord compléter l'enquête en Alaska et à Siple Station en Antarctique, estima Dugas.

– Isabelle et moi avons réfléchi à la question, dit Dumont. Pour l'Alaska tout au moins. Nous avons élaboré les grandes lignes d'un plan.

Il céda la parole à l'universitaire.

– Je suis entrée en contact avec Buzz et Janice Anders, les fondateurs du mouvement NO HAARP, à

Glennallen en Alaska. Les Anders se sont montrés très réticents, notamment lorsqu'ils ont compris qu'il fallait parler du groupe et de la base par téléphone. Ils ne sont pas paranoïaques, mais de l'avis de Buzz, et je vous rapporte textuellement ses propos : «Certains sujets ne devraient jamais être traités autrement qu'en personne, ainsi on sait exactement à qui on a affaire.» Ils ont accepté de parler à Pierre Dumont, pourvu qu'il se rende sur place.

– Avant de venir à cette réunion, j'ai procédé à des vérifications au sujet de HAARP en Alaska, intervint Hayes. Effectivement, nous avons une équipe qui se rend régulièrement sur place dans le cadre d'un programme de coopération canado-américain sur l'étude des aurores boréales. Elle doit prochainement aller travailler sur les bases HIPAS et HAARP. La professeure Florent, qui s'est déjà rendue sur la base HIPAS pour travailler sur les aurores boréales, pourrait s'intégrer à l'équipe. Quant à monsieur Dumont, il pourrait aussi voyager avec notre équipe pour aller rencontrer les gens de NO HAARP. On va lui réserver un siège dans le même avion et il logera au même endroit que les chercheurs. On lui trouvera une fonction quelconque au sein de l'équipe. Sa présence attirera moins l'attention. Le départ est prévu pour le 11 décembre.

– Ça me laisse juste le temps de m'acheter de bons sous-vêtements bien chauds. Et ça me servira aussi en Antarctique, railla Dumont en faisant un clin d'œil vers Florent.

Judith Hayes ignora le trait d'humour.

– Pour l'Antarctique, on va vous arranger un voyage spécial, n'est-ce pas Roger ? On vous concoctera tout cela au cours des prochains jours. Nous vous tiendrons au courant à votre retour de Gakona.

– Madame Hayes, intervint le premier ministre du Québec, je sais que vous avez engagé des discussions préliminaires avec Paul pour que nous parlions d'une seule voix dans cette affaire. Pour le bénéfice des autres participants, je vais donc demander à Paul de faire le point sur le dossier.

– Afin de centraliser toutes les informations et le processus de prise de décision, annonça Demers, nous avons décidé de créer, ici au siège d'Hydro-Québec, un centre de coordination Québec-Ottawa. Il aura pour mission de constituer le dossier scientifique et de préparer notre démarche politique commune pour approcher la Maison-Blanche sur cette question. Le centre réunira une douzaine de personnes provenant des Affaires intergouvernementales et de la Sécurité publique du Québec, ainsi que des Affaires étrangères et du SCRS. Il sera codirigé par Roger Dugas et moi. Il est entendu qu'en tant que représentant du premier ministre du Québec, je participerai à la démarche auprès de la Maison-Blanche.

Demers laissa la parole à Judith Hayes.

– Nous avons l'intention de confier la démarche officieuse à monsieur Raymond Chrétien, notre ambassadeur à Washington, qui a d'excellents contacts à la Maison-Blanche dans l'entourage de Bill Clinton.

– On l'a vu durant la campagne référendaire, ne put s'empêcher de relever le chef du gouvernement du Québec.

La coordinatrice des questions de sécurité de Jean Chrétien poursuivit sans se démonter :

– J'ai bien dit une démarche officieuse, dans le plus grand secret. Il est entendu qu'aucun document écrit ne sera transmis aux Américains.

– Notre objectif, intervint le dirigeant québécois, n'est pas d'humilier publiquement le gouvernement américain en rendant publique cette histoire, mais de nous assurer que ces agissements cessent et ne se reproduisent plus jamais.

– Et il y a sans doute quelques autres avantages politiques et économiques à tirer de cette affaire, fit, machiavélique, le vieux routier du monde de l'ombre qu'était Roger Dugas.

* * *

Lorsque Pierre Dumont ouvrit la porte de son domicile, il pressentit tout de suite qu'il y avait quelque chose d'anormal. Le couloir était plongé dans la pénombre et une faible lueur semblait éclairer la salle de séjour. Il était un peu plus de dix-sept heures. Il accrocha son manteau près de celui de Stéphanie dans la penderie de l'entrée. Il retira ses bottes qu'il déposa sur le tapis prévu à cet effet.

– Steph…, t'es là ?

Il s'avança rapidement vers le salon, inquiet. Ce n'est qu'une fois dans l'encadrement de la porte qu'il prit la mesure du drame. Le salon n'était éclairé que par deux ou trois chandeliers judicieusement disposés dans la pièce. Stéphanie était à sa place habituelle, sur le canapé, un magazine ouvert sur les genoux, elle pleurait.

– Qu'est-ce qui se passe, commença-t-il, tu es malade ?

D'un geste impérieux, Stéphanie lui imposa le silence.

– Dis-moi au moins ce qui se passe. Tu n'es pas au travail ? Tu as été licenciée ? Ta mère ?

– …

– Écoute, visiblement il se passe quelque chose d'important, mais sincèrement je ne vois pas quoi. Si tu ne me dis rien, je ne peux pas deviner.

Il se dirigea vers le bar et versa deux doigts de porto dans deux verres. Il en tendit un à Stéphanie, mais celle-ci l'ignora. Il le posa sur la table basse près d'elle, tout en sirotant le sien, il vint prendre place près de sa femme.

– Je ne comprends pas…

– Pas autant que moi! lança-t-elle. Ses yeux noirs brûlaient de colère contenue.

– Écoute, je n'ai pas envie de jouer aux devinettes. Est-ce que j'ai oublié quelque chose? Je ne sais pas. Ce n'est pas ton anniversaire, ni celui de notre rencontre… encore moins celui de notre mariage, ce sera dans vingt jours. Nous sommes le 3 décembre, donc c'est pas la Saint-Valentin, alors explique-toi!

– …

– Stéphanie, c'est pas de la mauvaise volonté. Tu sais que je suis très préoccupé par le meurtre de l'Indien. En plus, ça a des répercussions politiques que tu ne peux même pas soupçonner…

– C'est ça, traite-moi d'idiote pendant qu'on y est! Comme si je ne pouvais pas comprendre!

Elle se leva, propulsa le magazine dans le porte-journaux et se dirigea vers la cuisine. Elle fouilla dans le garde-manger, en sortit le sac de pommes de terre et se mit à préparer le repas du soir.

– C'est pas ce que j'ai dit. C'est toi qui fais preuve de mauvaise foi, tu déformes mes propos, protesta-t-il en la suivant à la cuisine.

– Et voilà! Je le savais que ce serait ma faute. On avait rendez-vous, tu n'arrives pas, et c'est moi la coupable. D'ailleurs, t'étais où? Je t'ai appelé plusieurs fois sur ton cellulaire et toujours cette maudite boîte vocale! Tu n'as même pas daigné vérifier si tu avais des messages.

D'un geste fébrile, elle s'empara des épluchures sur le comptoir et les poussa dans la poubelle, versa de l'huile dans une poêle et y déposa les rondelles de pommes de terre.

– Rendez-vous?

Il avait beau fouiller les méandres de sa mémoire, il ne se souvenait pas d'avoir eu rendez-vous avec sa femme ce samedi-là.

C'en était trop pour Stéphanie, qui se retourna vers Dumont avec le couteau économe à la main.

– Calme-toi ! ordonna-t-il en s'emparant de ses deux mains. Pose ça immédiatement, tu vas te blesser ou me blesser, et ce n'est certainement pas ce que tu veux. Écoute-moi !

Il la tenait par les avant-bras, à une vingtaine de centimètres de lui, essayant de capter son regard embué de larmes.

– J'avais une réunion importante au bureau du premier ministre. Nous avons discuté de l'affaire Napesh, de mon voyage à Washington et des implications internationales que toute cette histoire soulève. Ensuite, je suis allé discuter d'un plan de match avec Isabelle, la chercheuse de McGill dont je t'ai déjà parlé...

– Jusqu'à dix-sept heures ! Un samedi !

Elle se dégagea violemment et lui tourna le dos pour continuer à s'occuper du repas.

– Prends-moi pas pour une dinde. Ton rendez-vous au bureau du premier ministre était à dix heures... ce matin.

– Parfaitement. Si tu veux mon emploi du temps, alors le voici ! Nous sommes restés au bureau du premier ministre jusqu'à treize heures. Ensuite, Isabelle et moi sommes allés manger pour discuter.

– Isabelle et moi ! Isabelle et moi ! persifla-t-elle. Voilà que tu l'appelles par son prénom maintenant !

– Tu ne vas pas en faire une montagne ? Nous travaillons ensemble, c'est plutôt normal qu'on s'appelle par nos prénoms.

Elle fit volte-face.

– Bien oui, c'est ça ! Tu tutoies aussi le premier ministre, tu l'appelles aussi par son prénom peut-être, et tu l'invites à dîner en tête à tête ?

– Tu dis n'importe quoi. Dis-moi plutôt quel rendez-vous j'ai oublié, ce sera sûrement plus constructif que de continuer à nous chamailler comme ça.

– Quoi ? Ne me fais pas croire que tu as oublié qu'on devait aller au Centre international d'art contemporain. On avait rendez-vous devant le musée à quatorze heures. Je t'ai attendu comme une poire plus d'une heure, tu avais fermé ton cellulaire... Je t'ai laissé des messages...

– Un message ! J'ai juste eu un message de toi. Tu ne m'as pas dit que tu m'attendais au musée, tu as simplement dit de te rappeler le plus tôt possible. Si tu as appelé plusieurs fois, c'est que tu as raccroché sans rien dire.

– C'est ça ! Depuis le début, tu ne veux pas aller voir cette expo. Tu l'as fait exprès.

– Steph ! Tu sais que moi, le mouvement des avant-gardistes au Japon dans les années vingt, ce n'est pas ma tasse de thé.

– C'est ça, continue de te foutre de ma gueule ! Tu aurais pu avoir la décence de me prévenir...

– Me dis pas que tu as rebroussé chemin simplement parce que je n'étais pas avec toi !

– Certainement pas ! Je n'ai pas besoin de toi pour vivre...

– Tu veux dire quoi là ? C'est un terrible malentendu, Steph. J'ai effectivement oublié que nous devions y aller aujourd'hui. L'affaire sur laquelle je travaille me prend vraiment la tête, surtout après ce qui s'est passé ici quand les deux Russes se sont introduits chez nous et depuis qu'on m'a tiré dessus à Moscou. Tu aurais pu me le rappeler hier soir !

– Depuis que tu es revenu de Washington, nous n'avons pas réussi à nous voir plus de quelques heures. Tu passes tout ton temps avec Isabelle je-ne-sais-pas-qui.

Dumont esquissa une grimace. Depuis son retour à Montréal, il avait passé en effet une partie de son temps à la Bibliothèque de Montréal à consulter de la documentation sur l'Antarctique. Et il avait eu plusieurs réunions avec Isabelle Florent. Puis, le soir, sachant que Stéphanie travaillait souvent jusqu'à vingt et une heures et parfois même plus tard, il retrouvait quelques copains devant une bière ou deux, n'ayant guère envie de rester dans un appartement vide. Lorsqu'ils se rejoignaient vers vingt-deux heures, ils étaient trop fatigués pour avoir des discussions un tant soit peu sérieuses.

– Faisons un accord. Je me libère quelques jours dans le temps des Fêtes... dès mon retour d'Alaska.

– Quoi ? hurla-t-elle. Qu'est-ce que c'est que cette histoire d'Alaska ?

– Je dois aller rencontrer des gens... J'en ai pour quelques jours.

– Tu y vas seul ?

– J'accompagne une équipe de chercheurs canadiens.

– Elle en fera partie, je présume !

– Oui. Écoute, entre elle et moi, c'est strictement pour le travail. Tu sais que je ne te mentirais pas, Steph... Dis, tu le sais ?

Elle hésita, plongea ses grands yeux noirs en amande dans ceux tout aussi sombres de son mari.

– Fais-moi confiance. Je te promets qu'à mon retour, il ne sera plus question d'Amérindien mort, pas de complot international, au diable les Russes et les Américains ! Nous aurons plusieurs jours, juste pour nous... en amoureux. Pour fêter notre deuxième anniversaire de mariage... hein ?

Stéphanie le dévisagea d'un œil sceptique. Elle avait bien du mal à croire qu'il pourrait ainsi mettre de côté une enquête qui le passionnait simplement pour passer du temps avec elle.

– Ça fait plusieurs mois qu'on est éloignés, Pierre. Si tu continues à me tenir à l'écart de ta vie et de ton travail, je ne pourrai pas continuer comme ça.

– Rien n'a changé, Steph… Je t'aime toujours. Et ça ne changera pas. Pas de mon côté en tout cas !

Elle ne répondit pas et se réfugia dans ses bras. Elle sanglotait sur son épaule depuis quelques secondes lorsque le détecteur de fumée les fit sursauter. Les pommes de terre brûlaient dans la poêle.

13

Anchorage, Alaska, vendredi 12 décembre 1997
La navette transportant Pierre Dumont, Isabelle Florent
et leurs deux compagnons vers leur hôtel longeait une
aire de déchargement de l'aéroport d'Anchorage.
Dumont remarqua la présence d'un Antonov de la
Russian International Aerotransport. On était en train de
décharger de l'équipement pour le transférer à bord d'un
camion sur lequel Dumont crut distinguer le logo
d'Ultimate Systems Providers.

– Tiens, nos amis sont là !

Après plus de huit heures de voyage et une escale à
Vancouver, Florent et Dumont avaient amplement eu le
temps de discuter de l'affaire qui les occupait. Le
policier en avait profité pour parfaire ses connaissances
en climatologie.

– Tu dois regretter d'être ici en Alaska plutôt qu'à
Kyoto ? s'enquit Dumont en lui montrant un article sur
le sujet dans le quotidien qu'il feuilletait.

– Ça m'intéresse personnellement, mais c'est vraiment pas mon champ de compétence, les gaz à effet de
serre. J'ai deux collègues de McGill et de l'Université de
Montréal qui ont assisté à toute la rencontre depuis le
1er décembre. D'après ce qu'ils nous en ont dit par courriel avant notre départ, il y a de bonnes chances qu'un

protocole d'entente sur l'effet de serre soit annoncé avant la fin de la conférence.

– C'est une bonne nouvelle, alors ?

– On verra bien qui va le ratifier ! D'après ce que j'en sais, les Américains se font déjà tirer l'oreille, l'Europe cherche des aménagements... et le Canada ne sait pas encore de quel côté se ranger. Et si les Russes ne l'acceptent pas, ce protocole mourra dans l'œuf.

– Et si tout le monde le ratifie, ça peut prendre du temps avant qu'on l'applique ?

– Des années ! La planète a le temps de s'asphyxier cent fois avant qu'on se décide enfin à combattre l'effet de serre.

– Et ce n'est que la partie émergée de l'iceberg. La question de la manipulation climatique en tant qu'arme de guerre ne sera pas à l'ordre du jour.

– On n'en est pas encore là. Faut pas rêver, Pierre !

Dumont s'étonna du dynamisme de la ville. Les gratte-ciel de verre se découpant sur les montagnes enneigées donnaient un air féerique à cette ville côtière qui, après tout, n'était née que depuis moins d'un siècle. Dans les rues, il remarqua que les gens étaient assez jeunes et semblaient relativement aisés.

– Ici, la moyenne d'âge est d'environ trente ans, expliqua Stéphane Lapointe, un des scientifiques d'Environnement Canada qui les accompagnait, et les enfants représentent un tiers de la population.

Le jeune chercheur correspondait d'ailleurs parfaitement à la description qu'il faisait des habitants de cette ville. Lui-même n'avait pas plus de vingt-cinq ans, était très dynamique, et ses cheveux longs retenus en queue-de-cheval lui donnaient un air de beatnik attardé.

– Et, ce qui n'est pas négligeable, les travailleurs gagnent bien leur vie. En moyenne, ils font dix mille dollars de plus que la moyenne nationale américaine, précisa Karl Anton. Vous savez, l'Alaska aurait pu faire partie du Canada. Les Russes l'ont offerte aux Anglais en 1867, l'année de la Confédération. Les Anglais ont refusé. Les Américains, eux, ne se sont pas fait prier pour mettre la main dessus.

Anton était un anglophone d'origine allemande, de Timmins en Ontario, mais lui aussi travaillait pour Environnement Canada à Montréal. Il avait la jeune trentaine, les cheveux blonds ébouriffés selon la mode du jour, et tout comme son collègue, il avait fait du jean déchiré son uniforme de tous les jours.

– C'est pas facile de vivre ici, enchaîna Florent. Je n'ai fait qu'un seul séjour en Alaska, quinze jours à la base HIPAS, et je suis sûre que je ne pourrais pas y vivre à l'année !

– Base HIPAS ! Il me semble que Hayes a mentionné ce nom lors de notre réunion de travail, mais je n'ai pas eu le temps de lui demander de quoi il retournait, fit Dumont, en prenant garde de rester assez vague pour ne pas intriguer Lapointe et Anton.

– High Power Auroral Stimulation, s'empressa d'expliquer Florent. C'est à Two Rivers, à une trentaine de kilomètres de Fairbanks. C'est un observatoire qui fait de la recherche scientifique sur l'ionosphère. Il est géré par l'Université de l'Alaska toute seule, tint-elle à préciser. Là-bas, pas de recherches secrètes ou militaires, du moins c'est ce qu'on dit. Mais finalement, on y utilise les mêmes principes qu'à Gakona. Officiellement, on réchauffe l'ionosphère par des ondes à basses fréquences dans le but de provoquer des aurores boréales artificielles.

– C'est bien pour ça que c'est bizarre d'avoir construit une autre installation du même genre, qui fait les mêmes choses à trois cents kilomètres de la première, avança Dumont.

Il songea ensuite qu'en fait, ce n'était pas si étrange que ça. HAARP était entièrement sous la coupe des militaires et de Ultimate Systems Providers.

– Il existe une autre base à une cinquantaine de kilomètres de Fairbanks, ajouta Lapointe, qui était assis à l'avant, en se tournant vers ses trois compagnons. C'est de Poker Flat Rocket Launch que sont lancées des fusées équipées de modules chargés d'analyser les réactions chimiques dans l'atmosphère et d'étudier les changements climatiques globaux. Aucun d'entre nous n'y est encore allé.

– Et ce ne sera pas encore cette fois-ci que nous pourrons la visiter, commenta Anton. Notre boulot ne nous amènera qu'à HAARP. Gakona appartient au département de la Défense. C'est l'US Air Force et l'US Navy qui ont fait construire cette station de recherche en 1993. Leur matériel est ce qu'il se fait de mieux. Peu de chercheurs ont eu cette occasion, surtout qu'on ne fait pas partie de l'armée.

– Ça a quand même pris deux ans de négociations pour obtenir les autorisations et on n'aura pas accès à toutes les installations. On ne pourra mener nos recherches que trois jours, c'est peu ! grommela Lapointe.

– Cesse de ronchonner, Stéphane. Dis-toi bien qu'on peut sûrement compter sur les doigts d'une seule main les chercheurs civils qui ont eu accès à cette base. On a plutôt de la chance, conclut Anton, dont les yeux bleu glacier brillait d'excitation.

– Les militaires font ce qu'ils veulent en Alaska, précisa Lapointe. C'est pas loin de la Russie. Pendant la guerre froide, c'était devenu une ligne de front. Le Pentagone y a fait construire la plus grande base aérienne de la planète, Eielson Air Force, près de Fairbanks, pour y déployer ses bombardiers nucléaires à grand rayon d'action.

– Vous semblez bien informés ! s'étonna Dumont.

– Ça fait déjà trois fois qu'on vient en mission en Alaska, alors on a fini par se documenter un peu, ironisa Lapointe. De toute façon, le soir sur les bases de recherche, y a pas grand-chose à faire, alors on lit beaucoup !

La navette aéroportuaire s'arrêta dans la East 5th Avenue. Ils étaient arrivés au Days Inn, un bâtiment rose et sans charme, mais situé en plein centre-ville d'Anchorage.

– C'est quand même étonnant qu'on ait obtenu l'autorisation de visiter des installations militaires où s'effectuent des recherches secrètes, fit remarquer Dumont.

– C'est seulement depuis mars de cette année qu'il y a une forme de collaboration entre HIPAS et HAARP, c'est pour ça qu'on nous a autorisés à y venir, répliqua Anton, qui alla ensuite aider le chauffeur à sortir leurs nombreuses valises de l'arrière du véhicule.

Chacun se dirigea vers la chambre qui lui avait été attribuée. D'un air entendu, Dumont fit comprendre à Isabelle Florent de venir le rejoindre dès qu'elle aurait disposé de ses effets.

Ils se retrouvèrent une heure plus tard. Il était à peine seize heures et déjà le soleil disparaissait sous l'horizon. En cette période de l'année, il n'apparaissait que moins de quatre heures par jour. Par sa fenêtre, Dumont appréciait le spectacle d'un soleil rouge se reflétant en des dizaines de répliques sur la glace bleue qu'il colorait d'une teinte rosée.

– C'est majestueux ! À couper le souffle ! lança-t-il à Isabelle lorsqu'elle pénétra dans la pièce.

– Attends, tu n'as rien vu encore ! Dès demain nous partirons par Glenn Highway en direction de Glennallen. Nous croiserons sûrement quelques élans en cours de route. Crois-moi, là tu seras époustouflé.

– Maintenant, parle-moi de NO HAARP et de ses militants. Nous n'avons guère eu le temps de nous pencher sur ce sujet à Montréal.

– Eh bien, le mouvement de protestation n'est pas, à proprement parler, formé par un groupe homogène d'individus. Chacun agit un peu tout seul dans son coin, même si Peter Feldman et Buzz Anders en sont les deux principaux piliers. Buzz est retraité. Il y a quelques années, il était comptable dans une petite société qui faisait de la prospection gazière et pétrolière. Il vient de l'État de Washington. C'est évidemment le salaire qu'on lui offrait ici qui l'a décidé à venir au début des années soixante-dix, quand personne ne voulait mettre le pied dans cette immensité perdue au bout du monde. Il est tombé amoureux du coin et a décidé d'y rester, même une fois l'heure de la retraite sonnée. Tu vas adorer sa maison, elle est en dehors de la ville et s'ouvre sur le parc national Wrangell-St. Elias. C'est une pure merveille en bois rond!

– Comment s'est-il retrouvé en première ligne dans ce combat?

– Eh bien, la petite société qui l'employait a été rachetée par... Ultimate Systems Providers! Il t'expliquera lui-même comment il en est arrivé à devenir l'activiste le plus détesté de l'Ouest.

– Des contestataires, il ne doit pas y en avoir tellement dans ce coin de pays glacé?

– Longtemps l'argent du Pentagone a largement contribué à l'économie de l'État. C'est moins le cas maintenant. Mais les militaires jouissent de beaucoup de prestige. En fait, les gens ont commencé à râler quand ils se sont aperçus que les antennes de HAARP devaient envoyer dans l'atmosphère un milliard de watts de fréquence radio et que leurs propres systèmes de communication – la plupart ont des installations de radio amateure – étaient complètement hors-service.

– J'imagine que la communication sans fil est vitale ici...

– C'est sûr! s'exclama la chercheuse. La radio est parfois le seul moyen d'appeler un hélicoptère d'urgence pour évacuer un blessé ou un enfant malade, par exemple. Et puis beaucoup de petits avions du coin naviguent sur le pilote automatique. Celui qui est aux commandes se contente de jeter un coup d'œil sur ses instruments de bord de temps à autre. Si un signal vient perturber ses instruments et qu'il ne s'en rend pas compte, il court tout droit au crash. Demain, je t'emmènerai chez Buzz Anders. Peter Feldman, leur correspondant au Québec dont je t'ai parlé, nous rejoindra probablement dimanche. D'après ce que m'a dit Janice au téléphone, il est déjà ici depuis quelques semaines. Il vient deux ou trois fois par an, car il a de la famille dans le coin.

– Que dirais-tu d'aller retrouver Stéphane et Karl pour le dîner? proposa finalement Dumont.

– Bonne idée. Notre petit aparté va contribuer à les convaincre que tu es mon amant, se moqua Florent.

Elle pivota sur elle-même en faisant virevolter ses cheveux roux. «Finalement, rousse pour rousse, je la trouve encore plus jolie que Shirley Casgrain. Moins flamboyante, mais avec un petit quelque chose de plus attirant», pensa Dumont, dont les yeux appréciaient les courbes de la chercheuse.

Le lendemain, la camionnette qu'ils avaient louée emprunta le Glenn Highway, une des seules routes de l'État qui montait vers le nord-est, tout droit à travers la toundra gelée. Les voyageurs étaient émerveillés par la transparence de l'air. Celle-ci déformait les distances, au point qu'une montagne qui leur paraissait toute proche était pourtant à des centaines de kilomètres. Florent conduisait lentement pour que tous apprécient le paysage et surtout pour ne pas se laisser surprendre par le passage d'un élan. Ils avaient trois cents kilomètres à parcourir, mais n'étaient pas pressés.

Peu après la ville de Palmer, à une centaine de kilomètres d'Anchorage, ils aperçurent le glacier Matanuska au loin. C'est à partir de ce point que la route se traçait un passage dans un paysage beaucoup plus sauvage et qu'elle les emmena entre les monts Chugach au sud et les monts Talkeetna au nord. Les branches noires des bouleaux et quelques conifères se découpaient sur la blancheur immaculée du bord de la route et des montagnes entre lesquelles ils s'enfonçaient.

Glennallen était une bourgade d'un peu plus de cinq cent cinquante habitants qui se trouvait aux portes du parc national Wrangell-St. Elias. Elle était d'une laideur effroyable. Les maisons étaient banales, sans âme, la plupart de plain-pied et en bois rond mal équarri. Dumont aperçut même des carcasses de voitures qui traînaient dans des cours.

Le policier était déçu. Florent le rassura. Environnement Canada leur avait loué un chalet pour quatre un peu à l'écart dans le bois et dépendant de l'hôtel Caribou. Ce ne serait pas le grand luxe, mais au moins ils auraient une douche, une cuisinette, deux chambres doubles, et leurs fenêtres ne s'ouvriraient pas le matin sur un stationnement de gravier.

– Eh bien, puisque nous passons pour un couple aux yeux des autres, nous prendrons le lit double, lança Dumont en ouvrant la porte de la première chambre pour y déposer ses bagages.

Florent se précipita aussitôt, les yeux hagards. Visiblement, elle ne s'attendait pas à devoir partager sa couche. Elle respira mieux en voyant que Dumont blaguait et qu'il y avait bel et bien deux lits simples dans la pièce.

Après s'être installés, Stéphane Lapointe et Karl Anton décidèrent d'aller faire un tour dans le parc. À leur arrivée, le concierge de l'hôtel leur avait dit qu'il pouvait leur louer des raquettes et qu'ils pourraient faire une courte randonnée juste avant la tombée de la nuit. Florent et Dumont avaient rendez-vous chez Buzz Anders. Ils se firent indiquer le chemin et prirent la camionnette pour s'y rendre.

La maison de bois était située à deux pas d'une route de gravier, mais le propriétaire avait pris grand soin de la dégager pour eux, car lui-même et sa femme ne circulaient qu'en motoneige en hiver. Buzz Anders, un solide gaillard d'un peu plus de soixante-cinq ans, apparut devant la résidence, son visage buriné par le froid arborait une imposante moustache blanche. Il portait une chemise à carreaux rouge et vert, un vieux jean rapiécé et des bottes de motoneige dégrafées. Il leur fit l'accolade, comme c'était de coutume en Alaska, avant de les pousser vers l'intérieur où une bonne odeur de soupe aux légumes les accueillit.

La maison était confortable, chaleureuse avec ses poutres apparentes et son foyer, où un feu bien alimenté crépitait joyeusement. Ils s'installèrent dans de profonds fauteuils de cuir, devant une peau d'ours blanc étalée sur le sol. Dans un coin de la pièce, Dumont aperçut une installation radio et un ordinateur relié à Internet par satellite qui permettaient aux Anders de rester en contact avec le reste de la planète pendant les longs mois d'hiver. Buzz et sa femme Janice étaient surtout des habitués des ondes courtes. Ils se branchaient souvent sur des stations d'informations russes, canadiennes et même australiennes et néo-zélandaises. «Ça passe le temps», dit-il.

Dès leur arrivée, Janice déposa un gros bol de soupe fumante devant chacun d'eux sur une table basse en bois. Elle avait l'air du frère jumeau de son mari, à l'exception de la moustache : même épaisse chemise à carreaux, même jean usé, grosses chaussettes de laine aux pieds et épais mocassins inuits.

– C'est superbe par ici, les félicita Dumont.

– J'adore la place et longtemps j'ai pensé que je terminerais ma vie ici, leur confia Anders en avalant sa soupe pourtant bouillante comme s'il buvait un verre d'eau fraîche.

– Pourquoi parlez-vous de partir ? Vous avez reçu des menaces ? s'inquiéta Florent.

– En fait, c'est notre fille qui s'est installée en Californie qui nous presse de venir la rejoindre, expliqua Janice. Mais il est têtu comme une mule et ne veut pas quitter sa terre de glace et de roches... Alors il marmonne après tout le monde. Parle-leur donc de HAARP, au moins tu grogneras pour quelque chose.

Et elle s'en alla dans la cuisine. Peu après, un bruit de télévision leur parvint. Janice avait décidé d'écouter le bulletin d'informations.

– Justement, comment en êtes-vous venu à vous intéresser à cette base, Buzz ? interrogea Dumont, dont le naturel d'enquêteur revenait au galop.

– C'était il y a quatre ou cinq ans. Je travaillais pour une petite société d'exploration gazière. On ne faisait pas des millions, mais ça marchait bien. Et puis, une multinationale s'est présentée et nous a avalés tout rond. Ultimate Systems Providers qu'elle s'appelle. Et brusquement, fini, l'exploration gazière ! Notre petite entreprise fut mise en liquidation et disparut du jour au lendemain.

– Jusque-là, c'est plutôt cavalier comme façon de faire, mais ce n'est pas anormal, constata Dumont en avalant une bonne gorgée de soupe.

– Non, mais ça l'est devenu quelques mois plus tard. Un soir, mon ami Peter Feldman est venu me voir. Lors d'une réunion de pilotes à Anchorage, il avait entendu dire que l'armée cherchait un emplacement pour installer un champ très étendu d'antennes destinées à envoyer des émissions électromagnétiques de milliers de watts dans l'atmosphère. Tant d'ondes électromagnétiques, c'est sûr que ça allait détraquer nos systèmes de communication et ceux des avions... Bref, ce soir-là, Peter et moi avons contacté pas mal d'amis par VHF pour leur dire ce qui se passait.

– D'autres étaient au courant?

– Certains ont découvert qu'il existait de tels réchauffeurs d'atmosphère ailleurs, par exemple en Russie et en Norvège. Mais HAARP serait le plus puissant du monde, c'est ça qui nous faisait peur.

– Le département de la Défense n'a pas cherché à vous présenter le projet, à dédramatiser la situation?

– Bien sûr que oui. Il y a eu des réunions d'information. Le Pentagone disait qu'il cherchait une région très isolée, justement pour ne pas nuire aux communications de la population...

– Rien pour rassurer la population locale!

– Ça a plutôt développé le syndrome du «Pas dans ma cour». La plupart des gens s'interrogeaient surtout sur les effets sur leur santé, mais le service de relations publiques du département de la Défense est très habile. Ils ont parlé d'aurores boréales, de recherches scientifiques à but non militaire, etc.

– Et vous, qu'est-ce qui vous a mis la puce à l'oreille?

– C'est quand j'ai appris qu'USP était impliqué. Cette compagnie-là œuvre surtout dans le domaine des systèmes d'armes avancés et des communications militaires. Et puis, il n'y avait pas de scientifiques civils pour superviser le programme, que des gens de l'armée!

– Qu'avez-vous fait?

– Pour commencer, j'ai demandé à voir l'étude d'impact sur l'environnement. Avant tout projet de cette envergure, il faut faire ce type d'étude, notre loi sur l'environnement l'oblige.

– Et alors ?

– J'y ai relevé les noms des gens qui avaient posé des questions pertinentes sur le projet et je les ai contactés pour savoir si les réponses les avaient satisfaits.

– Ces gens avaient-ils eu des réponses satisfaisantes ?

– En fait, quelques-unes de ces personnes m'ont flanqué la frousse. Il y avait un couple qui voyait des conspirations partout, un autre qui était un véritable extrémiste qui voulait fusiller tous les membres du Congrès, d'autres qui parlaient de manipulation du cerveau… J'ai bien cru que j'étais tombé sur des cinglés. J'étais pas mal découragé, mais Janice m'a convaincu de contacter le plus de personnes possible et de faire une autre réunion.

– Et c'est ce que vous avez fait ?

– Un mois plus tard environ. Cette fois, on était peut-être une cinquantaine. En plus des hurluberlus dont j'ai déjà parlé, il y avait quelques personnes très intéressantes. Notamment une femme qui se disait convaincue qu'on avait minimisé les conséquences d'un tel bombardement dans l'ionosphère et que cela viendrait sûrement perturber le comportement des oiseaux migrateurs.

– Finalement, sur la douzaine que nous étions au départ, nous nous sommes retrouvés environ cent cinquante, lança Janice en revenant dans le salon avec un plateau pour débarrasser les bols. Nous avons décidé de publier un bulletin d'information que nous avons fait circuler parmi les membres du groupe… Et ça nous a coûté une fortune en timbres-poste et en coups de téléphone.

– Et USP dans tout ça ? demanda encore Dumont en tendant son bol vide à la maîtresse de maison.

– USP ? Rien, répondit Buzz. Pas un signe de vie. Mais ça ne veut pas dire qu'ils n'agissent pas. En fait, rien ne filtre sur USP, et pourtant la compagnie est impliquée jusqu'au cou dans HAARP.

– Et puis, au fil des mois et des années, plusieurs des habitants de la région ont considéré HAARP comme une source de revenus, surtout à Gakona. Les militaires et leurs familles font vivre la communauté. Plusieurs entreprises ont des contrats d'entretien ou de transport avec la base, ce ne sont pas eux qui vont s'en plaindre, continua Janice.

– Les militaires démentent toute relation entre les activités d'USP et le développement de nouveaux systèmes d'armes, affirma Anders. Mais nous, on s'interroge sur la justification d'une deuxième base en Alaska, en plus d'HIPAS, pour de la recherche sur l'ionosphère… Et surtout, pourquoi tout le programme est confié à des laboratoires militaires contrôlés par USP ?

Isabelle Florent intervint dans la conversation, tout en déposant une assiette de pâtes au fromage devant chaque invité.

– Je vais me faire l'avocate du diable, mais sachez que l'étude des principes physiques de l'ionosphère n'est pas neuve. Il existe d'autres stations de recherche dans ce domaine dans le monde. Par exemple à Porto Rico, près de l'observatoire d'Arecibo. En Australie aussi, sur une base de Tasmanie, me semble-t-il. Et l'Europe a également son site de recherche, c'est l'EISCAT (European Incoherent Scatter Radar Site), à Tromsø en Norvège, qui est géré par un consortium de cinq pays. Il faut faire attention de ne pas voir des complots partout.

– D'accord, si on poursuit votre raisonnement, convint Janice Anders, même si le développement de nouvelles armes n'est pas le but d'USP, toujours est-il que ce genre de tests peut causer de gros dégâts pour l'environnement !

– C'est bien là tout le problème! conclut Buzz Anders, dont l'épaisse moustache s'orna brusquement d'un filament de fromage que sa femme s'empressa d'essuyer. Un geste de tendresse qui n'échappa pas aux deux visiteurs, qui échangèrent un regard amusé.

* * *

Le dimanche soir, lors d'un dernier *briefing*, Florent promit à Dumont un rapport circonstancié de leurs journées de travail et lui expliqua en détail comment ils allaient procéder.

– Notre matériel de recherche est arrivé il y a une dizaine de jours. Les Américains nous prêtent certaines de leurs antennes ionosondes pour nos expériences sur les aurores boréales.

– Donc, tu utilises le programme HAARP?

– Effectivement, notamment un émetteur à haute fréquence et de grande puissance appelé IRI, pour Iono-spheric Research Instrument. Ça, c'est moi qui m'en occupe. Stéphane, pour sa part, va travailler avec un radar appelé ISR, Incoherent Scatter Radar, avec lequel il va stimuler des petits endroits bien définis de l'ionosphère pour y mesurer la densité des électrons et des ions, et leurs températures. De son côté, Karl sera responsable des recherches avec les ionosondes, les magnétomètres et le LDR, soit le radar Light Detection and Ranging, pour observer les variations naturelles de l'ionosphère et détecter les effets artificiels que je vais créer avec l'IRI.

– Et c'est à ça que correspond toute cette forêt d'antennes?

– Exact. L'IRI est composé de cent quatre-vingts mâts d'une hauteur de vingt-deux mètres, disposés tous les vingt-cinq mètres. Au sommet de chacun de ces mâts se trouvent deux antennes. À environ quatre mètres cinquante, sur chaque mât, il y a un réflecteur. On trouve aussi six paires d'émetteurs. Quant à l'ISR, c'est une large antenne parabolique de trente-cinq mètres de diamètre.

– Et les autres antennes ?

– Je ne sais pas trop. Nous n'en avons pas l'usage, donc je ne peux pas te dire à quoi elles servent.

– Et tout ça, c'est pour étudier les aurores boréales ? Tu ne trouves pas que ça fait beaucoup d'antennes ici ?

– C'est vrai qu'il y en a pas mal ! Pour nos travaux, les miens en tout cas, nous n'avons pas besoin de tout ça, mais il y a sûrement des chercheurs qui les utilisent…

– Tu as dit à Buzz Anders que personne ne pouvait prédire les effets de bombardements de l'ionosphère. Tu ne crois pas qu'il y a comme une contradiction entre ce que tu dis et ce que tu fais ?

Isabelle Florent répliqua d'un ton sec :

– Écoute, moi j'étudie les aurores boréales, et ce que je fais ici, c'est la même chose que ce que j'ai fait l'an dernier à HIPAS. Bien sûr, les instruments ici sont plus puissants, c'est la seule différence.

– Je sais que je vais te paraître ignare, mais j'aimerais que tu m'expliques ce que c'est, au juste, une aurore boréale. Tu ne l'as jamais fait dans tous les *briefings* que tu m'as donnés pour que je puisse passer pour ton assistant.

– Il y a sans cesse des éruptions à la surface du soleil. Les plus violentes projettent des particules dans l'espace. Ce vent solaire provoque au contact de l'atmosphère terrestre l'illumination des gaz qu'il traverse. Lorsque l'aurore a une teinte rose, c'est que le vent solaire a traversé une zone contenant de l'azote ; lorsque c'est jaune-vert, c'est qu'il a été en contact avec de l'oxygène. Leur altitude moyenne est d'environ cent à cent dix kilomètres. Et elles apparaissent de préférence entre vingt-trois heures et trois heures du matin. On peut les observer pendant plusieurs minutes, et parfois plusieurs heures. Les aurores suivent les lignes de force du champ magnétique terrestre et c'est la raison pour laquelle elles sont plus visibles aux pôles.

– Il y a des aurores en Antarctique ?

– Oui. On les appelle aurores australes dans ce cas-là. J'ai deux collègues qui sont actuellement en Antarctique pour les étudier en parallèle avec moi. On va passer ensuite une bonne partie de l'année prochaine à comparer les deux systèmes.

– J'ai vraiment hâte de voir ça et de prendre des photos pour Steph.

* * *

Le lundi matin, comme prévu, un hummer blanc de l'armée américaine s'arrêta devant le chalet de l'hôtel, où les trois chercheurs canadiens terminaient de préparer leurs affaires. Documents et ordinateurs portables en main, ils s'engouffrèrent dans le hummer conduit par un soldat qui ne desserra pas les dents jusqu'à la base HAARP de Gakona. Pendant trois jours, très tôt le matin ils seraient ainsi transportés sur leur lieu de travail, un énorme bâtiment mobile blanc, monté sur roues et stationné au milieu de l'impressionnant champ d'antennes. Et reconduits de même le soir.

Dumont avait pour sa part prévu deux autres rencontres avec les Anders.

Le soir, après leur travail, il retrouva les trois chercheurs au restaurant de l'hôtel.

– Nous avons parlé avec quelques personnes sur la base et je suis très perplexe, déclara Karl Anton. Certains d'entre eux semblent se livrer à des expériences que je juge plutôt hasardeuses.

– Tu as raison, confirma Stéphane Lapointe. J'ai entendu l'un d'entre eux parler de soulever le courant des vents dans la haute atmosphère, notamment le *jet-stream*, pour influer sur le temps dans un pays ou une région donnés.

– C'est fascinant et préoccupant, estima Dumont. Il n'y a pas vraiment de frontière entre la recherche militaire et la recherche civile. Ces recherches sur les modifications climatiques pourraient tout autant servir à des fins pacifiques ou humanitaires qu'à des fins militaires. On pourrait éventuellement venir en aide à des pays aux prises avec des sécheresses terribles. Peut-être un jour transformer le Sahara en espace vert? Qu'en penses-tu, Isabelle?

– Il faut être extrêmement prudent quand on décide de jouer les apprentis-sorciers. Ces gens d'USP semblent manier des concepts qui les dépassent. Ça m'inquiète!

– Et moi donc! Le risque qu'ils provoquent des dérapages écologiques catastrophiques en mettant au point la technologie de la modification climatique est réel. Le problème est que le génie est déjà sorti de la bouteille...

* * *

À la veille de leur retour à Montréal, vers minuit, les quatre Canadiens, chaudement vêtus, s'éloignèrent lentement de Glennallen en raquettes, à la lueur de puissantes torches. Ils avaient un important rendez-vous.

L'après-midi même, Karl Anton les avait prévenus qu'une puissante éruption solaire avait eu lieu plusieurs heures auparavant et qu'il fallait s'attendre à un fantastique spectacle d'aurores boréales cette nuit-là. Dumont ne voulait manquer cela pour rien au monde, lui qui n'en avait jamais vues, tandis que les chercheurs, même si étudier ces phénomènes était leur métier, n'étaient jamais blasés par le tableau surréaliste que la nature leur offrait. Ils étaient tous surexcités par l'expérience visuelle qu'ils anticipaient.

– Sais-tu que les Inuits disent que l'aurore boréale est la danse des esprits de certains animaux, notamment les saumons, les phoques, les bélugas et les caribous? raconta Florent, tandis qu'ils peinaient à avancer dans une cinquantaine de centimètres de neige.

– D'autres pensent qu'il s'agit d'esprits humains! corrigea Stéphane Lapointe.

Il était près d'une heure du matin lorsque le ciel se drapa de bleu et scintilla de paillettes. Une valse de jaune et de vert, des vagues arc-en-ciel se succédèrent, irrisant le ciel étoilé.

Dumont déclencha plusieurs fois son appareil numérique. Il mitraillait littéralement le ciel dans le but d'avoir un maximum de bons clichés.

– Là! s'écria soudain Anton en dirigeant un rapide clignotement de sa torche sur un coin du ciel. Super! On a de la chance, une aurore à lumière rouge! Celles-là sont très haut dans l'atmosphère, au-delà de trois cents kilomètres, précisa-t-il pour Dumont.

– Pour la première fois, tu es très chanceux, car les aurores rouge foncé sont très rares, fit remarquer Florent.

– Tellement rares que certaines personnes les ont parfois prises pour des feux de grande ampleur, continua Lapointe. Pour le violet et le bleu, il faut que ce soit l'azote de la haute atmosphère qui soit ionisé. Normalement, les aurores sont le plus souvent blanchâtres avec de légers reflets verts, surtout plus au sud. Mais ici, nous sommes si près du pôle que nous avons droit à un spectacle de grande envergure.

Isabelle Florent remonta son col et abaissa les rabats de sa chapka de fourrure sur ses oreilles. Le froid était mordant.

– Dans la région de Fairbanks, il peut y avoir jusqu'à deux cents nuits par an où l'on voit des aurores.

Plusieurs sont créées artificiellement par les projets HIPAS et HAARP, mais c'est néanmoins une des régions de l'Alaska où on en voit le plus à l'état naturel. Puis, le spectacle étant fabuleux, chacun se tut pour apprécier la magnificence du moment.

* * *

Montréal, 23 décembre 1997, 17 h
Stéphanie Blois-Dumont arma le système d'alarme de la boutique de l'avenue Laurier, s'assura que la porte était bien verrouillée et se dirigea vers la voiture de Dumont, stationnée à quatre coins de rue de là. Ses pas s'enfonçaient dans l'épaisse couche de neige tombée la veille. Il faisait doux, pour la saison, et elle glissa son foulard et ses gants dans son grand sac à main, offrant son visage au vent léger qui faisait virevolter ses cheveux noirs. Elle était heureuse, elle était en vacances jusqu'au 5 janvier. Ce n'était pas durant les Fêtes que les designers travaillaient le plus, au contraire des marchands. Elle aurait beaucoup aimé passé cette période de l'année au Mexique ou dans une quelconque île du Sud, mais l'enquête menée par son mari ne leur permettait pas de s'absenter. Elle trouvait cette situation difficile à supporter. Il lui était impossible de planifier quoi que ce soit, surtout depuis les derniers mois. Pierre pouvait partir ici ou là au premier coup de téléphone, et bien souvent sans lui fournir plus d'explications que nécessaire. Et puis surtout, il y avait cette chercheuse aux cheveux roux. Pierre avait beau se défendre, dire qu'elle n'était qu'une relation de travail, Stéphanie la trouvait trop intelligente, trop serviable, trop présente et trop tout quoi ! Et en plus, elle le jurerait, elle devait être jolie. Irait-il jusqu'à la tromper ? Il y a quelques mois, elle aurait haussé les épaules devant une telle éventualité, mais depuis qu'il avait rencontré cette Isabelle, elle ne

pouvait plus jurer de rien. Elle le savait dragueur, un peu macho, mais surtout joueur. Le jeu pourrait-il le pousser dans les bras de miss McGill ? Ces noires pensées alimentaient sa jalousie et c'est presque en état de crise qu'elle s'approcha du véhicule où l'attendait son mari.

Au volant de sa Mazda Protegé, Dumont prêtait à peine attention à la radio qui diffusait des cantiques de Noël. Lui qui avait ce genre de musique en horreur était si immergé dans ses propres réflexions sur son enquête qu'il n'avait rien remarqué.

Puis, voyant Stéphanie venir vers lui, il sourit. Sa démarche élastique la faisait presque survoler le trottoir glissant, il la trouva tellement jolie qu'il se prit à la désirer. Tout de suite. « Je suis un sacré imbécile. Je suis marié à la plus belle et à la plus intelligente femme qui soit, et c'est tout juste si je le remarque encore ! »

Reconnaissant enfin un *Il est né le divin Enfant*, il ferma la radio d'un geste nerveux.

– Bonjour mon amour, lui lança-t-il lorsqu'elle prit place à ses côtés. Ils se frôlèrent la bouche rapidement.

Ce 23 décembre marquait leur deuxième anniversaire de mariage, mais Dumont prit garde d'y faire la moindre allusion. Espérant un mot gentil, une étreinte passionnée, Stéphanie se renfrogna sur son siège. Qu'il ait oublié cette date si importante la mit dans un état tel qu'elle faillit se précipiter hors du véhicule et rentrer en autobus. Mais déjà Dumont avait démarré et se glissait dans la circulation. La colère qu'elle réfrénait depuis sa sortie du travail bouillait maintenant en elle. Elle prit le parti d'attendre d'être à la maison pour laisser éclater sa fureur. Cette fois, c'en était trop.

– Vite rentrons, j'ai des choses à te dire !

Le ton qu'il avait employé ne lui laissait rien présager de bon. Inquiète, elle scruta son visage, espérant y découvrir une trace de ce qu'il mijotait. Le silence s'installa entre eux, pesant, chargé de menaces de la part

266

de Stéphanie, anxieux chez Dumont. Il ne leur fallut qu'une quinzaine de minutes pour regagner leur appartement de Rosemont.

– Qu'est-ce qui se passe ? s'exclama Stéphanie en constatant que la porte butait sur deux sacs de voyage dans l'entrée. Tu repars en voyage ? Je me doutais d'un coup de cochon de ce genre !

Son ton avait monté d'un cran, des larmes firent briller ses yeux, un cri de rage bloqua sa poitrine, que les propos de son mari stoppèrent net.

– ON… part en voyage, ma puce ! J'ai réservé à Tremblant pour quelques jours !

Toute la tension l'abandonna alors. Un hoquet de surprise mêlé de soulagement passa ses lèvres.

– Bon anniversaire, mon amour !

– Mais… tu es fou ? Ça doit coûter une fortune !

Un grand sourire démentait son inquiétude ; elle rayonnait de bonheur.

* * *

C'est à son horloge extérieure rouge, un genre de Big Ben miniature, que Dumont repéra La Tour des Voyageurs, un hôtel quatre étoiles situé au cœur du vaste complexe récréotouristique de Mont-Tremblant. Il était à peine huit heures. Les illuminations de la nuit n'étaient pas encore éteintes et donnaient un petit air irréel et féerique au village. Il se dirigea aussitôt vers le stationnement intérieur de l'hôtel pour y laisser la Mazda Protegé ; leur hôtel étant installé dans le village piétonnier, ils n'auraient plus à l'utiliser pendant les quelques jours de leur séjour.

Ils s'installèrent dans la suite que Dumont avait réservée quelques jours plus tôt, avec l'aide du bureau du ministre de la Sécurité publique, car en cette période des Fêtes, il aurait été impossible d'obtenir une telle chambre à si bref avis. D'ailleurs, il lui avait été impossible d'obtenir une chambre toute simple, il lui avait fallu prendre une suite avec cuisine, ce qui lui coûterait beaucoup plus cher que ne le prévoyait son budget. Mais tant pis !

– Pierre, c'est superbe. Tellement dépaysant ! As-tu vu les toits colorés, les maisons et les hôtels rouges, verts ? On se croirait dans un village suisse, et pourtant on est à peine à deux heures de Montréal.

Un feu de cheminée crépitait dans la suite qu'on leur avait octroyée ; un immense lit king leur ouvrait ses draps. Stéphanie songea qu'elle aimerait bien l'essayer sur-le-champ, mais Pierre s'activait déjà à ouvrir leurs sacs. Elle soupira, sachant que ce n'était que partie remise.

– Ce matin, on prend ça relax. On pourrait faire une balade dans le village, faire les boutiques, si tu veux.

Elle savait que, comme la plupart des hommes, faire du magasinage n'était pas le passe-temps favori de Dumont, elle lui lança donc un regard étonné. Et la suite du programme la laissa sans voix.

– Pour cet après-midi, j'ai réservé au sauna finlandais. On aura accès aux tourbillons extérieurs, aux chutes nordiques et thermales, et même à un bon bain glacé dans la rivière La Diable, si on en a le courage, et le tout sera suivi par un massage suédois. Ça te va ?

– Génial ! Je ne sais pas quoi te dire, c'est merveilleux. Elle se pencha vers lui et ils échangèrent un long baiser passionné. Elle tenta de l'attirer vers le lit, mais il se dégagea doucement.

– Et tu n'as rien vu. Demain, c'est Noël, et je t'offre une expédition dans la vallée de La Rouge, on va faire de l'équitation hivernale le long de la rivière.

– Ça fait une éternité que je ne suis pas montée… Ses yeux noirs brillaient d'excitation.

– Ne t'inquiète pas. J'ai tout prévu, on va prendre la randonnée pour débutants. Et comme la promenade dure environ une heure, on pourra ensuite profiter de la visite guidée en raquettes dans les montagnes pour faire de l'observation de cerfs de Virginie.

– Fantastique ! Moi qui rêvais de décompresser... c'est vraiment parfait pour tout oublier ! C'est le plus beau cadeau de Noël que tu m'aies jamais fait..., à part notre mariage !

– Et ce soir, ma puce, on va s'offrir un vrai souper gastronomique... et une promenade de nuit dans le village tout illuminé. Tu verras, ce sera magique !

Une fois encore elle l'enlaça, et il se laissa conduire doucement vers le lit.

La semaine de vacances de Stéphanie et Pierre Dumont passa comme dans un rêve, trop vite à leur goût d'ailleurs. Mais il fallait bien rentrer à Montréal, car ils devaient passer le réveillon de la Saint-Sylvestre dans la famille Blois, à Outremont. Pierre appréciait beaucoup les parents de sa femme, et surtout la chaleur et l'esprit de famille qui régnaient chez eux. Les réunions de famille étaient fréquentes chez les Blois. Environ une fois par mois, tout le monde se retrouvait autour d'une table. Dumont adorait ces soirées à la bonne franquette. Il avait été élevé par son père, sa mère l'ayant tout simplement abandonné pour suivre son amant, un pseudo-acteur, en Californie, et il n'avait jamais connu de tels moments de partage où ça riait, discutait et chantait à qui mieux mieux. Il s'entendait à merveille avec les deux jeunes frères de sa femme, David, vingt-trois ans, et Julien, vingt ans, tout autant qu'avec sa petite sœur de seize ans, Aurélie.

Ils arrivèrent vers vingt heures, les bras chargés de victuailles et des cadeaux qu'ils n'avaient pu offrir à Noël, qu'ils avaient passé en amoureux à Mont-Tremblant.

C'est sur le coup de minuit que la fête se gâta pour Dumont. Alors qu'ils s'échangeaient des vœux de santé et de prospérité, David, enlaçant tendrement sa compagne Charlotte, avec qui il partageait sa vie depuis un peu moins d'un an, leva son verre et annonça:

– Et à notre petit Jean-Stéphane…

La stupeur plana un instant dans le salon décoré, puis Charlotte porta les mains à son ventre et tout le monde comprit de quoi il était question. Le couple fut chaudement félicité, embrassé et interrogé. Charlotte était enceinte de quatre mois.

Stéphanie tourna les yeux vers Dumont, mais celui-ci évita soigneusement son regard et entreprit de ramasser les papiers d'emballage qui gisaient sur le plancher. Il savait ce que ces yeux-là disaient mais, pour lui, c'était hors de question. Jamais il n'y aurait de bambin qui le tirerait par la main pour aller voir les vitrines de Noël du centre-ville. Malgré tout l'amour qu'il ressentait pour Stéphanie, il ne parvenait pas à lui expliquer la raison fondamentale de sa décision. Elle lui en voulait pour ça, mais les mots ne parvenaient pas à percer la barrière de ses sentiments. Le mur qu'il avait dressé autour de lui était infranchissable. Peut-être un jour parviendrait-il à tout lui expliquer, mais pas maintenant. Pas si tôt.

Une trentaine de minutes plus tard, il jugea le moment propice pour faire lui aussi une annonce qui, il en jurerait, serait beaucoup moins appréciée, notamment par Stéphanie.

– J'ai moi aussi quelque chose à vous dire. C'est moins charmant que David et Charlotte, mais je veux également partager cet événement avec vous.

Un pli soucieux barra le front de Stéphanie.

– Voilà, dans trois… Il jeta un coup d'œil au calendrier de sa montre. Non, deux jours maintenant, je pars pour l'Antarctique.

Aurélie le pressa de questions, David et Julien étaient enthousiasmés par la nouvelle, et leurs parents Jean Blois et Diane Corriveau le félicitèrent pour sa chance.

Stéphanie ne dit rien. L'annonce l'avait foudroyée. Dumont se tourna vers elle :

– Je ne te l'ai pas dit plus tôt parce que je ne voulais pas gâcher tes vacances à Tremblant. C'est pour mon enquête.

– Tu pars avec elle ?

– Évidemment. Isabelle constitue mon ticket d'entrée sur la base. Nous ne risquons rien. Je ne peux pas en dire plus.

– D'accord.

Stéphanie avala sa salive pour ne pas laisser voir sa frustration. Devant sa famille, elle ne voulait pas montrer les sentiments qui l'habitaient et surtout le trouble que cette enquête avait installé dans son couple.

– Et tu reviens quand ?

– Je ne sais pas vraiment, ça dépend de ce que je trouverai là-bas. Mais je ne pense pas que cela prenne plus de trois ou quatre jours, maximum !

14

**Quelque part entre l'Amérique du Sud et
l'Antarctique, 4 janvier 1998, 14 h 45**
Il y avait maintenant près de six heures que le Twin Otter
d'Edmonton Polar Air Services avait quitté Punta
Arenas, en Terre de Feu, en direction de l'Antarctique.
Le plan de vol enregistré par le pilote auprès des autorités aéronautiques chiliennes donnait pour destination
la base saisonnière norvégienne des monts Ellesworth,
au cœur du continent Antarctique.

Edmonton Polar Air Services était un opérateur
spécialisé dans les vols vers l'Arctique canadien qui
avait aussi développé une expertise parallèle pour
l'Antarctique, où il effectuait chaque année quelques
vols nolisés pour des organismes scientifiques ou des
entreprises en leur offrant des services de soutien. Les
quatre Twin Otter de la compagnie, spécialement modi-
fiés pour des vols polaires, étaient entre autres équipés
de réservoirs supplémentaires.

Cette fois, la raison officielle du vol était de
permettre à Isabelle Florent de rejoindre ses collègues
John Nash et Peter Chung, chercheurs à McGill, avec de
nouveaux instruments. En fait, le programme de
recherche ne prévoyait rien de tel. Le Twin Otter
d'Edmonton Polar Air Services ne devait en réalité

évacuer les chercheurs québécois et les trois Norvégiens sur place qu'au début de février. Ce vol résultait d'un stratagème mis au point par la cellule de crise Québec-Ottawa pour permettre à Dumont de se rendre à Siple Station. Il était prévu que le pilote prétexte des ennuis techniques pour demander la permission d'y atterrir d'urgence, la station étant le lieu habité le plus près de leur destination supposée dans le désert de glace infini qu'est l'Antarctique.

Le soleil estival de l'hémisphère Sud était éclatant au point où Dumont dut baisser le volet de son hublot. À ses côtés, Isabelle Florent lisait le magazine *Holà* qu'elle avait pris dans le hall de l'hôtel Finis Terræ de Punta Arenas, où ils avaient passé les derniers jours à attendre des conditions météo favorables.

– Que font exactement tes collègues avec les Norvégiens ? demanda Dumont.

– Ils participent à un programme parrainé conjointement par le Conseil national de la recherche scientifique du Canada et celui de la Norvège. Ils sont à Ellesworth Mountains depuis la fin de novembre pour étudier les bombardements cosmiques de certaines particules subatomiques et les aurores australes qu'ils provoquent. L'Antarctique est situé sous un immense trou dans la couche d'ozone terrestre, qui n'est donc pas là pour les absorber. On va ensuite comparer les données avec celles que j'ai recueillies en Alaska.

– Penses-tu que ce trou dans la couche d'ozone pourrait expliquer pourquoi les émissions à ultra-basses fréquences transmises de l'Antarctique ont un effet aussi important sur l'ionosphère au-dessus du Québec ?

– Pas vraiment, Pierre, répondit Florent comme un prof à un élève sous-doué. C'est plutôt une question de géomagnétisme terrestre. Tu as déjà oublié ton cours intensif du mois d'octobre ?

Ewan Ross sortit de la cabine de pilotage et vint s'asseoir devant eux.

– C'est plutôt différent de ce que je fais habituellement. Quand je suis entré au SCRS, je n'aurais jamais pensé que ça me mènerait au pôle Sud.

– Et moi donc! fit Dumont. La police de Montréal fait rarement des enquêtes dans le voisinage.

La responsabilité de la mission avait été confiée à Dumont d'un commun accord entre les représentants des premiers ministres du Québec et du Canada. Les deux agents du SCRS, c'est-à-dire Ross et le pilote Marc-André Flynn, étaient là pour lui prêter assistance. Flynn, un ancien pilote militaire, volait habituellement sur des avions de surveillance du SCRS. Quant à Florent, qui lui servait de couverture, elle agissait aussi à titre de conseillère scientifique.

La mission avait deux volets. D'abord larguer deux sondes capables de faire des relevés d'émissions radio-électriques dans un rayon de cent kilomètres autour de Siple Station, ensuite se poser sur la base et trouver un prétexte pour y passer quelques jours afin d'observer ce qu'on y faisait. Les sondes devaient poursuivre la surveillance électronique de la station américaine après le départ du Twin Otter.

Avant de quitter Edmonton, des techniciens du Centre de la sécurité des communications du gouvernement fédéral avaient installé à bord un système de transmission à haute sécurité qui, espéraient-ils, mettraient les communications des quatre passagers à l'abri des écoutes de la NSA américaine. À l'aide de ce qui semblait être un téléphone cellulaire conventionnel, ils pouvaient, si besoin était, communiquer entre eux et directement avec le Canada de façon sécuritaire, à condition d'être à moins de vingt kilomètres du Twin Otter qui servirait de relais.

– On a dépassé l'île Alexander il y a une demi-heure et on devrait atteindre l'Antarctique dans la prochaine heure. On prévoit lâcher une sonde à cinquante kilomètres au nord de Siple Station et une autre à la même distance au sud. Après, à environ cent cinquante kilomètres au sud-est de la base américaine, on va simuler des ennuis mécaniques et demander la permission d'atterrir, précisa Ross.

– On devrait donc se poser à Siple Station dans quatre heures, estima Dumont en consultant sa montre. Il commençait à trouver le temps long. Pourquoi faut-il aller si loin ?

– Parce qu'ils risquent de nous demander de nous poser à Eights Station, expliqua Ross. Une autre base américaine à deux cents kilomètres au nord-est de Siple. La météo prévoit des grands vents en soirée. Espérons que ça ne nuira pas au largage des sondes.

Le Twin Otter survolait maintenant la mer de Bellinghausen, tout juste au sud du 60ᵉ parallèle, en approche de la terre d'Ellesworth où la base américaine avait été construite en 1969. Par le hublot du Twin Otter, Dumont remarqua que la fonte des glaces était commencée. En effet, dans cette région de l'Antarctique, des zones profondes et plus chaudes faisaient déjà monter la température des eaux côtières de deux degrés de plus qu'ailleurs sur le continent, permettant à la mer de Bellingshausen d'être plus rapidement dégagée des glaces en été.

Deux heures plus tard, les deux sondes arrimées au ventre du Twin Otter furent larguées sans difficulté à trente minutes d'intervalle. La requête d'atterrissage d'urgence fut par la suite lancée comme prévu. Siple Station avertit Marc-André Flynn qu'un puissant vent se levait et il fut encouragé à se poser rapidement.

Des vents catabatiques, c'est-à-dire descendants, pouvaient balayer l'Antarctique de l'Ouest, provoquant des tempêtes pouvant durer plusieurs jours, voire plusieurs semaines, sans la moindre accalmie, ce qui empêchait dès lors tout avion d'atterrir ou de décoller. Ces vents étaient créés par la gravité et résultaient du déferlement de l'air froid descendant des plateaux élevés des pentes continentales. Réagissant avec l'air plus chaud de l'océan, ces violentes bourrasques provoquaient une ceinture de tempêtes donnant naissance à des nuages, du brouillard et des blizzards d'une puissance phénoménale. Et justement, une telle tempête était prévue pour les heures à venir, même si les météorologues étaient optimistes et pensaient qu'en raison de la saison, les vents ne seraient pas trop violents et devraient durer moins de vingt-quatre heures.

Dumont ne put retenir un frisson lorsqu'il s'extirpa enfin de l'appareil canadien. Pourtant, en cette période de l'année, il ne faisait pas plus froid à Siple, où c'était l'été austral, qu'au Québec, la moyenne de la température diurne étant de -14 °C. En fait, ce n'était pas le nombre d'heures d'ensoleillement qui expliquait le phénomène de cet éternel hiver sous cette latitude, mais plutôt le fait que les rayons du soleil avaient un angle plus oblique et que la plupart des ondes de rayonnement étaient absorbées par les gaz de l'atmosphère ou réfléchies dans l'espace par les nuages, la couverture de neige et la glace. Ce n'était donc pas tant le froid qui donnait des frissons à Dumont que l'immense sentiment de solitude qu'il ressentit en posant le pied sur le sol antarctique ; ici, il se sentait vraiment au bout du monde.

Quatre Américains vêtus d'épais duvets rouges vinrent les accueillir à leur sortie d'avion à bord d'un véhicule chenillé qui remorquait une génératrice.

– Soyez les bienvenus à Siple Station, dit Lloyd Hudson. Je suis l'administrateur de la base, qui est gérée par Ultimate Systems Providers pour la National Science Foundation.

Marc-André Flynn présenta Isabelle Florent comme une scientifique et Pierre Dumont comme son assistant qui allaient rejoindre un collègue à la base norvégienne située à quatre cent cinquante kilomètres plus au sud.

Deux des Américains aidèrent Ewan Ross à raccorder l'avion à la génératrice pendant que Flynn expliquait à Hudson la nature de l'avarie qui l'avait obligé à se poser d'urgence.

Hudson les fit monter dans son véhicule pour les conduire à la cafétéria de la base.

Siple Station était un assemblage de baraquements préfabriqués rectangulaires d'un jaune flamboyant à un seul niveau, de deux bâtiments gris et d'un troisième, rouge sombre, plus important et sur deux étages. Dumont pensa immédiatement qu'il devait s'agir de l'endroit d'où USP menait ses expériences.

– J'ai bon espoir de pouvoir régler le problème demain, assura le pilote. Sinon, on fera venir un technicien et des pièces de Punta Arenas.

– Ne vous en faites pas trop, fit Hudson, la National Science Foundation qui gère le programme antarctique américain dispose de trois Twin Otter sur le continent et la Navy en a aussi deux. Ils ont un bon stock de pièces et quelques mécaniciens à McMurdo. Ils pourraient éventuellement vous dépanner.

Florent expliqua à Dumont que McMurdo était la principale base américaine du continent et était située sur la mer de Ross, à quelque deux mille trois cents kilomètres de distance.

– Merci pour votre hospitalité, monsieur Hudson. Nous essaierons de ne pas vous encombrer, s'excusa Florent.

– Êtes-vous nombreux dans la station? demanda Dumont.

– En ce moment, une cinquantaine de personnes. Mais ça fluctue. Il est même arrivé un hiver qu'il n'y ait que deux chercheurs, mais généralement nous sommes entre quarante et soixante. Je vous présenterai quelques collègues tout à l'heure à la cafétéria. D'abord, je vais vous montrer notre unité d'hébergement. Il les dirigea vers le secteur dortoir d'un baraquement où on leur indiqua des couchettes. Le confort était rudimentaire, d'ailleurs personne ne s'attendait à descendre dans un cinq étoiles. Les espaces d'habitation étaient réduits au strict minimum de manière à octroyer le plus d'espace possible aux ordinateurs et instruments de recherche.

Après avoir déposé leurs effets personnels dans leur dortoir, Florent et Dumont furent conviés à manger en compagnie d'une bonne partie des Américains. Pendant ce temps, Flynn et Ross se firent conduire à l'appareil sous prétexte de commencer les vérifications en vue de réparer l'avarie. Il s'agissait en fait de vérifier l'état du système de communication et d'avertir Ottawa qu'ils s'étaient posés comme prévu.

À la cafétéria, un homme d'une cinquantaine d'années, les cheveux parsemés de blanc, à l'allure militaire, se présenta comme James Weaver, administrateur adjoint de Siple Station. Il présenta une dizaine de techniciens et de chercheurs, dont un certain Yuri Boukarov, le directeur scientifique de la station. Le nom du savant fit résonner une petite cloche dans le cerveau de Dumont. Ce nom était apparu à de nombreuses reprises dans les documents consultés à Washington. Le Russe avait déposé plusieurs brevets pour le compte d'Ultimate Systems Providers. C'était sans doute lui qui dirigeait sur place les expériences ELF qui visaient le Québec. Il se souvenait aussi des propos de Galya Krasnikova à Moscou. Boukarov était ce chercheur qui avait plié bagage en emportant plusieurs secrets sur les programmes de recherche russes en électromagnétisme.

Au fil des présentations et durant la bonne demi-heure que dura la pause-café, Dumont remarqua que le groupe formé par les collaborateurs de Boukarov se tenait ostensiblement à l'écart des autres occupants de la station, comme s'il s'agissait d'un groupe autonome.

Les ayant observés à la dérobée, il nota qu'ils semblaient préoccupés par l'arrivée inopinée de ces visiteurs étrangers, provenant du Canada de surcroît.

– C'est quand même une sacrée coïncidence qu'ils débarquent ici comme ça, sans crier gare. Et au moment où l'on va commencer l'opération, lança discrètement Boukarov à Weaver.

– Hudson aurait pu leur refuser la permission d'atterrir, estima Boukarov.

– Ça lui aurait été totalement impossible. Ça violerait tous les accords d'entraide et d'assistance du Traité de l'Antarctique, affirma Weaver.

– Si jamais ils découvrent ce qu'on est en train de préparer, ça va pas mal foutre en l'air le Traité de l'Antarctique, ajouta Boukarov.

– Tu as raison, la panne tombe un peu trop bien, confirma Weaver. Je n'aime pas les voir ici.

Le Russe se tourna vers un membre de son groupe en survêtement bleu foncé portant la mention « USP Security » sur la poitrine.

– Frank, tu vas transmettre les noms de nos visiteurs et leur description physique à Eisley, à Galveston. N'oublie pas de signaler les circonstances de leur arrivée ici. Demande une enquête de ma part.

– Le type qui se prétend assistant de recherche n'a vraiment pas la gueule de l'emploi, fit un autre membre du groupe. En attendant, qu'est-ce qu'on fait ?

– On poursuit l'opération avec les protocoles scientifiques prévus, déclara Boukarov, tout en lançant des regards sombres en direction des Canadiens. Flagerty m'a encore répété ce matin qu'on ne devait y déroger sous aucun prétexte.

Frank, l'agent de sécurité d'USP, fit ce que Boukarov lui avait demandé. Par courriel sans cote prioritaire, il avisa le siège social d'Ultimate Systems Providers de l'arrivée inopinée de l'avion canadien et des causes probables de l'atterrissage d'urgence, avec les noms, adresses et numéros de passeport des quatre occupants.

On était dimanche. John McLelland, le chef de permanence au centre des communications d'USP aux États-Unis, constata que le courriel n'avait aucun caractère d'urgence, puisqu'il ne portait pas de cote de priorité. Il l'imprima donc et le déposa dans une enveloppe qui devait partir le lendemain pour le bureau de Dave Eisley, situé six étages plus haut, avec tous les rapports et tous les messages non urgents reçus durant la fin de semaine.

Siple Station, 4 janvier 1998, 21 h
Dans une salle sombre au niveau supérieur de l'immeuble rouge, Boukarov terminait avec ses collaborateurs les procédures de mise en service du nouvel émetteur d'ultra-basses fréquences que des techniciens d'USP et de la Navy avaient assemblé au cours de la semaine. Il demanda à un homme assis devant un écran d'ordinateur grand format de vérifier si les conditions ionosphériques au-dessus du Québec étaient optimales. L'homme, un sous-officier de la Navy, était le seul dans la salle à porter un uniforme. Du bout de sa souris, le technicien cliqua sur une série de requêtes sur l'ordinateur de la base. Les données transmises de Siple Station furent immédiatement reçues par un satellite de la National Reconnaissance Office du Pentagone en position géostationnaire à trente mille kilomètres de la Terre. Le satellite pivota lentement sur son axe pour aligner des capteurs vers le nord du Québec.

– Comme prévu pour cette période de l'année, les conditions ionosphériques sont idéales, fit l'homme après quelques secondes d'observation.

– Et la météo, Matt? demanda Boukarov à un autre scientifique qui observait en temps réel la météo au-dessus du nord-est de l'Amérique du Nord.

– Pour le nord du Québec, rien n'a changé depuis quarante-huit heures. Aucune des conditions atmosphériques permettant de prévoir des précipitations n'a été détectée et aucune n'est prévisible pour les deux prochains jours au moins. Mais dans l'extrême sud du Québec, la situation est différente. De légères précipitations de neige pourraient toucher la région de Montréal.

Pour Boukarov, il était important que le ciel soit complètement dégagé dans la région au nord du lac Mistassini. S'il s'y produisait une tempête de neige dans les vingt-quatre prochaines heures, elle ne pourrait être que la résultante de la manipulation climatique qu'il s'apprêtait à provoquer de Siple Station. Il se tourna vers un troisième homme.

– Greg, commencez la transmission en augmentant la puissance par incréments de vingt mille watts/minute.

Une extraordinaire quantité d'énergie parcourut instantanément la gigantesque antenne dipôle déployée dans les neiges autour de Siple Station.

– Le satellite détecte l'émission ELF et son effet sur l'ionosphère au-dessus de la zone ciblée, commenta le sous-officier de la Navy.

Après une hésitation, il ajouta avec étonnement : « Elle a six fois l'intensité théorique prévue. »

– Greg, ajuste l'émission pour qu'elle se conforme aux paramètres anticipés.

Nord du Québec, 4 janvier 1998, 21 h 17

En route vers Londres, le commandant Scott Baird survolait le nord du Québec à plus de dix mille mètres lorsque, brusquement, le Boeing 747 de la British Airways qu'il pilotait perdit l'usage de tous ses instruments électroniques de bord. Un certain flottement envahit alors la cabine de pilotage.

En silence, mais visiblement tendu, le copilote Vincente Moreno procéda à la vérification de tous les compteurs, ordinateurs et manettes, tandis que la sueur lui perlait dans le cou et dégoulinait dans son dos.

Scott Baird ne fit ni une ni deux, il retira le pilote automatique et s'empara des commandes, tout en tentant de communiquer avec le contrôle aérien pour l'avertir qu'il allait devoir poser son appareil d'urgence. Peine perdue, une épouvantable friture l'empêchait de communiquer. Moins d'une minute après la perte de l'électronique de bord, tout revint à la normale dans l'avion, aussi brusquement que ça s'était déréglé. Par prudence, le commandant de bord demanda néanmoins une autorisation d'atterrissage à Goose Bay, au Labrador, afin de procéder à la vérification de tous ses instruments.

Presque au même moment, Dominique Lebel, pilote de Cessna 172, roulait en direction du bout de la piste de Chicoutimi-Bagotville. Il voulait effectuer un vol de nuit pour maintenir sa qualification. Alors qu'il tournait pour se placer dans l'axe de la piste, il constata une perte totale de communication radio. Il réduisit les gaz et ramena en maugréant son appareil vers un hangar du côté civil de l'aérodrome.

En approche de Chicoutimi-Bagotville, un Challenger des Forces canadiennes en provenance d'Ottawa avec trois officiers supérieurs à bord perdit abruptement toute communication avec la tour de contrôle. Le pilote fit immédiatement avorter son atterrissage et reprit de l'altitude pour vérifier ses instruments. Quelques secondes plus tard, le militaire se demanda s'il n'avait pas eu une hallucination, car tout était revenu à la normale. Il redoubla toutefois de prudence en se posant et l'appareil fut aussitôt dirigé vers l'aire de maintenance militaire pour trouver la source du problème.

Siple Station, 5 janvier 1998, 2 h

Durant la nuit, comme prévu, la tempête souffla fort. Dumont entendait le vent faire grincer les câbles qui retenaient les antennes, et les baraquements des dortoirs étaient rudement secoués. Il se demanda comment les hommes et les femmes qui vivaient ici plusieurs mois par année pouvaient supporter un tel traitement. Lui ne pouvait dormir. Il entendit Flynn et Ross converser à voix basse. Il se retourna vers Florent pour constater qu'elle non plus n'arrivait pas à fermer l'œil. Ce ne fut qu'aux petites heures du matin qu'il arriva à s'assoupir. Mais déjà les Américains qui partageaient leur dortoir se levaient, ce qui ne manqua pas de le réveiller à son tour. Consultant sa montre, il constata qu'il n'avait pas dormi plus de deux heures. Florent lui confia qu'elle avait passé une nuit blanche.

Dès sept heures, les quatre Canadiens étaient à la cafétéria. Après le déjeuner, tandis que l'équipage retournait à l'avion pour faire semblant de tenter de le remettre en état, l'administrateur de la base, Lloyd Hudson proposa à Dumont et Florent une tournée du propriétaire de Siple Station.

– Voici Siple Station, fit Hudson avec une visible fierté en se retournant vers le plan plastifié de la base punaisé au mur de la salle commune. On vient tout juste d'en imprimer une nouvelle version avec les ajouts récents. La particularité la plus remarquable de notre base est l'antenne dipôle de vingt et un kilomètres construite ici par USP dans les années soixante-dix pour effectuer des expériences sur l'influence des basses fréquences sur l'ionosphère. Récemment, l'antenne et ses sous-systèmes ont été complètement récemment par la marine, qui a également installé une génératrice et des accumulateurs dédiés pour décupler sa puissance de transmission.

Dumont estima que, compte tenu de l'échelle du plan, la forme rectangulaire que montrait Hudson devait se situer à environ dix kilomètres du bâtiment où il se trouvait.

– Pourquoi avoir placé ces installations à une telle distance de la station proprement dite? interrogea Florent.

– Il semble que ce soit pour éviter des interférences radioélectriques qui pourraient fausser les résultats des autres expériences qui sont menées ici, notamment celles effectuées sous l'égide de la National Science Foundation.

Après le petit *briefing* et un café, le commandant Hudson entraîna ses deux invités dans une tournée de la base. Les deux agents du SCRS, de leur côté, étaient retournés à l'avion pour déterminer l'étendue des prétendues avaries et voir s'il était possible de remettre l'avion en état de vol.

Hudson se considérait plus comme le maire d'une petite ville que comme le responsable d'un centre de recherche scientifique. Il aimait le faire visiter aux rares personnes qui passaient par là.

– Je vais laisser chacune des équipes vous expliquer en quoi consistent leurs recherches. Je dois vous avouer que cela dépasse grandement mes capacités cognitives, confia-t-il modestement à ses invités. J'ai une formation d'administrateur et non de scientifique.

Ils visitèrent ainsi plusieurs des immeubles gris et jaunes de la station où étaient installés différents équipements et instrumentations scientifiques. Les scientifiques rencontrés répondirent obligeamment par le détail aux questions posées par Isabelle Florent. Dumont réussit à placer de temps à autre quelques questions qu'il estima pertinentes, rassemblant les quelques notions qu'il avait retenues du cours intensif de Florent. Aucun des chercheurs interrogés en tout cas ne parut considérer ses interventions comme incongrues ou bizarres.

Hudson et ses deux invités passèrent près d'un bâtiment rouge sombre sur pilotis où se détachaient sur la façade les lettres stylisées USP – Ionospheric Research. Le bâtiment semblait de construction récente et Florent s'enquit de ce qu'il abritait.

– Ce bâtiment a été assemblé il y a moins d'un mois, répondit Hudson. Il a fallu une vingtaine de rotations d'avion-cargo Hercules de la Navy pour transporter ici les sections préfabriquées et les équipements nécessaires. Des équipes d'une unité d'ingénierie de la marine, venues spécialement de Jacksonville en Floride, ont passé six semaines à assembler les modules et à installer et roder les équipements.

– Est-ce qu'USP administre plusieurs installations en Antarctique? demanda Florent sur un ton anodin. Je croyais que c'était Raytheon qui avait la gestion de toutes les stations américaines.

– Vous avez raison. Raytheon, l'un de nos concurrents les plus redoutables, est très présent sur le continent. Mais nous avons la responsabilité de Siple depuis le début des années soixante-dix. Nous avons un contrat de service à la fois avec la National Science Foundation et le département de la Défense.

Puis, craignant d'avoir commis un impair devant des étrangers, Hudson crut bon d'ajouter:

– La Navy n'apporte que son soutien logistique. Toutes les recherches menées ici à Siple, que ce soit par la National Science Foundation ou USP, sont de caractère essentiellement civil, comme l'exige le Traité de non-militarisation de l'Antarctique. La nouvelle antenne comme l'immeuble flambant neuf sont destinés à un projet de recherche sur l'effet des aurores boréales sur la météo. Rien de très militaire, comme vous le voyez!

Dumont et Florent se regardèrent du coin de l'œil, se demandant si Hudson était vraiment complètement ignorant de ce qui se passait sur sa base ou s'il leur donnait le change.

– Ce doit être des équipements à la fine pointe des recherches atmosphériques, avança Dumont, qui voulait ainsi inciter Hudson à leur faire visiter le bâtiment rouge pourpre.

Hudson parut chagriné.

– Malheureusement, USP est très jalouse de ses secrets technologiques et des applications qui pourraient en découler. Le siège social de Galveston refuse que nous fassions visiter nos installations de pointe à toute personne non autorisée. Espionnage commercial et industriel, vous comprenez ? Même le personnel de la base qui n'est pas à l'emploi d'USP ne peut y accéder.

Ils se rendirent dans un des autres bâtiments plus anciens où travaillaient plusieurs chercheurs. Ils s'arrêtèrent pour parler à l'un d'eux, s'intéresser au travail d'un autre ou en interroger un troisième sur les conditions de vie en Antarctique. Alors qu'Hudson entraînait Florent vers une autre pièce pour lui montrer un appareil, Dumont poursuivit sa conversation quelques minutes avec deux techniciens assis à un poste de travail avant de les rejoindre. Après son départ, Frank, le type au survêtement « USP Security », s'approcha de Terry Miles et de Jim Peterson que Dumont venait juste de quitter.

– Que voulait-il ?

– Il voulait savoir s'il y avait des manchots dans le coin, déclara Miles.

– Je lui ai dit que nous étions à plus de deux cents kilomètres de la mer, ajouta Peterson et qu'il n'y avait aucun autre être vivant que nous dans le secteur. Je lui ai aussi dit qu'il y avait un intéressant champ de fossiles à quelques kilomètres de la base. Je lui ai montré mon ammonite.

Le jeune homme exhiba le fossile qu'il gardait comme objet fétiche sur son poste de travail.

Montréal, 5 janvier 1998, 8 h 30

Après quelques jours de congé pour les Fêtes, des millions de Québécois reprirent qui la route du boulot, qui le chemin de l'école. Toutefois, ce retour à la normale était pour le moins chaotique dans la grande région de Montréal. En effet, le Service des travaux publics de la Ville avait renoncé à charger la neige durcie par le dégel de la fin de semaine précédente, histoire de faire de substantielles économies. Les bancs de neige et les remblais glacés faisaient le désespoir des automobilistes et des piétons, qui devaient zigzaguer pour se frayer un chemin. Comble de malheur, une pluie verglaçante s'était mise à tomber au cours de la nuit.

Au fil des bulletins météorologiques, les nouvelles se faisaient quand même relativement rassurantes, même si les cinq à dix millimètres de pluie initialement prévus enflaient d'heure en heure jusqu'à atteindre vingt ou vingt-cinq millimètres. La bonne nouvelle était que cette accumulation s'étendrait sur plus d'une trentaine d'heures et que les vents, de dix à vingt kilomètres à l'heure, ne feraient pas descendre le thermomètre. Quant à la température elle-même, très favorable avec deux degrés Celsius, elle pourrait se charger de faire disparaître la neige et la glace accumulée en ville. Bref, le redoux attendu et espéré par bon nombre de Montréalais et de banlieusards frappait à la porte.

Le soir même cependant, malgré l'épandage d'abrasifs, fort peu efficaces dans ce genre de situation, la circulation demeurait hasardeuse, notamment dans le centre-ville. On déplorait déjà une dizaine d'accidents, et de nombreux embouteillages à l'approche des ponts venaient encore compliquer la sortie de la ville. Rien que de très normal en ce temps-ci de l'année.

«On a connu bien pire», soupira Jean-Paul Désy en empruntant le pont Jacques-Cartier en direction de l'autoroute 20, qui le ramenait chez lui après une visite chez son médecin.

Prenant son mal en patience, tout en écoutant la radio, il apprit que quelques vols avaient été annulés à Dorval, d'autres retardés, mais somme toute, tout se passait plutôt bien. Calme plat sur le réseau électrique, avait affirmé un responsable sur les ondes.

Il était près de vingt-deux heures lorsque son épouse Julie revint à son tour du travail.

– À Montréal, la circulation a viré au cauchemar, s'exclama-t-elle en mettant enfin le pied dans leur maison de Saint-Mathieu-de-Belœil. Les piétons ne regardent pas où ils vont. Ils prennent le plus court chemin pour traverser, sans se préoccuper de savoir s'ils nous passent sous le nez. Des automobilistes impatients, des coups de klaxon intempestifs, on se croirait à Rome ou à Paris. C'était la cacophonie dans le centre-ville.

– Et sur la route? l'interrogea Jean-Paul en dressant la table, car il savait que Julie n'avait presque rien avalé de la journée, toujours trop occupée au travail pour bien manger.

– Imagine! Sur la 20, il y avait des imbéciles qui me doublaient à cent vingt kilomètres à l'heure, alors qu'il y avait une opération de déblayage. Complètement inconscients!

Julie ouvrit la porte à Gypsie, le golden, qui passa le museau par l'ouverture, avant de faire demi-tour devant l'impossible météo. Un temps à ne pas mettre un chien dehors!

Alors que Jean-Paul s'affairait à lui réchauffer son repas, les Désy furent brusquement plongés dans le noir. L'électricité venait de sauter.

– Tout juste chaud! murmura-t-il en mettant une poitrine de poulet et des petits légumes sur la table.

Julie se fit philosophe, puisqu'elle ne pouvait rien y changer. Autant profiter du moment présent!

– La coupure ne durera pas, affirma-t-elle, tout en cherchant une bougie dans un tiroir de la cuisine. Hydro a prévu des pannes çà et là, mais j'ai entendu à la radio que ce serait une question d'une heure ou deux, le temps de réparer un câble ou un transformateur.

– Eh bien, je vais ajouter une bûche dans le foyer pour éviter que la température ne chute dans la maison.

– Moi, je vais mettre les bougies au salon pour nous faire un peu de lumière, et installons-nous confortablement.

– Il vaut mieux que j'aille chercher mon petit poste de radio pour avoir les nouvelles. J'espère que les piles sont encore bonnes, lança Jean-Paul en se dirigeant vers le sous-sol, un bougeoir à la main.

Il revint quelques minutes plus tard, les piles tenaient encore le coup. Ils purent surveiller l'évolution de la situation jusqu'à ce que le sommeil les emporte.

Toutefois, le lendemain matin, à six heures trente, la situation ne s'était pas rétablie. Au contraire.

Julie mit de l'eau à chauffer pour le café dans une casserole de fonte déposée directement sur une grille dans le poêle à bois, pendant que Jean-Paul inspectait tous les tiroirs de la maison à la recherche de piles pour la radio. Car la veille, ils s'étaient endormis sans l'éteindre et cette fois les piles étaient mortes. Lorsqu'il la ralluma, ils apprirent que la tempête sévissait sur le sud-ouest du Québec. Ce n'était pas encore la panique, mais tout le monde avait été pris de court, notamment les météorologues. Ils entendirent aussi que, dès le milieu de la nuit, Hydro-Québec signalait près de sept mille pannes à l'heure et prévoyait que près de huit cent mille abonnés seraient touchés d'ici la fin de la matinée.

– Je n'irai pas au bureau. J'ai des jours de congé à prendre et c'est le moment, lança Julie lorsqu'elle entendit qu'en plus des trente millimètres de pluie déjà tombés, la pluie verglaçante, le grésil et la neige n'allaient pas cesser pendant encore au moins deux ou trois jours. Sans compter les vents qui risquaient de causer bien des dégâts.

Un premier porte-parole d'Hydro-Québec tenta de se faire rassurant par médias interposés. Il incitait les abonnés à la patience, promettant que toutes les ressources disponibles étaient mobilisées. Il déclarait que plus de deux mille réparateurs étaient déjà à pied d'œuvre.

Tout à coup, un craquement sinistre fit sursauter Gypsie qui se mit à gronder devant la porte d'entrée. Jean-Paul écarta les lourdes tentures du salon pour jeter un coup d'œil dehors. Des branches d'arbres se rompaient nettes sous le poids de la glace. Un grésillement et des étincelles attirèrent son regard sur le bas-côté de la route passant devant la maison.

– Le transformateur au bout de la rue a grillé, lança-t-il à sa femme, tout en enfilant rapidement bottes et manteau. Je vais voir.

Moins de cinq minutes plus tard, il était de retour à la maison.

– C'est très glissant et dangereux de sortir. Le fil de raccordement d'électricité des voisins vient de se rompre. Faut les appeler pour les prévenir de se méfier s'ils doivent mettre le nez dehors.

Julie prit le téléphone pour constater que, malheureusement, la ligne était morte aussi.

– Il reste nos cellulaires, mais il va falloir ménager les piles, car si la panne de courant se poursuit et qu'on ne peut pas recharger, on risque d'être coupés du monde, prévint Julie.

– Heureusement, il me reste la radio amateure, reprit Jean-Paul. Notre petite génératrice me donnera suffisamment de courant pour continuer à émettre et à recevoir au cas où la panne se poursuivrait toute la journée.

Siple Station, 5 janvier, 21 h

Ross descendit le premier de la motoneige que Dumont venait d'immobiliser devant l'aile gauche du Twin Otter. L'agent du SCRS ouvrit la portière de l'appareil du côté du pilote et libéra la portière opposée pour permettre à Dumont de prendre place dans le siège du copilote. Flynn était déjà à bord depuis une heure. Il prétextait effectuer des vérifications du moteur gauche. La communication sécurisée fut facilement établie avec le Centre de coordination de crise Québec-Ottawa. De Montréal, la voix d'une femme se fit entendre :

– Monsieur Dumont, veuillez patienter quelques instants s'il vous plaît, Paul Demers a une communication urgente pour vous.

– Comme si on avait le choix, fit Dumont à Ross.

– Monsieur Dumont, Paul Demers. On me dit que la sonde que vous avez larguée avant de vous poser fonctionne parfaitement. Le Centre de la sécurité des télécommunications d'Ottawa nous signale que le territoire du Québec est actuellement bombardé d'émissions à ultra-basses fréquences d'une puissance extraordinaire provenant de Siple Station. Il semble que des anomalies ionosphériques dévient les émissions vers l'extrême sud du Québec, vers la région de Montréal et la Montérégie.

– C'est exactement ce que me confirment les capteurs à bord du Twin Otter, attesta Flynn, qui était lui aussi en ligne et qui consultait des appareils installés dans la cabine derrière le poste de pilotage. Les émissions sont d'ailleurs tellement intenses qu'elles dépassent la calibration du capteur. On est donc incapable de qualifier la puissance d'émission.

– Avez-vous une idée des conséquences que vont avoir ces émissions ? demanda Ross à Demers.

– Le sud du Québec subit actuellement une tempête de verglas. Nous sommes en consultation avec des physiciens et des climatologues qui tentent de déterminer la montée en puissance des émissions à partir de Siple Station depuis plus de vingt-quatre heures. Elles seraient liées aux conditions météo qui s'abattent sur la région de Montréal.

– Qu'attendez-vous de nous ? demanda Dumont.

– Il faut que vous restiez sur place le plus longtemps possible. Il faut voir comment la situation va se développer.

– On va faire ce qu'on peut, répondit Ross.

Flynn intervint de nouveau :

– Je vais prétexter une avarie plus grave que prévue et je vais demander de me faire envoyer des pièces détachées de McMurdo, la principale base américaine en Antarctique. Ils y maintiennent un stock important de pièces pour les Twin Otter, les appareils les plus utilisés sur le continent.

– Ça devrait nous donner de vingt-quatre à trente-six heures, selon les conditions météo, compléta Flynn.

– Parfait. Espérons que ça suffira. Bonne chance, messieurs !

Demers mit fin à la communication.

Région de Montréal, 6 janvier 1998

L'épaisse croûte de glace qui recouvrait la ville continuait de s'épaissir. Les Désy suivaient l'évolution de la situation grâce à leur poste de radio, qui en était maintenant à son deuxième changement de piles. Les réparateurs d'Hydro-Québec étaient débordés, annonçaient les médias. Non seulement ils ne réussissaient pas à restaurer le réseau, mais celui-ci continuait à se dégrader plus rapidement qu'ils ne pouvaient le réparer. De nouvelles branches se cassaient, des fils étaient coupés. Le pire se produisit pour les Désy quand plusieurs pylônes, dont une série dans un champ à deux pas de leur résidence, cédèrent sous le poids de la glace et la force des vents. Aussitôt l'autoroute 20 fut fermée sur un peu plus de quatre kilomètres.

Le spectacle était désespérant : les rues étaient jonchées de fils sectionnés, les arbres écrasés par le verglas. À Montréal, les autorités municipales ne tardèrent pas à annoncer que près de quinze mille arbres étaient endommagés dans les rues et les parcs de la ville, sans compter ceux des terrains privés. Cette fois, on ne parlait plus de rétablir le courant dans quelques heures, mais bien dans quelques jours.

Les commerces commencèrent à fermer leurs portes, tout comme les écoles et les universités, et, à l'aéroport de Dorval, près de soixante-dix décollages étaient annulés ou retardés. Sur les rails, les aiguillages gelèrent et durent être manœuvrés à la main, tandis que les arbres abattus sur les voies ferrées rendaient le passage des trains très risqué. Il régnait un calme étrange dans l'agglomération de trois millions d'habitants, figée dans le verglas. La population restait claustrée. Rares étaient les automobilistes qui osaient s'aventurer sur les routes.

On parlait maintenant de deux cent cinquante mille foyers sans électricité dans la région de Montréal, les Laurentides, Lanaudière et la Rive-Sud. Mais le pire était en Montérégie, où trois cent cinquante mille résidences étaient plongées dans l'obscurité et le froid. Des foyers de personnes âgées durent être évacués et des refuges d'urgence ouvrirent dans différentes municipalités pour accueillir les sinistrés du verglas. On ne parlait pas encore d'évacuation massive. La Sécurité civile était entrée en action.

Quand un journaliste demanda à la vice-présidente d'Hydro-Québec en conférence de presse quand le courant serait rétabli, elle répondit : « Dites-moi quand arrêtera le verglas et je vous dirai quand on prévoit rebrancher. »

– Tu ne trouves pas qu'on cherche à minimiser ce qui arrive ? demanda Julie Désy en réaction aux propos tenus à l'antenne.

– C'est sûr que les autorités cherchent à rassurer la population, estima Jean-Paul. C'est important pour ne pas créer de panique.

Aux différents bulletins de nouvelles, on ne cessait de répéter que les appareils d'appoint constituaient un danger, notamment ceux à combustible conçus pour l'extérieur. Un homme âgé de l'Outaouais avait été découvert mort dans son logement, asphyxié par une génératrice.

– Espérons que nous serons rapidement rebranchés, soupira Julie. Il commence à faire froid et la provision de bois baisse à vue d'œil.

– Nous devrions condamner toutes les pièces de la maison et nous cantonner à la cuisine, autour du poêle à bois, proposa Jean-Paul.

Ce qui fut fait.

Après la matinée chaotique et de douce torpeur qui avait accompagné les premières heures de la panne, l'après-midi se passa en conjectures. Un certain agacement commençait à poindre dans la plupart des foyers éclairés à la chandelle.

La radio rapportait qu'Hydro-Québec avait fait appel à une centaine de monteurs de lignes américains et à d'anciens employés à la retraite pour qu'ils reprennent du service.

– On va bientôt voir la lumière au bout du tunnel, rigola Jean-Paul, dont les événements n'avaient pas entamé le sens de l'humour.

– D'après ce qu'on entend à la radio, il y a quand même trois cents municipalités frappées par le verglas, c'est beaucoup, soupira Julie. Ça risque d'être long !

Malheureusement, les résidants du sud-ouest n'étaient pas au bout de leurs peines.

La pluie verglaçante se remit à tomber dans la soirée et une partie de la nuit. Près de quatre cent mille autres abonnés perdirent l'électricité. Le réseau d'Hydro-Québec venait de s'affaisser complètement, plongeant de nouveaux abonnés dans le noir et provoquant la fermeture de routes supplémentaires.

Galveston, Texas, 6 janvier 1998, 20 h 30

Dave Eisley venait tout juste de rentrer de Washington où il avait passé une partie de la journée en réunion avec des employés d'Ultimate Systems Providers. Selon les lois américaines, deux fois par an il devait donner un cours de formation en prévention des incendies à quelques centaines d'agents de sécurité œuvrant pour la société dans de nombreux édifices disséminés sur tout le territoire des États-Unis. La formation durait deux jours et se déroulait chaque fois dans des villes différentes.

Comme il n'avait pu prendre connaissance des rapports de la fin de semaine concernant les différentes bases dont il supervisait la sécurité, notamment celles de HAARP en Alaska et de Siple en Antarctique, il décida de passer au bureau avant de rentrer à la maison. D'importants tests se déroulaient sur la base d'USP en Antarctique.

* * *

Pendant ce temps, le président d'Ultimate Systems Providers, Sean Flagerty, recevait à dîner. Dans l'imposante demeure d'inspiration sudiste, on trouvait réunis un ancien sous-secrétaire d'État à la Défense, un général à la retraite, un ancien directeur de la NSA, leurs épouses et l'indispensable Rose Manigan.

Tandis que Suzy Flagerty papillonnait entre les invitées, échangeant avec l'une ou l'autre quelques potins concernant la haute société de Washington,

Flagerty et ses comparses discutaient affaires. Ils appartenaient tous au National Security Policy Research Institute, mieux connu par son acronyme NSPRI. Sa principale mission était de favoriser le développement du budget militaire et particulièrement de voir au financement de la recherche militaire de pointe.

Le NSPRI avait pignon sur rue à Washington, dans une luxueuse demeure de Massachusetts Avenue, jadis siège d'une ambassade étrangère. L'institut, qui finançait les travaux d'une vingtaine de chercheurs, était dirigé d'une main de maître par l'ancien général de l'Air Force Alwyn Mallory, secondé par Brian T. Fisher, sous-secrétaire d'État de l'administration Reagan, et du général à la retraite Pat Johnston, ancien directeur de la National Security Agency.

USP et son institut avaient largement inspiré la politique de défense des États-Unis de l'administration Reagan, consolidée sous Bush. Seule une suprématie technologique décisive pouvait assurer la sécurité nationale des États-Unis. Pour les hommes du NSPRI, les satellites de reconnaissance étaient plus importants que des espions. Il était plus important de maîtriser les cieux que de multiplier les bottes sur le terrain, se plaisaient-ils à annoncer. «*More telemetry means less infantry*» (Plus de télémétrie et moins de recours à l'infanterie), répétait continuellement le général Mallory. La phrase en était même devenue la devise officieuse du National Security Policy Research Institute. Depuis le Vietnam en effet, les dirigeants militaires américains avaient une hantise : les pertes de vie de soldats américains lors d'opérations militaires.

Chauvins, refermés sur eux-mêmes, avec l'assurance tranquille de posséder la vérité, convaincus de la supériorité évidente de leur civilisation, la plupart des Américains, comme leurs dirigeants, ne comprenaient pas que l'on mette une seule vie américaine en danger pour de vagues conflits qui se passaient de l'autre côté de la planète et qui impliquaient le plus souvent des individus aux habitudes de vie étranges, aux croyances bizarres et aux teints suspects.

Depuis l'arrivée de Clinton au pouvoir, le NSPRI avait revu et radicalisé ses objectifs. Dans le prochain siècle, il ne suffirait plus simplement d'assurer la suprématie militaire des États-Unis, on allait maintenant devoir imposer l'hégémonie américaine à l'ensemble de la planète. La science et la technologie étaient les moyens de réaliser cet objectif. Le fait que cela implique des investissements à long terme de centaines de milliards de dollars dans les industries du secteur de la défense, que le président Eisenhower avait qualifié de complexe militaro-industriel, n'était pas étranger à l'enthousiasme du NSPRI à promouvoir la technologie la plus sophistiquée.

Sean Flagerty leva son verre de champagne pour porter un toast solennel.

– Messieurs, buvons à la réalisation de notre plus important programme qui va incessamment être activé. Nous sommes sur le point, pour la première fois dans l'histoire, de réaliser un des plus vieux rêves de l'humanité : contrôler le ciel, contrôler le climat pour le plus grand bien de l'Amérique. Pour l'instant, nous ne maîtrisons que certaines applications militaires des techniques de modifications environnementales, mais il ne fait aucun doute que les applications civiles vont suivre pour le plus grand bien de nos agriculteurs et de nos citoyens. Si nous pouvons créer des intempéries, nous allons aussi apprendre à les neutraliser.

– Pratiquement toutes les grandes inventions, toutes les grandes découvertes ont une origine militaire, renchérit l'ancien sous-secrétaire d'État à la Défense Fisher. Ça finit toujours par aider la population en général.

– En tout état de cause, le projet HAARP est une idée de génie, Sean, conclut Pat Johnston, qui avait permis de couvrir officiellement le programme en le finançant comme un projet de recherche en communication lorsqu'il était patron de la National Security Agency.

– C'est grâce à vous tous, Messieurs, et aussi à Cummings et Watters, et, il faut le souligner, à l'apport scientifique extraordinaire de Boukarov.

* * *

Siège d'USP, Galveston, Texas, 6 janvier 1998, 21 h
Après une vingtaine de minutes à lire différents dossiers et rapports sans importance, Dave Eisley en arriva au courriel reçu le dimanche. Dès la lecture des premières lignes, il se sentit mal à l'aise. Qu'un Twin Otter canadien se pose à Siple n'avait rien de bien grave, pourtant il ressentit un petit picotement sur la nuque, comme un vague pressentiment. Il examina les causes invoquées. L'avarie semblait être confirmée par l'agent de sécurité sur place, mais il demeurait sceptique. Toutefois, il pâlit en lisant la liste des occupants de l'avion, notamment en y découvrant les noms d'Isabelle Florent et de Pierre Dumont. Lui qui avait la réputation de demeurer de marbre dans n'importe quelle situation sentit une boule d'angoisse lui monter dans la gorge.

Il se précipita sur le téléphone et composa rapidement le numéro de cellulaire de Doug Dobson à Washington.

– Doug, c'est la merde en Antarctique! cria-t-il dans le combiné sans même prendre la peine de saluer son correspondant.

– Eisley? s'étonna le vice-président à la sécurité interne. Que se passe-t-il?

– Le flic de Montréal… Dumont! Il est à Siple!

– Es-tu saoul, Eisley?

Dobson savait que son adjoint avait un petit faible pour le gin et qu'il en abusait parfois.

– Dobson, écoutez-moi ! J'ai un courriel ici, de… Frank Edwards, un agent de sécurité de la base. Pierre Dumont est arrivé à Siple dimanche soir à bord d'un avion canadien qui, semble-t-il, s'est posé à cause d'une avarie… Vous comprendrez comme moi que cette panne n'est qu'un prétexte ! Ça fait déjà deux jours qu'il est sur la base.

– Ah putain de merde ! Ne quitte pas, Dave ! Je tente de joindre Flagerty. On organise une conférence téléphonique.

Le téléphone privé de Flagerty sonna à trois reprises. Le maître d'hôtel répondit. Au ton insistant et pressé de Dobson, l'homme sut qu'il lui fallait déranger son patron pour lui passer la communication.

Flagerty s'excusa auprès de ses invités, qui en étaient à siroter un digestif dans le petit salon, et se rendit prendre la communication dans son bureau.

– Dobson ? Qu'est-ce qui se passe ? s'étonna-t-il, vaguement inquiet de reconnaître la voix de son vice-président à la sécurité.

– Une tuile énorme ! lança Dobson. Dumont, le policier du Québec, est à Siple.

– Quoi ? explosa Flagerty. Comment est-ce possible ? Qui, quel connard l'a introduit dans la base ?

Eisley intervint alors dans la conversation et lut à Flagerty le courriel reçu de l'Antarctique.

– Et vous m'en avertissez seulement maintenant ? Je me demande pourquoi je vous paie, Eisley. Où étiez-vous depuis quarante-huit heures ?

Le chef de la sécurité ne chercha pas à s'excuser.

– Écoutez, c'est vous qui voulez que je me charge moi-même de la formation des agents de sécurité… Je ne peux pas être à Washington et à Galveston en même temps. Le message ne porte aucun code d'urgence. Dans le cas contraire, le gars des communications me l'aurait fait parvenir dans les plus brefs délais.

– Bon, ça ne sert à rien de perdre encore plus de temps à discuter. Contactez votre homme à Siple et faites en sorte de restreindre au minimum les déplacements des Canadiens sur la base. Je ne veux pas les voir renifler autour de Boukarov et des autres chercheurs.

– J'ai une solution, proposa Eisley. Puisque le Twin Otter canadien s'est posé à Siple pour cause d'avarie, pourquoi ne pas lui en créer une vraie? Ça ne paraîtra pas suspect. Selon le message, ils ont demandé des pièces de rechange à McMurdo. Il faudra quarante-huit heures pour les faire parvenir à Siple. Nous pourrions faire en sorte de saboter les pièces. Ensuite, on les laisse décoller, et après une heure de vol, l'avion s'écrase. Croyez-moi, ils ne pourront pas s'en tirer…

– Dobson, votre avis? demanda Flagerty.

– On n'a pas le choix, cette fois. Il faut que James Weaver isole les Canadiens deux ou trois jours, et qu'ensuite ils disparaissent dans un tragique accident.

Flagerty pesa le pour et le contre quelques secondes, avant de lancer un ordre bref:

– Allez-y!

15

Montréal, 7 janvier 1998, vers 7 h
Au cours de la nuit, les informations diffusées à la radio furent désastreuses. Environnement Canada prévoyait de vingt à trente millimètres de verglas de plus sur les arbres et les câbles électriques. Le moindre coup de vent pouvait tout faire tomber. Et du vent justement, on en prédisait des rafales de quarante kilomètres à l'heure !

Au petit matin, après une nuit enroulés dans leurs sacs de couchage pour le camping d'hiver sur des matelas pneumatiques installés devant le poêle à bois, Julie et Jean-Paul Désy tendirent l'oreille. Mais aucun de ces petits bruits familiers qui annoncent habituellement le retour du courant ne se fit entendre : le réfrigérateur était désespérément silencieux, tout comme la pompe à eau du sous-sol. Le moral commençait à flancher.

L'abattement s'insinuait lentement, surtout lorsqu'ils apprirent par la radio que la pluie de la nuit avait maintenant fait près d'un million de victimes de coupures de courant et surtout endommagé le réseau d'Hydro-Québec. Des trois lignes assurant le transport de l'électricité de la Côte-Nord à Montréal, une seule tenait encore le coup, mais pour combien de temps ? Heureusement, les trois lignes de la Baie-James alimentant la boucle qui ceinturait la région métropolitaine étaient toujours en fonction, même si elles avaient subi des dommages importants.

Jean-Paul et Julie apprirent aussi par la radio que leur maison était dans le «triangle de glace», cette zone délimitée par les municipalités de Saint-Jean-sur-Richelieu, Saint-Hyacinthe et Granby frappée par un black-out généralisé en raison de l'effondrement de huit pylônes aux premières heures de la crise.

«Le pire est passé. Les conditions météorologiques devraient s'améliorer dans les prochains jours», annonça un météorologue sur les ondes.

– Tu parles! Regarde ce qui nous tombe encore dessus, s'emporta Julie. De la pluie verglaçante, du grésil, et tout à l'heure, un autre monsieur météo a parlé de neige... Ça, pour s'améliorer, ça s'améliore!

– Comme dirait Astérix, le ciel est en train de nous tomber sur la tête! ironisa Jean-Paul pour désamorcer la crise qu'il sentait couver chez sa compagne. Mais ça va s'améliorer. Capitaine Canada, Jean Chrétien, a décidé de faire quelque chose, il va mettre l'armée à la disposition du gouvernement du Québec pour venir en aide à la population.

En fin de journée, environ cinq cents militaires arrivèrent effectivement à Saint-Hyacinthe pour aider les équipes d'Hydro-Québec et s'occuper du dégagement des routes, de l'élagage les arbres et du ramassage des branches. Trois mille soldats de plus devaient arriver dans la nuit à Montréal.

Prenant la parole en conférence de presse, le premier ministre du Québec souligna la grande solidarité que les Québécois manifestaient dans cette épreuve. Il reconnut que la situation s'était détériorée au fil des heures, qu'elle était sérieuse et sans précédent.

Dans les résidences, le froid glaçait jusqu'aux os. La noirceur et le spectacle de désolation de l'extérieur plongeaient les cœurs dans la plus grande tristesse et les âmes dans la détresse.

7 janvier 1998, 10 h 30

– Monsieur le premier ministre, nos conclusions sont indiscutables, fit Paul Demers. D'après le rapport de Pierre Dumont, et en consultation avec des spécialistes d'Environnement Canada, du Centre de la sécurité des télécommunications et de l'Agence spatiale canadienne, l'équipe scientifique que nous avons constituée est convaincue que la tempête de verglas qui s'abat actuellement sur le sud du Québec n'est pas un phénomène naturel.

Le principal intéressé déglutit. Il était sidéré. Depuis la veille, cette possibilité lui revenait continuellement à l'esprit, mais il ne pouvait se résoudre à l'admettre. La tempête actuelle semblait parfaitement s'inscrire dans la continuité de ce que Dumont avait découvert durant son enquête. Il s'attendait donc à cette confirmation, mais il avait quand même de la difficulté à l'assimiler, à l'accepter.

Il respira profondément, puis se ménagea un moment de réflexion avant de s'adresser à son vis-à-vis d'un ton ferme.

– Voilà qui a des implications politiques et diplomatiques gravissimes ! Demers, il est impératif que l'on soit absolument sûr. Sûr à cent pour cent. Vous me comprenez bien ?

– Le comité scientifique a analysé les données météo depuis le début du verglas et a pu établir une forte corrélation avec des émissions radioélectriques particulières. Des simulations ont été réalisées au cours de la nuit sur l'ordinateur d'Environnement Canada à Dorval – le plus puissant au Canada – et le résultat est indubitable. Cette tempête est la résultante de phénomènes atmosphériques provoqués par l'action sur l'ionosphère, au-dessus du sud du Québec, d'un bombardement d'ultra-basses fréquences provenant d'un émetteur d'une très grande puissance installé sur la base de Siple Station, en Antarctique, qui appartient au gouvernement des États-Unis.

– Vous me dites donc que les États-Unis ont déclenché contre notre territoire une attaque climatique du genre de celle dont parle Dumont dans son rapport? s'étrangla le premier ministre, qui ne parvenait pas encore à y croire tout à fait.

– Il y a une nuance à apporter, temporisa Demers, et elle est significative. La situation météo dans les quarante-huit à vingt-quatre heures avant le début de la tempête laissait entrevoir des configurations climatiques capables de provoquer une tempête de verglas, mais celle-ci aurait dû s'abattre beaucoup plus au nord sur le territoire du Québec. Ça voudrait donc dire qu'on ne visait pas précisément la région la plus habitée et la plus développée de la province...

– Mais les Américains voulaient quand même sciemment utiliser le territoire d'un pays voisin et ami pour se livrer à des expériences militaires secrètes, tonna le premier ministre. Et ça va nous coûter des milliards de dollars. Le chef du gouvernement consulta sa montre. Le gouvernement fédéral est-il au courant de la situation?

– Oui. Judith Hayes est en train de donner un *briefing* semblable au premier ministre Chrétien. Nous avons tenu une longue téléconférence dès sept heures ce matin, à partir du Centre de coordination de crise Québec-Ottawa. Judith et moi estimons que les deux gouvernements doivent agir de concert de toute urgence. Voici les recommandations communes que nous vous faisons, à vous et à monsieur Chrétien. Si vous voulez, nous allons les regarder ensemble.

Demers remit au premier ministre un feuillet présentant une dizaine de paragraphes numérotés.

Une heure plus tard, une téléconférence sur une ligne à haute sécurité reliait le bureau du premier ministre du Canada, situé dans l'édifice Langevin à Ottawa, à celui du premier ministre du Québec, dans l'édifice d'Hydro-Québec à Montréal.

Quand Paul Demers vit l'image de Jean Chrétien apparaître à l'écran, il pensa que la catastrophe qui frappait le Québec obligeait deux ennemis politiques, deux hommes qui se détestaient profondément, qui se méfiaient l'un de l'autre, à collaborer devant une menace extérieure commune.

– Mes salutations, fit Jean Chrétien en affichant sa mine des mauvais jours. Je sais que ça va très mal à Montréal actuellement. J'ai reçu votre demande d'assistance pour l'armée. Si vous voulez, on en parlera plus tard. Judith Hayes m'a mis au courant de ce que nos experts ont trouvé et des recommandations qu'elle-même et monsieur Demers nous font. Qu'est-ce que vous en pensez ?

– Il n'y a pas une minute à perdre. La population vit un drame épouvantable, les pertes économiques vont être considérables. Il faut que les Américains cessent immédiatement cette expérience, répliqua le chef du gouvernement du Québec d'un ton ferme.

– C'est aussi mon avis. J'ai déjà parlé à l'ambassadeur du Canada à Washington. Il va exiger une rencontre d'urgence dès aujourd'hui avec Sandy Berger, le conseiller à la Sécurité nationale de la Maison-Blanche. Je lui ai dit que nous lui envoyons nos représentants respectifs, Paul Demers et Judith Hayes, pour cette rencontre qu'il va organiser pour la fin de l'après-midi. Judith quittera Ottawa à bord d'un Challenger du ministère de la Défense vers midi et prendra en passant monsieur Demers à Saint-Hubert. Ils devraient être à l'ambassade vers quatorze heures trente. Le temps de mettre au point une stratégie de négociation avec

Raymond pour le *meeting* avec Sandy Berger. Il est entendu, n'est-ce pas, que tout ça doit rester secret... euh... absolument !

– Tout ça doit bien sûr se dérouler dans la discrétion la plus absolue, confirma le premier ministre du Québec, agacé que Jean Chrétien se sente obligé de lui souligner une évidence.

Washington DC, 7 janvier 1998, vers 16 h

La limousine de location tourna dans la 17ᵗʰ Street et s'immobilisa devant l'entrée principale du Old Executive Office Building. L'imposant édifice de style Second Empire était situé à côté de l'aile ouest de la Maison-Blanche et logeait plusieurs services de la présidence des États-Unis, dont le Conseil national de sécurité. Pour plus de discrétion, l'ambassadeur du Canada n'avait pas voulu utiliser son véhicule de fonction avec plaques diplomatiques.

Raymond Chrétien et les deux émissaires du Canada et du Québec étaient attendus par une femme qui se présenta comme Susan Davidson, l'adjointe du conseiller à la Sécurité nationale des États-Unis, Sandy Berger. Elle mentionna d'autorité aux gardiens de faction qui la connaissaient que les deux visiteurs n'avaient pas à signer le registre. Elle les dirigea ensuite vers l'aile nord de l'édifice où elle les fit entrer dans une salle de réunion, et les pria de s'asseoir après les avoir assurés que le conseiller de Bill Clinton serait avec eux d'ici quelques minutes. La salle semblait avoir été restaurée récemment. Elle respirait le neuf, mais sa décoration datait du début du xxᵉ siècle. On aurait dit un décor de cinéma. En passant près de la porte d'entrée, Paul Demers avait lu sur une plaque : « C'est dans cette salle que le secrétaire d'État Cordell Hull rencontra l'ambassadeur du Japon le dimanche 7 décembre 1941, dans les heures qui ont suivi l'attaque nippone contre Pearl

Harbour. » Une moue d'appréciation lui était montée aux lèvres.

Moins de cinq minutes plus tard, Susan Davidson était de retour avec son patron Sandy Berger, un petit homme joufflu, à la crinière plus sel que poivre.

Paul Demers pensa que Berger et l'ambassadeur Chrétien devaient bien se connaître. Lors de la campagne référendaire de 1995, à la demande de Jean Chrétien, le président Clinton avait glissé un bon mot pour le fédéralisme canadien à l'occasion d'une conférence de presse.

– Ce n'est pas souvent que le Canada fait une démarche urgente auprès de la Maison-Blanche sans passer par le département d'État. On me dit, Raymond, que vous nous soupçonnez d'être responsables des choses terribles qui se passent actuellement à Montréal ? attaqua d'emblée le conseiller à la Sécurité nationale, tout en serrant la main de ses visiteurs.

– Ce ne sont pas des soupçons, Sandy, ce sont des faits indubitables. Je laisse Judith Hayes et Paul Demers vous faire un exposé de ce que nous avons découvert. Et voici les documents de référence qui soutiennent nos constatations, insista l'ambassadeur Chrétien en remettant un dossier cartonné à l'Américain.

Pendant une dizaine de minutes, Hayes et Demers intervinrent tour à tour pour étayer le dossier qui s'inspirait largement du rapport de Pierre Dumont et des analyses des événements climatiques des derniers jours auxquelles avaient collaboré plusieurs agences gouvernementales canadiennes.

À la fin de l'exposé, Raymond Chrétien intervint de nouveau :

– Comme tu le vois, Sandy, c'est beaucoup plus que des soupçons ! Il y va de l'intérêt de nos deux gouvernements que cette malheureuse affaire reste secrète. Les gouvernements du Canada et du Québec s'engagent à ne pas ébruiter l'affaire ou impliquer le gouvernement des États-Unis dans ces événements, pourvu qu'il y mette fin le plus rapidement possible. Nous nous attendons également à ce que des compensations soient versées pour les dépenses engagées par les deux paliers de gouvernement en raison de la tempête. Notre interprétation est que ces agissements, qu'ils aient été exécutés ou non avec l'aval du gouvernement des États-Unis, violent plusieurs traités internationaux et quelques lois pénales canadiennes et américaines. Nous croyons pour l'instant qu'il serait inopportun que tout différend à ce sujet soit porté devant des instances internationales. Il faut que les émissions radioélectriques en provenance de Siple Station cessent immédiatement. Ça devrait être facile pour vous. Un coup de fil de la Maison-Blanche…

Sandy Berger apprécia le subtil chantage de l'ambassadeur du Canada : « Vous payez les dégâts, sinon on lave le linge sale en public. » Il maudit aussi intérieurement Flagerty, Ultimate Systems Providers et le Pentagone. Il avait toujours craint qu'un jour on en arrivât là. Mais devant les Canadiens, il devait feindre l'ignorance.

– Raymond, je peux vous assurer que la Maison-Blanche ne sait rien de ces expériences. Il va de soi que le gouvernement des États-Unis paiera des compensations justifiées pour tout agissement malencontreux qui relève de la responsabilité de ses agents ou mandataires. Comme il y a extrême urgence, vous me pardonnerez de mettre fin abruptement à notre rencontre. Je dois procéder aux vérifications qui s'imposent et tenir le président au courant dans les plus brefs délais. Je vous reviens à ce propos dans l'heure par téléphone.

Berger se leva, fit le tour de la table de conférence, serra la main à ses trois interlocuteurs et s'éclipsa. Judith Hayes se passa la réflexion que l'Américain était très nerveux. Même s'il semblait parfaitement maître de ses émotions, ses mains moites le trahissaient.

Pendant que son adjointe reconduisait les Canadiens à l'entrée principale, le conseiller à la Sécurité nationale sortit par la porte du Old Executive Building qui donnait sur les terrains de la Maison-Blanche. Il entra dans le palais présidentiel par le portique ouest. Accompagné par Betty Currie, la secrétaire particulière du président, qui avait bien du mal à suivre sa cadence, il se dirigea vers le cabinet privé de Clinton, situé à proximité du Bureau ovale. Clinton, qui était au téléphone, fit signe à Berger d'entrer.

– Monsieur le président, nous avons un problème grave sur les bras, commença-t-il dès que le chef d'État eut raccroché. Non seulement les Canadiens sont-ils au courant des recherches de Flagerty sur le climat dans le nord du Québec, mais ils ont découvert, preuves scientifiques à l'appui, que la tempête de verglas qui frappe actuellement la région de Montréal est la conséquence d'une expérience qu'USP mène à partir de l'Antarctique.

– Le Pentagone nous avait assurés que ces expérimentations sur le climat ne se déroulaient que dans des zones inhabitées du Grand Nord, s'étonna Clinton en rajustant son nœud de cravate. Ou, enfin, seulement fréquentées par quelques chasseurs et trappeurs autochtones.

– Il semble que des changements météo imprévus aient déporté la configuration climatique vers le sud.

– Que disent les Canadiens ? Clinton fronça les sourcils, visiblement inquiet de la réponse à venir.

– Ils veulent que ça cesse immédiatement, bien entendu ! Ils s'engagent à taire toute l'affaire, mais ils exigent des compensations.

Clinton ne répondit pas. Il réfléchissait.

– Si jamais c'était rendu public, ce serait un désastre diplomatique, continua Berger. Ces expériences violent des traités internationaux sur l'Antarctique et sur les modifications climatiques.

Clinton comprenait qu'il était placé dans une situation extrêmement délicate, de laquelle il aurait de la difficulté à s'extraire. Il ne pouvait ignorer les demandes des Canadiens, qui avaient les moyens de provoquer une catastrophe diplomatique aux États-Unis. Mais il devait tout autant ménager Sean Flagerty qui était, lui, en possession d'informations sur sa vie personnelle pouvant être fort préjudiciables à sa présidence.

Le président se caressa légèrement le menton de la main droite, tout en regardant son conseiller droit dans les yeux.

– Sandy, on n'a pas le choix! Quelles qu'en soient les conséquences, il faut immédiatement mettre fin à l'opération d'USP à Siple Station. Avertis les Canadiens de ma décision en soulignant que ni la Maison-Blanche ni le Pentagone ne connaissaient les véritables objectifs de ces expériences.

Sandy Berger hocha la tête. Il était parfaitement au courant des problèmes personnels de son patron et trouva que la décision était courageuse.

– Je vais leur dire que nous croyions qu'il s'agissait de recherches sur l'utilisation d'ultra-basses fréquences pour des communications sécuritaires.

Base aérienne Andrews, Maryland, 7 janvier 1998, 17 h 30

Alors que le Challenger des Forces armées canadiennes allait se poster en position de décollage, Paul Demers et Judith Hayes, se faisant face dans leurs sièges, découvrirent par leur hublot respectif Air Force One, le Boeing 747 servant de Maison-Blanche volante.

Quelques minutes après le décollage, l'avion survolait Chesapeake Bay, à proximité de Baltimore, lorsque Hayes fut avisée par le copilote d'un appel de l'ambassadeur Chrétien.

Sur le système de communication sécuritaire de l'appareil, Hayes se contenta d'écouter son interlocuteur, acquiesçant ou hochant la tête à l'occasion. La conversation, ou plutôt l'exposé, dura moins de cinq minutes. Dès qu'elle eut reposé le combiné sur son réceptacle, elle se tourna vers Demers et lui résuma les propos de l'ambassadeur du Canada.

– Sandy Berger a informé Raymond Chrétien que le gouvernement des États-Unis reconnaît que des émissions radioélectriques provenant de sa base de Siple en Antarctique ont provoqué la tempête de verglas qui sévit sur la région de Montréal, ainsi que sur le nord des États de New-York et du Vermont. Il a insisté sur le fait que la tempête est la conséquence malencontreuse et impossible à prévoir d'une expérience scientifique concernant la haute atmosphère.

– Et bien sûr, tout cela s'est fait à l'insu de la Maison-Blanche et du Pentagone ! compléta Demers sur un ton à la fois ironique et dubitatif.

– Clinton a même téléphoné directement au premier ministre Chrétien, ajouta Hayes, pour l'assurer qu'il avait personnellement donné l'ordre de mettre un terme aux émissions sur-le-champ.

– Berger a-t-il donné des explications à l'ambassadeur ?

– Pas d'après ce que m'a dit Raymond Chrétien, affirma Hayes. Berger lui aurait simplement dit que la Maison-Blanche ferait enquête sur les conditions d'attribution et de réalisation de ce contrat de recherche et de développement à Ultimate Systems Providers.

– Comment tout cela a-t-il pu échapper au gouvernement des États-Unis, avec tous ses organes de vérification et de contrôle, alors qu'un simple sergent-détective du SPCUM a pu, tout seul je vous le rappelle, établir les tenants et aboutissants de l'affaire ? Et tout ça en quelques semaines d'enquête à peine.

Galveston, Texas, 7 janvier 1998

Flagerty consulta sa montre. Il était dix-huit heures à Washington. Il n'était pas question d'obtempérer à l'ordre que Sandy Berger venait de lui transmettre par téléphone. Il n'allait pas interrompre l'opération alors même que, pour la première fois, elle apportait une validation, en temps réel, du concept auquel il travaillait depuis vingt-cinq ans. L'analyse des résultats de la tempête de verglas qui s'abattait sur le Québec allait permettre aux États-Unis de développer la première arme climatique de l'histoire. De l'ordre du possible, elle était maintenant une réalité. Que des conditions météo imprévisibles aient déporté l'expérience vers le sud ne faisait qu'ajouter à son intérêt expérimental. Au lieu de frapper un désert de glace habité par quelques Indiens et caribous, on frappait de plein fouet une société industrielle avancée et plus de trois millions de personnes. Les scientifiques à son emploi allaient mettre des années à tirer tous les enseignements de la tempête. Il jubilait. Il réglait du même coup de vieux comptes avec le Québec. Et en plus, il se payait Bill Clinton. Encore mieux! L'Amérique lui en serait reconnaissante. Un immense sentiment de satisfaction l'envahit. Ce soir, il était l'homme le plus puissant de la planète. Même le président des États-Unis ne pouvait rien contre lui. Clinton et son valet Sandy Berger pouvaient toujours lui donner des ordres, ils ne disposaient d'aucun moyen pour les mettre en application. Lui seul pouvait décider du sort de millions de personnes qui subissaient actuellement les effets de sa puissance, de la puissance de son intelligence, de son entreprise. Son cœur était gonflé d'orgueil. Cette puissance, il allait la donner aux États-Unis pour leur assurer la domination de la planète au cours du prochain siècle.

Flagerty passa dans son bureau et se mit en communication avec Siple Station par le réseau de communication interne du service de sécurité d'USP. Yuri

Boukarov prit la communication dès que Weaver lui eut répercuté l'appel dans son laboratoire.

– Boukarov, vous allez immédiatement augmenter les émissions au maximum de la puissance prévue.

– Mais le protocole scientifique prévoit qu'on se limite à cinquante pour cent de la capacité théorique pour cette première expérience avec le nouveau générateur, s'étonna le scientifique. À partir d'un certain seuil, les émissions vont avoir un effet de brouillage empêchant toute communication entre Siple et le monde extérieur, et peut-être aussi sur une bonne partie de l'Antarctique. Il faudrait peut-être que j'avertisse...

– Vous n'avertissez personne, vous m'entendez? Il vous faut combien de temps pour mettre tout le processus en branle?

Boukarov avala sa salive, il n'était pas très sûr de ce à quoi voulait en venir Flagerty, mais il n'était pas payé, et grassement, pour protester.

– D'ici quatre-vingt-dix minutes, au maximum. Après, je ne pourrai probablement plus communiquer avec vous ou avec quiconque jusqu'à la fin de l'expérience dans trois jours, insista-t-il.

– Faites, faites! On se reparle en temps et lieu.

Montréal, Centre de coordination de crise Québec-Ottawa, 7 janvier 1998, 19h30
Le jeune scientifique à qui avait été dévolue la tâche d'expliquer les données et les graphiques, qui se modifiaient constamment sur l'écran géant, au chef du gouvernement du Québec sur place et à celui du Canada par un circuit de téléconférence, s'exprimait en mots simples mais percutants.

– Contrairement aux assurances que vous ont données les Américains en fin d'après-midi, non seulement les émissions à basses fréquences qui perturbent les conditions climatiques sur le sud du Québec n'ont jamais cessé, mais elles augmentent de façon constante depuis une trentaine de minutes

– Vous êtes absolument sûr, monsieur Gagnon, demanda Jean Chrétien, qu'il ne s'agit pas d'une erreur d'interprétation?

– Ou d'un appareil mal calibré qui génère des données erronées? enchaîna son homologue québécois.

– Avant cet exposé, le comité scientifique du centre s'est réuni et c'est à la suite de la conclusion unanime de ses membres que nous avons décidé de vous alerter. La tempête de verglas va s'amplifier, avec toutes les conséquences extrêmement graves qui en résulteront pour les populations touchées, confirma le jeune homme.

– Je ne comprends pas l'attitude des Américains, s'exclama Chrétien, dont l'image vidéo tressautait sur l'écran. Ils s'engagent à faire cesser l'expérience immédiatement et c'est le contraire qui se produit. Il n'y a pas grand-chose qu'on puisse faire de notre côté.

– Il y a peut-être une dernière possibilité. C'est une solution extrême, mais on n'a plus le choix, le contredit le premier ministre du Québec. On s'en parle en privé. Je passe dans mon bureau et je vous rappelle.

Trois minutes plus tard, les deux premiers ministres étaient de nouveau au téléphone, chacun en présence de son chef de cabinet.

– Qu'est-ce que vous proposez qu'on fasse, mon cher ami?

C'était bien la première fois que Jean Chrétien l'appelait «mon cher ami», pensa le premier ministre, une lueur ironique dans les yeux.

– Vous et moi avons actuellement des agents sur place. Je ne sais pas s'ils ont les moyens de le faire et leur réussite n'est pas assurée, mais je pense qu'on n'a plus le choix. Il faut leur donner l'ordre de prendre tous les moyens à leur disposition pour faire cesser les émissions. Détruire l'émetteur, s'il le faut!

– C'est très grave ce que vous proposez. C'est une attaque contre des installations du gouvernement des États-Unis, bafouilla Chrétien, surpris par la proposition.

– Mais, monsieur le premier ministre, ces installations militaires du gouvernement des États-Unis dirigent présentement une attaque contre la population civile du Québec. C'est un acte de guerre. Pire, c'est un crime de guerre! compléta son homologue du Québec avec emphase.

Chrétien ne répondit pas immédiatement. Il discutait avec son conseiller. Puis il lança:

– Je pense moi aussi qu'il faut faire de quoi, et vite! C'est un cas de légitime défense. Il faut essayer.

– Je vais immédiatement tenter d'établir une communication-conférence avec Ross et Dumont. Restez en ligne, monsieur Chrétien.

Siple Station, 7 janvier 1998, en soirée
Dumont, Ross et Florent étaient assis dans un coin de la cafétéria lorsque l'appareil de communication personnel de Ross vibra. C'était Marc-André Flynn, le pilote du Twin Otter qui se trouvait à bord de l'appareil. La communication était mauvaise.

– Il faut que vous veniez immédiatement tous les trois. Il y a un appel urgent de Montréal.

Quelques minutes plus tard, les deux motoneiges transportant Dumont et Florent pour l'une, Ross pour l'autre, vinrent se garer près de l'avion. Ils rejoignirent Flynn dans la cabine, qui était en train de prévenir Montréal de leur arrivée.

– Les deux premiers ministres veulent nous parler à tous les quatre ensemble. Je passe en mode conférence. Il faut faire vite, depuis quelques minutes la qualité des transmissions se dégrade rapidement.

Flynn appuya sur un bouton et enleva ses écouteurs.

– Allô Montréal! Pierre Dumont, Ewan Ross et Isabelle Florent sont à mes côtés. Je vous confirme qu'il n'y a personne d'autre à bord de l'avion.

– Je suis heureux de pouvoir vous parler, fit le premier ministre du Québec en articulant exagérément, car un grésillement parasitait la communication. Le premier ministre Chrétien à Ottawa est aussi en ligne. Nos craintes étaient fondées. C'est maintenant confirmé, la tempête de verglas qui ravage la région de Montréal depuis près de deux jours est causée par des émissions en provenance de Siple Station. Le gouvernement américain nous a assuré, il y a plusieurs heures, qu'il mettrait fin à cette expérience. Mais tout semble indiquer qu'au lieu de cesser, les émissions prennent de l'ampleur. Je laisse le premier ministre Chrétien poursuivre...

Il y eut un bref silence sur la ligne, puis des grésillements plus prononcés. Les propos du premier ministre était difficilement compréhensibles.

– Nous avons décidé, dans l'intérêt du Canada et du Québec, dans l'intérêt national, se corrigea Chrétien, de vous donner l'ordre de prendre tous les moyens à votre disposition pour faire cesser immédiatement ces émissions...

– Les Américains lancent une attaque climatique contre nous, puis lorsqu'on découvre le pot-aux-roses, ils nous assurent qu'ils vont la faire cesser... Et pourtant ils continuent? Qu'est-ce qui se passe au juste? s'indigna Dumont en parlant très fort.

– Le président Clinton m'a téléphoné il y a quelques minutes, déclara Chrétien. Le gouvernement des États-Unis n'a plus le contrôle de la...

Des sifflements saccadés et aigus, sur fond de grésillement, noyèrent complètement la voix du premier ministre du Canada. Flynn tenta pour la forme de modifier les réglages. La communication était perdue.

Isabelle Florent, penchée sur le clavier de l'ordinateur de bord, tenta de faire apparaître à l'écran les paramètres de l'appareil de détection des émissions à basses fréquences extrêmes qu'ils avaient largué à leur arrivée.

– L'intensité extraordinaire des émissions ELF brouille complètement les communications. Ça doit s'étendre sur des centaines de kilomètres à la ronde. Ce qui fait que... plus de communication avec Montréal tant que les émissions n'auront pas cessé !

– D'après ce que je comprends, réfléchit Dumont, le Pentagone a perdu le contrôle d'USP et on compte sur nous pour trouver le moyen de faire cesser l'attaque climatique... Ça va pas être facile !

– On n'a pas de temps à perdre, le pressa Ross. Je propose qu'on tente de s'emparer du centre de contrôle d'USP et qu'on détruise les équipements... ou qu'on force les techniciens à interrompre l'expérience.

– Multiplions nos chances de succès par deux, suggéra Dumont. Pendant que toi et Flynn ciblerez le centre de contrôle, Isabelle et moi allons détruire le générateur d'ELF et ses accumulateurs.

– Tu vas peut-être réussir à te rendre jusque-là en Ski-Doo, mais y est pas évident que tu sois capable de le détruire, intervint Flynn.

Par un hublot de l'avion, Dumont vit un gros tracteur chenillé Sno-Cat, moteur en marche, arrêté devant un hangar à une centaine de mètres du Otter.

– Foncer dedans avec le Sno-Cat qui se trouve là devrait faire l'affaire. Viens Isabelle, il faut qu'on s'en empare avant que le chauffeur sorte du hangar.

– Excellente idée ! fit Ross, qui semblait vouloir prendre la direction des opérations. Ça, c'est notre plan B.

Ross tira vers lui un sac de sport et l'ouvrit. Il contenait deux pistolets Glock, deux pistolets-mitrailleurs Uzi, des chargeurs et des boîtes de balles 9 mm.

– Il risque d'y avoir du sport, lança-t-il en tendant un Uzi à Dumont.

– Flynn et toi risquez d'en avoir plus besoin que moi, répliqua Dumont en se penchant vers le sac pour y prendre les deux Glock. Il en proposa un à Florent, qui le refusa.

– Je ne saurais pas quoi en faire...

– Prends au moins les munitions.

Dumont lui tendit cinq chargeurs approvisionnés et en mit autant dans les poches de son parka.

– Allez vite, bonne chance ! les pressa Ross.

Trois minutes plus tard, la motoneige de Dumont et Florent s'arrêtait à moins d'un mètre du véhicule chenillé Sno-Cat. Les portes de la cabine n'étaient pas fermées à clé.

– J'espère que ce n'est pas trop difficile à conduire, fit le policier en s'installant d'autorité à la place du conducteur.

– T'en fais pas, le rassura Florent. Si tu n'y arrives pas, je le ferai. J'en ai déjà conduit lors de mes séjours précédents en Antarctique.

D'un signe de tête, elle désigna le ciel.

– Les conditions météo ne me disent rien de bon. Le ciel est gris, il fait un peu trop sombre pour l'été austral. Nous ne devrons pas trop traîner en route. Ça ne m'étonnerait pas qu'on essuie encore un bon coup de vent.

– D'accord, miss Météo ! s'amusa Dumont.

Isabelle haussa les épaules en signe de fatalité.

Le Sno-Cat se mit en route sans difficulté. Alors qu'ils s'éloignaient, Isabelle se retourna vers le Twin Otter.

– Pierre, il y a plusieurs motoneiges autour de l'avion. Je crois que la sécurité d'USP est en train d'arrêter Flynn et Ross.

– Oui, t'as raison... Le vent tourne. On est devenu le plan A, lança Dumont sur un ton persifleur.

Washington DC, 7 janvier 1998, 20 h 30

C'était soir de crise à la Maison-Blanche. Un observateur attentif aurait pu noter que la lumière brillait à un nombre inaccoutumé de fenêtres. Tout le personnel clé, administratif et politique, était à son poste. La plupart des journalistes régulièrement affectés à la couverture présidentielle n'étaient pas encore rentrés des vacances des Fêtes. Les quelques reporters qui s'étaient ennuyés dans la salle de presse durant la journée étaient depuis longtemps rentrés à la maison.

Officiellement, le président Clinton se trouvait toujours à Camp David. Depuis 1953, ce petit poste militaire situé dans les monts Catoctin, au Maryland, à une centaine de kilomètres du District de Columbia, servait de résidence secondaire aux présidents américains. Toutefois, Clinton était revenu à Washington dans les heures précédentes, par la route, dans un véhicule banalisé avec une escorte réduite au minimum. L'utilisation de la limousine officielle ou de l'hélicoptère présidentiel Marine One aurait alerté les médias. Le chef d'État était en constante communication avec Sandy Berger.

Depuis qu'il avait été mis au courant de la situation à Siple Station, les mauvaises nouvelles s'étaient succédé : d'abord la démarche des Canadiens qui avaient découvert le pot-aux-roses, puis le refus insolent de Flagerty d'interrompre l'expérience. Dès qu'il avait été averti de la dissidence du patron d'USP, il avait convoqué une réunion du Conseil national de sécurité. C'était donc sur la route en direction de Washington qu'il avait téléphoné à Jean Chrétien pour lui annoncer que le gouvernement des États-Unis avait perdu le contrôle de Siple Station, l'un des moments les plus humiliants de sa carrière, pensa-t-il. De son côté, Sandy Berger avait communiqué avec le directeur du FBI pour le convaincre de procéder à l'arrestation discrète et à la détention *incommunicado* du président d'USP, en vertu d'une obscure loi d'urgence adoptée au début de la Deuxième Guerre mondiale et toujours en vigueur.

Depuis une demi-heure, des limousines et leurs véhicules d'escorte se succédaient devant le portique ouest du palais présidentiel. Généraux et hauts responsables politiques, mallettes de cuir noir à la main et mines sombres, gravissaient rapidement les quelques marches pour pénétrer dans le corridor et s'engager dans l'escalier menant au sous-sol en direction de la Situation Room, le centre de crise de la Maison-Blanche, et de sa salle de réunion attenante.

En marchant du Bureau ovale jusqu'à la salle de réunion de la Situation Room, Berger mit le président au courant des derniers développements.

– Flagerty est passé dans la clandestinité. Le FBI est incapable de le trouver et il nous est impossible de communiquer directement avec Siple Station. Non seulement Flagerty a-t-il déjà donné l'ordre au commandant de la base de la couper de toute communication extérieure, mais depuis près d'une heure les transmissions d'ELF sont tellement puissantes qu'elles brouillent totalement toute communication avec la base.

Quand Clinton entra dans la salle, tous se levèrent. Le président s'installa à sa place habituelle, à l'extrémité de la table opposée au mur couvert d'écrans vidéo, et pria tout le monde de s'asseoir. Il demanda ensuite à Berger de faire le point sur la situation. L'exposé dura dix minutes.

À la fin, le chef de l'état-major interarmes, le général John Shalikashvili, fut le premier à prendre la parole.

– Monsieur le président, avec tout le respect que je vous dois, permettez-moi de manifester mon étonnement et aussi mes sérieuses réserves quant à votre décision d'autoriser des agents étrangers, des Canadiens, à avoir recours à la force et à procéder à la destruction d'installations qui dépendent du département de la Défense. Prions pour qu'il n'y ait pas mort d'homme. Il hésita, puis poursuivit : Et surtout pour que l'affaire ne s'ébruite jamais !

Une certaine exaspération se lisait sur le visage de Clinton.

– Avais-je le choix ? Des éléments incontrôlés liés au Pentagone sont en train de ravager une de leurs villes. Pire, l'attaque à laquelle ils se livrent a pris de l'ampleur après que j'eus assuré les Canadiens que j'allais y mettre fin. C'est pour cela qu'on est ici ce soir. Il faut stopper ce gâchis le plus rapidement possible et dans la plus grande discrétion.

Clinton se tourna vers le secrétaire à la Défense William Cohen.

– Qu'est-ce qu'on peut faire, Bill, pour reprendre le contrôle de Siple Station ? Et ça va prendre combien de temps ?

– Monsieur le président, la situation n'est pas facile. Nos capacités d'intervention rapide dans l'hémisphère Sud sont extrêmement limitées.

Une mappemonde géante couvrant tous les écrans muraux appuya les propos du secrétaire à la Défense. Cohen se tourna vers la carte, qui se centra sur l'océan Indien.

– En fait, la seule force de réaction rapide pouvant intervenir en Antarctique est une unité du Commandement des forces spéciales déployée sur l'atoll de Diego Garcia, dans l'océan Indien, à plus de dix mille six cents kilomètres de Siple Station.

Un globe terrestre remplaça le planisphère à l'écran. Le globe pivota et une ligne relia Diego Garcia à Siple Station.

Interrompant Cohen, Clinton, qui ignora complètement la carte électronique, revint à la charge.

– Dans combien de temps ?

– Je laisse au chef de l'état-major interarmes le soin de vous présenter son plan.

Le général se leva en ajustant sa tunique.

– Monsieur le président, selon nos estimations, il nous faudra un minimum de vingt heures et un maximum de trente, à partir du feu vert, pour reprendre Siple Station. Une compagnie des forces spéciales de cent cinquante hommes devrait être suffisante pour s'emparer de la base, qui n'abrite qu'une soixantaine de personnes et quelques armes légères. Le problème, c'est qu'on n'a jamais prévu de plan de contingence pour couvrir une opération aéroportée en Antarctique. Pour prendre une base américaine de surcroît. Heureusement, nos bérets verts sur Diego Garcia sont entraînés pour intervenir dans les zones froides d'Asie centrale comme l'Hindu Kush. L'équipement requis pour des opérations hivernales est donc entreposé sur l'atoll. Nous avons également sur place deux C-141 Starlifter soutenus par un ravitailleur en vol KC-135 Stratotanker et capables de réaliser des missions aéroportées à très grande distance. Les grandes lignes du plan d'opération que mes officiers sont actuellement en train de raffiner prévoient que la force d'intervention et son matériel soient répartis dans les deux appareils. De cette façon, en cas d'avarie touchant un Starlifter, le second aura toujours les moyens humains et matériels pour réaliser la mission. Soixante-quinze bérets verts devraient pouvoir sans grande difficulté se rendre maîtres de quelques gardiens de sécurité et de quelques savants, si jamais ils décidaient de s'opposer à nous, une éventualité que j'estime hautement improbable.

Shalikashvili s'interrompit. Clinton et Berger, qui était assis à ses côtés, échangeaient des propos à voix basses.

– Excusez-nous, général, le temps presse. J'ai suffisamment d'informations pour prendre ma décision. J'accepte votre plan opérationnel.

Clinton se tourna vers le secrétaire à la Défense William Cohen à qui il fit un simple signe de tête. Cohen prit immédiatement le combiné du téléphone qui se trouvait devant lui pour donner l'ordre de lancer l'opération.

La réunion, qui dura encore une heure, porta ensuite sur les implications politiques, légales et diplomatiques liées aux expériences menées par USP à Siple Station et sur les stratégies que pourrait employer l'administration Clinton en fonction de diverses éventualités. Sauf le président et son conseiller à la Sécurité nationale, personne dans la salle de réunion ne savait comment le président d'USP avait su profiter de la vulnérabilité de Bill Clinton.

* * *

Dix minutes après le feu vert donné par le président Clinton, un ordre de mission fut diffusé sur le réseau mondial du département de la Défense, avec le plan détaillé de l'opération, à l'attention de toutes les unités militaires américaines dans le monde qui seraient appelées à la soutenir. Quarante minutes plus tard sur l'atoll corallien de Diego Garcia, dans une salle climatisée, un colonel et deux capitaines apportèrent des modifications au plan opérationnel initial préparé par l'ordinateur du Pentagone, tout en analysant des images satellite de Siple Station.

Dans une autre salle du même bâtiment, les équipages des trois avions qui allaient participer à la mission recevaient un *briefing* détaillé de l'opération. À l'extérieur, près d'une lagune turquoise avec des palmiers en toile de fond, un major et un capitaine expliquaient à une centaine de jeunes soldats médusés qu'ils allaient participer dans une vingtaine d'heures à une attaque contre une base américaine en Antarctique. À moins d'un kilomètre de là, dans un autre coin de l'atoll, des membres d'une unité de soutien en tenue tropicale rassemblaient devant un entrepôt des caisses modulaires contenant des tenues de combat d'hiver, de l'équipement et des armes prévus pour des opérations par grand froid.

Moins de deux heures plus tard, trois avions des forces aériennes des États-Unis décollèrent de Diego Garcia et mirent le cap sur l'Antarctique. Les derniers correctifs au plan opérationnel seraient transmis aux commandants à bord des avions par le réseau de satellites militaires américains. Durant le vol, les officiers auraient aussi accès, en temps réel, aux images vidéo de Siple Station, avec la possibilité de zoomer pour obtenir des gros plans de tout objet ou lieu d'intérêt sur la base.

Siple Station, 7 janvier 1998, 22 h 30

D'après le plan que Dumont avait vu à son arrivée à Siple Station, l'émetteur d'ELF se trouvait à environ trois kilomètres de la base. Il n'avait qu'à suivre la route balisée sur la droite par des tiges de métal orange sur laquelle ils étaient engagés. Il n'avait pas encore la moindre idée de la façon dont il s'y prendrait pour réduire l'émetteur au silence.

– À ton avis, quel est le meilleur scénario? demanda Florent à son collègue.

– On peut essayer de faire sauter le réservoir de diesel qui l'alimente, mais ça me semble risqué… On pourrait y laisser notre peau!

– Et ce n'est pas garanti que le feu se propagerait à la génératrice ou à l'antenne circulaire, fit-elle remarquer.

– Ça dépend de la distance qui les sépare. De toute façon, sans diesel la génératrice ne fonctionnera plus. On verra bien. Sur place, on se fera une meilleure idée.

Ils roulaient lentement, car à cause de sa grosseur et de son poids, le véhicule chenillé Sno-Cat, un genre de bulldozer à cabine surélevée sur quatre boogies triangulaires supportant les chenilles, ne se manœuvrait que difficilement. Heureusement, les nombreux passages des véhicules d'entretien vers la génératrice avaient fini par tracer un semblant de route. Quand la neige la recouvrait, Dumont se fiait aux balises.

Finalement, la génératrice montée sur pilotis se dressa devant eux. Dumont arrêta le Sno-Cat, en descendit et fit rapidement le tour du monstre d'acier, cherchant le point faible par où l'attaquer. Il pensait qu'il fallait faire vite. Les responsables de la sécurité d'USP devaient déjà être au courant qu'il avait volé un Sno-Cat et ils en avaient sûrement déduit qu'il allait se rendre à l'émetteur pour le paralyser. C'était peut-être une question de minutes.

— On pourrait essayer de tirer sur les pilotis avec les chaînes pour faire basculer la génératrice, mais ça peut ne rien donner, confia-t-il à Florent. Et on n'a pas beaucoup de temps.

— Pourquoi ne pas t'en prendre à l'antenne directement, puisque c'est là la source du problème ? lui suggéra-t-elle.

— Tu lis dans mes pensées maintenant ? C'est justement ce que j'étais en train de me dire. Accroche-toi bien, ça va brasser ! fit-il en se réinstallant au volant et en embrayant rapidement.

Serrant les dents et les mains agrippées au volant, Dumont fonça droit sur une première portion d'antenne déployée à même le sol. Il entendit le métal se tordre sous les chenilles et des câbles de soutien qui sautaient. Il recula pour dégager les morceaux d'antenne qui pourraient bloquer le mécanisme des chenilles, fit faire un lent demi-tour au véhicule et effectua un deuxième passage au même endroit.

— Et tiens, pour être plus sûrs, on va faire la même chose un peu plus loin…

Dumont procéda de la même façon pour sectionner de nouveau l'antenne. Mais convaincu qu'elle pourrait être assez facilement remise en état, il dirigea le Sno-Cat vers le réservoir de diesel qui alimentait la génératrice. Il entoura le tuyau d'alimentation avec une chaîne qu'il accrocha à l'avant du Sno-Cat. Il reprit place à bord et fit marche arrière. Le tuyau plia et se rompit, répandant un puissant jet de diesel sur la glace vive.

Il s'éloigna rapidement, en direction cette fois d'un mât de transmission qui devait assurer les communications de la base.

– Prochaine cible de notre campagne de destruction, qu'est-ce que t'en penses ?

– Au point où nous en sommes, pourquoi pas ? s'exclama Florent en se cramponnant au tableau de bord de l'auto-neige.

– Bon ! Pour ça, on va devoir de nouveau avoir recours à la chaîne. Je m'en occupe.

– J'ose même pas penser à ce qu'ils vont nous faire quand ils vont nous capturer, angoissa Florent.

– Ma belle, il est beaucoup trop tard pour y penser, lui répondit Dumont.

Il alla installer la chaîne autour du mât, puis revint dans le Sno-Cat. Il commença à faire avancer le véhicule lentement avant d'accélérer d'un coup sec. Le poteau ne résista pas longtemps et s'affaissa. Surpris par la vitesse à laquelle le mât avait cédé, Dumont ne réussit pas à arrêter le véhicule, qui fut emporté par son élan. Ils le sentirent piquer du nez avant même d'avoir vu la cavité qui s'ouvrait devant eux. Dumont freina, embraya et débraya dans un même mouvement, et le moteur cala. Ils étaient au fond d'un trou peu profond.

C'est en tentant de redémarrer le Sno-Cat qu'ils maudirent leur imprudence. Le véhicule hoqueta, tousseta, cracha et s'arrêta. Rien à faire pour relancer la mécanique !

– Je vais appeler à l'aide, dit Florent en décrochant le micro de la radio de bord, avant de se rendre compte de l'absurdité de son geste. Ils venaient de détruire le système de communications de la base.

– Peut-être qu'on ferait mieux d'attendre un peu avant de leur demander de nous aider ! Avec ce qu'on vient de faire, ils pourraient vouloir nous tuer, lança Dumont.

– Et la balise d'urgence ? lança Florent. On peut la déclencher.

Dumont regarda partout dans l'habitacle et finit par mettre le doigt sur un appareil identifié GPS. Il l'actionna en espérant qu'il n'était pas endommagé, et surtout que quelqu'un quelque part pourrait capter son signal de détresse. Ce dont il doutait fortement, mais il ne le dit pas à sa compagne.

Montréal, 8 janvier 1998, le matin

Pour la troisième journée de suite, une partie du Québec continua à vivre à la lueur des bougies, au ronronnement des génératrices, au crépitement des bûches dans les foyers et poêles à bois, pour ceux qui avaient la chance d'en posséder.

Le réseau de transport de l'électricité s'était sérieusement dégradé. Les dirigeants de la société d'État, tout comme les autorités civiles, recommandaient aux citoyens qui avaient encore de l'électricité de restreindre son utilisation en baissant le chauffage de quelques degrés, en fermant les lumières inutiles, bref en rationnant leur consommation.

Alors qu'ils avaient l'oreille aux aguets pour surprendre la moindre bonne nouvelle, Julie et Jean-Paul Désy furent brusquement plongés dans le silence.

– Pas déjà les piles ! s'insurgea Julie. J'en ai mis des neuves il y a pas deux heures !

– Impossible ! confirma Jean-Paul. Il tourna un bouton et tomba sur une autre station. Notre poste a

329

cessé d'émettre. Les antennes doivent avoir subi des dégâts aussi.

Effectivement, plusieurs stations de radio et de télévision se mirent à perdre l'antenne par intermittence dans certains cas, de façon prolongée dans d'autres. Se voir ainsi coupés brusquement de tout contact avec l'extérieur en plongea plus d'un dans le désarroi. À Hydro-Québec, les bras et les cerveaux continuaient cependant à chercher des solutions. D'anciennes lignes furent réactivées de manière à essayer de sauver à tout prix les dernières zones de Montréal non encore touchées par la gigantesque panne.

Dans la métropole, d'ailleurs, la Communauté urbaine, tout en assurant que les bassins étaient bien remplis, demanda pourtant aux citoyens de réduire leur consommation d'eau afin que les usines de pompage et de traitement, dont les capacités de fonctionnement étaient affectées par la panne, puissent faire correctement leur travail.

Stéphanie Blois-Dumont n'avait pas mis les pieds au travail depuis quatre jours, car la boutique et les bureaux de son entreprise situés dans Outremont étaient privés de courant. Elle tournait en rond dans son appartement de Rosemont qui, lui, n'avait pour l'instant connu aucune coupure, pas même une seconde depuis le début du verglas. À la télévision, elle voyait se succéder les mauvaises nouvelles, les pannes de plus en plus nombreuses, le manque de piles, de bougies, de combustibles et de lampes de poche qui commençait à se faire sentir, notamment dans le triangle de glace, et bien sûr le sentiment d'impuissance qui abattait tous ces gens forcés de se réfugier dans des centres d'accueil.

D'heure en heure, elle suivait les nouvelles à la télévision, qui n'était pas avare de reportages au cœur même des centres d'hébergement. Elle sympathisait avec ces gens qui racontaient qu'ils n'arrivaient pas à dormir au milieu des ronflements des uns, des cris des enfants et des querelles des autres. La tension montait à certains endroits. Les conditions d'hygiène n'étaient pas toujours optimales. Elle avait joint plusieurs amis de la région pour leur offrir un abri bien au chaud, chez elle. Pour l'instant, personne ne voulait quitter sa maison. Même si la situation était de plus en plus difficile à supporter, comme chez les Désy. Tous espéraient que la catastrophe tirerait bientôt à sa fin. Elle se sentait très démunie, ne sachant que faire, et en plus son mari n'était pas là... parti en Antarctique.

« Quelle ironie ! L'Antarctique, c'est ici ! » songea-t-elle.

Terre d'Ellesworth, Antarctique, 8 janvier 1998

Dumont et Florent avaient décidé de rester à l'intérieur du Sno-Cat. En fouillant l'habitacle du véhicule, il avait trouvé un coffret de survie. Dedans, un rouleau de ruban adhésif à large bande, une paire de ciseaux, des bandages et de la gaze, de l'alcool à friction, une boîte de bougies, des allumettes dans un sac étanche et quatre couvertures de survie en polyester.

Ils s'étaient servis du ruban adhésif pour tenter de colmater les fentes des portes de l'habitacle. Mais auparavant, Dumont avait vidé de son contenu la boîte en plastique marquée de l'emblématique croix rouge et l'avait remplie de neige. Si les secours mettaient du temps à arriver, ils auraient au moins de la neige à se mettre sous la langue pour ne pas se déshydrater.

La boîte de bougies donna une idée à Dumont. Il en alluma une en espérant que la chaleur qu'elle dégagerait finirait par envahir la cabine. Au Québec, dans sa voiture, il conservait toujours des bougies pour cet usage. C'était le moment de vérifier si cela marchait vraiment. Puis ils s'entourèrent dans les couvertures isothermes et se blottirent l'un contre l'autre. Il ne leur restait plus qu'à attendre les secours.

– Si le vent se lève et accumule la neige contre l'auto-neige, cela nous fera aussi un bon isolant, commenta Dumont en relâchant une bouffée d'haleine blanche.

– Par contre, on ne sera plus visibles, fit remarquer Florent en se collant contre lui pour éviter que leur chaleur corporelle ne se disperse.

– De toute façon, nous ne pouvons pas bouger d'ici. Il faut attendre qu'on nous trouve, répondit Dumont, qui estima que, dans la situation désespérée où ils se trouvaient, c'était quand même mieux d'avoir quelqu'un comme Isabelle blottie contre lui.

– On nous recherche probablement, dit Florent, qui était dans le même état d'esprit que son compagnon d'infortune.

– Et si on nous trouve, on ne nous traitera pas nécessairement comme des héros. On a peut-être décidé de nous abandonner dans ce désert de glace. Une façon élégante de régler notre cas ! « Deux Québécois morts de froid après un accident d'auto-neige en Antarctique », je vois déjà le fait divers dans le *Journal de Montréal.*

Dumont pensa que mourir dans les bras d'une jolie femme était une fin de vie qu'il avait quelquefois envisagée, mais dans des circonstances tout autres.

Florent pensait déjà à autre chose.

– En tout cas, moi, je commence à avoir drôlement faim ! Y a rien à manger dans ce véhicule, même pas une barre tendre. Je ne comprends pas que personne n'ait pensé à mettre quelques aliments secs dans la trousse de secours.

– On n'a vraiment pas eu la main heureuse avec ce Sno-Cat, qui semble dater d'une quinzaine d'années.

– Peut-être était-il bon pour une mise au point ou une réparation…

Florent essuya de la main la condensation qui commençait à se former sur le pare-brise du véhicule à cause de la chaleur de leur haleine et de celle de la bougie dans l'air froid de l'habitacle.

– Hum ! Regarde là-bas, vers l'horizon. Je n'aime guère la couleur du ciel. Ce bleu acier ne me dit rien qui vaille. On dirait bien qu'on va écoper d'une tempête de vents catabatiques.

– Tu m'as déjà expliqué, mais je ne me rappelle plus...

– Ah les hommes, ça n'écoute jamais ! Ce sont des vents plaqués au sol qui provoquent des blizzards épouvantables. Lors de mon dernier séjour en Antarctique, j'ai vécu un blizzard catabatique. Un de mes collègues norvégiens qui voulait se rendre de sa tente au Sno-Cat de l'expédition a mis une heure pour faire un trajet qui prenait cinq minutes par beau temps.

– Espérons surtout que ce ne soit pas une vraie tempête, mais juste un coup de vent comme la dernière fois. Si c'est vraiment une tempête, n'oublie pas ce qu'a dit Hudson, ça peut durer des jours sans accalmie.

– On n'y survivrait pas ! Croisons-nous les doigts pour que quelqu'un ait déclenché l'alerte et que les recherches soient commencées.

Puis ils se perdirent dans leurs pensées, serrés l'un contre l'autre. Florent, épuisée, finit par s'endormir. Dumont, pour sa part, combattait le sommeil. S'ils s'endormaient tous les deux, estima-t-il, ils étaient fichus et finiraient morts gelés.

Toute la nuit le refuge fut secoué de toutes parts par les rafales. Puis la neige balayée par le vent se plaqua contre le véhicule, et comme Dumont l'avait prévu, constitua une excellente couverture isolante. En tenant allumées en permanence deux bougies à l'intérieur de l'habitacle, ils ne souffrirent pas trop du froid.

Aux petites heures du matin, par le pare-brise à moitié recouvert de neige, Dumont put néanmoins constater que la tempête était terminée. Il retira les bandes adhésives qui colmataient la porte de son côté et tenta de l'ouvrir. Mais la neige était compactée contre la portière. Il dut s'appuyer sur sa compagne et pousser de toutes ses forces avec ses pieds pour réussir à l'entrebâiller de quelque deux centimètres, tout au plus. Il commença alors lentement à gratter la neige accumulée avec le manche d'une pelle trouvée dans la cabine.

Il lui semblait avoir travaillé pendant une éternité lorsque finalement il réussit à agrandir la brèche et à sentir l'air à l'extérieur.

Inlassablement, il continua son travail. C'était épuisant, mais il lui fallait absolument renouveler l'air à l'intérieur de l'auto-neige d'une part et, d'autre part, dégager le véhicule complètement pour qu'il soit plus visible pour l'équipe de recherche.

Après une heure d'efforts, il réussit enfin à se glisser à l'extérieur, mais dut abandonner son trop gros parka dans la cabine. Il se retrouva en combinaison thermo-isolante, ce qui était néanmoins suffisant pour supporter de basses températures pendant qu'il s'emploierait à dégager le Sno-Cat à la pelle.

Une demi-heure plus tard, il réintégra le véhicule, renfila son chaud duvet et s'enroula dans les deux couvertures de survie.

– Espérons qu'on nous retrouvera aujourd'hui, lui dit Florent. Parce que nous ne tiendrons pas une journée de plus dans ces conditions.

– Il reste seulement deux bougies. Essayons de les épargner, suggéra Dumont. On sortira à tour de rôle pour pelleter. L'exercice va nous réchauffer. Il faut maintenir l'auto-neige bien visible.

Florent en était à sa troisième sortie lorsqu'elle ressentit, plus qu'elle n'entendit ou ne vit, un véhicule qui s'approchait rapidement.

– Aïe! Qui est-ce? gronda Dumont. Une équipe de sauvetage ou une équipe qui vient simplement nous liquider pour avoir bousillé l'émetteur?

– Quoi qu'il en soit, il faut manifester notre présence. On ne peut plus tenir dans de telles conditions.

Florent agita les bras en tous sens pour attirer l'attention des passagers du gros Sno-Cat qui approchait.

À moins de cinq mètres d'eux, trois hommes vêtus de blanc sautèrent du gros véhicule.

– Ils sont armés, chuchota Dumont. On dirait des militaires.

– Eh bien, amis ou ennemis, je m'en fous, moi je me rends!

Et joignant le geste à la parole, elle leva les mains au-dessus de la tête, comme elle l'avait vu faire au cinéma. Dumont allait l'imiter lorsqu'il vit que celui qui semblait le chef du petit groupe rigolait dans ses moustaches givrées.

L'homme lui tendit la main:

– Capitaine Randy Cohen, United States Special Operations Command.

La présentation faite sur un ton guindé laissa Dumont bouche bée.

– Isabelle Florent, Pierre Dumont… euh… Canada, lança la scientifique sans se démonter.

– Eh bien! c'est justement vous que je cherchais! répliqua le major. Si vous voulez bien me suivre…

– Nous sommes en état d'arrestation? s'inquiéta Dumont.

– Pas que je sache! énonça le major. Mais ce n'est pas à moi de vous le dire. On statuera sur votre sort à la base.

Dumont lui remit son pistolet et ses chargeurs avant que les militaires ne le fouillent. Florent leur donna les munitions qu'elle portait.

Ils se glissèrent dans le Sno-Cat de secours, les trois soldats montèrent à leur suite. Le pilote contourna la ravine où ils s'étaient enfoncés et prit la direction de Siple Station.

Pendant tout le trajet, les militaires restèrent muets ou ne répondirent que par onomatopées aux questions inquiètes du sergent-détective. Finalement, quand ils arrivèrent en vue du bâtiment administratif de la base, un homme en sortit en faisant de grands gestes.

– Au moins, en voilà un qui a l'air content de nous voir! soupira Dumont.

– C'est Ross! s'exclama Florent.

– Eh bien, j'ai hâte qu'il nous raconte la suite des événements! fit Dumont en sautant du Sno-Cat, juste avant le capitaine Cohen et ses deux soldats qui aidèrent Florent à sortir du véhicule.

– Vous allez être surpris, lâcha alors le major en affichant un visage beaucoup plus jovial que durant tout le trajet.

Ross leur raconta comment le gouvernement américain avait repris le contrôle de la base par une opération aéroportée menée par un commando des forces spéciales venu de Diego Garcia, dans l'océan Indien. Aucune résistance n'avait été opposée. Les militaires avaient mis quelques employés d'USP en détention, dont un scientifique d'origine russe.

Montréal, 8 janvier 1998

Il était à peu près treize heures lorsque Stéphanie vit à la télé que plusieurs postes d'alimentation locaux d'Hydro-Québec se mettaient à flancher, plongeant dans le noir presque tous les commerces et immeubles de bureaux du centre-ville. Aussitôt la fermeture complète fut décrétée, ce qui jeta en même temps des milliers de personnes, principalement des automobilistes, dans les rues. La pagaille générale s'ensuivit. Les voitures tentaient d'éviter piétons, bancs de neige, équipements de voirie, véhicules en panne, autobus au ralenti, câbles électriques et branches cassées dans un hallucinant gymkhana. Et pour couronner le tout, voilà que le ministère des Transports décidait de fermer les ponts après que des morceaux de glace furent tombés des panneaux de signalisation en surplomb des voies de circulation. Dans un nouveau point de presse, le chef du gouvernement québécois annonça que trois mille militaires de plus seraient déployés sur le terrain.

Accrochée au bulletin de météo, comme la plupart des Québécois, Stéphanie entendit enfin la bonne nouvelle tant espérée. La tempête de verglas devrait prendre fin durant la nuit, au plus tard le lendemain, tandis que la température se maintiendrait aux alentours de zéro. Par contre, la neige devrait commencer à tomber.

Alexandria, Virginie, 8 janvier 1998, vers 10 h

Le dôme du Capitole se profilait sur l'autre rive du Potomac, tandis que Dobson roulait en direction est vers Alexandria, sur la rive virginienne de la rivière. Non sans satisfaction, le vice-président à la sécurité d'USP estima que l'information qu'il allait confier aux oreilles bienveillantes d'un journaliste allait avoir l'effet d'une bombe sur les deux augustes assemblées qui siégeaient sous le dôme. Cette pensée lui donna un sentiment de puissance. Ce n'était pas tous les jours qu'un homme de l'ombre comme lui pouvait déclencher un séisme politique qui allait sans doute détruire la carrière d'un président qu'il détestait viscéralement, Bill Clinton.

La directive que Dobson avait reçue de Flagerty le matin même était claire. Il devait couler aux médias le dossier qu'USP avait monté depuis des mois sur la liaison du président avec la stagiaire Monica Lewinsky. Son patron avait insisté sur un point, Dobson ne devait rien dire à son interlocuteur de l'existence des taches de sperme présidentiel sur la robe bleue. Flagerty se gardait cet as en réserve pour la suite de la partie.

Le restaurant familial Roy Rogers où s'arrêta Dobson, situé dans un quartier terne d'Alexandria, n'était pas fréquenté par l'élite du pouvoir de la capitale américaine. La franchise, spécialisée dans le poulet frit et les sandwiches au *roast beef*, avec une thématique western des années cinquante, était pratiquement déserte en ce milieu de matinée maussade. Dobson choisissait toujours ce genre d'établissement quand il s'agissait de rencontrer un journaliste pour lui refiler des informations à l'abri des yeux et des oreilles indiscrets. Le vice-président à la sécurité préférait toujours couler des informations à des journalistes de la presse écrite. Les rencontres couraient moins le risque d'être éventées. Les visages des journalistes de la télévision étant connus du grand public, il y avait toujours un risque de voir quelqu'un les interpeller ou les reconnaître. Quand il devait leur communiquer un tuyau, il louait une chambre dans un motel d'une banlieue éloignée pour s'assurer de la confidentialité de la rencontre.

Il s'assit le dos au mur, au fond de l'établissement, de façon à pouvoir observer tout ce qui s'y passait. Cinq minutes après son arrivée, Mark Sperry, un journaliste d'enquête de l'hebdomadaire *Newsweek*, entra et vint prendre place à sa table en lui serrant la main. Ce n'était pas la première fois que les deux hommes faisaient affaire.

– Doug, il y a longtemps que tu m'as invité chez Roy Rogers. On resserre les comptes de dépenses, à USP? Alors, tu cibles lequel de vos concurrents, cette fois? Boeing, TRW, Raytheon?

Un sourire condescendant étira les commissures des lèvres de Dobson. Il sortit une épaisse enveloppe de sa mallette qu'il avait déposée près de lui sur la banquette et la laissa tomber sur la table devant Sperry.

– Cette fois, mon ami, je me paie le président des États-Unis!

Montréal, 8 janvier 1998

Jean-Paul et Julie Désy s'apprêtaient à se mettre au lit, aux alentours de vingt et une heures, lorsqu'un bruit étrange à l'extérieur attira leur attention et fit grogner Gypsie qui, dormant entre ses deux maîtres, leur servait de bouillotte depuis deux nuits.

Deux hélicoptères survolaient la région. Durant toute la nuit, les appareils d'Hydro-Québec équipés de lecteurs infrarouges firent des rondes au-dessus des installations électriques pour évaluer discrètement les dégâts.

Depuis le début de la tempête de verglas, c'était près de quatre-vingt-cinq millimètres de pluie verglaçante et de grésil qui s'étaient abattus sur le sud-ouest de la province, surtout en Montérégie.

Pendant ce temps, chez les Dumont, le téléphone sonna.

– Salut Steph, c'est Comtois. Peux-tu me passer Pierre ?

– Ben voyons, Daniel, tu sais bien que Pierre est en Antarctique, il est parti vendredi dernier !

– …

– Allô Daniel, tu es là ? Allô !

– Arrête de me niaiser, Steph. C'est urgent, passe-moi Pierre. Tous les policiers de Montréal sont réquisitionnés. On doit absolument être au bureau au cas où…

– J'te niaise pas, Daniel. J'te dis que Pierre est parti en mission en Antarctique…

– Elle est bonne, celle-là ! Je savais qu'il était détaché au Service de renseignements, mais je ne savais pas qu'on mettait les pingouins sous surveillance.

– Manchots, Daniel !

– Quoi, manchots ?

– En Arctique, c'est des pingouins, en Antarctique, c'est des manchots !

– C'est ça, fous-toi de ma gueule ! En tout cas, ça c'est tout lui, un détective municipal de Montréal qui enquête au pôle Sud. Il faut le faire. Et c'est l'été là-bas !

– Je suis pas sûre qu'il fasse plus chaud là-bas qu'ici.

– Et toi, ça va ?

– Ça va. Rien à signaler dans notre quartier, on a encore de l'électricité.

– Pareil chez moi ! Bon, je te laisse. On a eu de la chance jusqu'à maintenant, aucun homicide n'a été signalé depuis le début de la tempête. Tu imagines ce qui se serait produit dans une grande ville américaine comme Chicago ou New York ?

– Mais on a déjà annoncé deux morts à la télé.

– Par intoxication au monoxyde de carbone. Les collègues s'en occupent. Allez, salut !

Après avoir raccroché, Stéphanie s'entortilla dans un épais jeté et s'allongea sur son canapé pour continuer à suivre le fil des événements bien au chaud. Toutefois, les véritables raisons de l'absence de Pierre commençaient à lui apparaître tordues.

C'est vrai, comme disait Comtois, qu'est-ce qu'un policier du Service des renseignements pouvait bien faire en Antarctique ? Et qui lui prouvait d'ailleurs qu'il était bien parti là-bas, et avec une chercheuse de l'université en plus ? De minute en minute, la suspicion gagnait Stéphanie. Si son meilleur ami n'était pas au courant de ses déplacements, c'était que cela cachait quelque chose !

La télévision continuait à égrener son chapelet d'informations. Hydro-Québec faisait preuve d'optimisme et annonçait que quatre-vingts pour cent des abonnés pourraient retrouver du service en dedans de trois jours, notamment à Montréal, dans les Laurentides et en Outaouais. Ceux du triangle de glace n'étaient toutefois pas au bout de leurs peines. On parlait d'une, voire de deux semaines.

De nouveau le premier ministre se présenta devant les caméras, cette fois pour annoncer que des décrets pour débloquer des fonds au profit des sinistrés seraient adoptés dès le lendemain au Conseil des ministres.

Stéphanie prit une nouvelle fois le téléphone pour appeler les Désy, ils ne s'étaient pas revus depuis leur souper du mois d'octobre précédent. Elle voulait les inviter à s'installer chez elle, mais Jean-Paul et Julie refusèrent. Ils ne voulaient pas laisser Gypsie derrière eux. C'était d'ailleurs le cas de plusieurs sinistrés ; comment se résoudre à laisser chiens, chats, canaris geler à la maison, dans la solitude ? Et puisque Stéphanie était allergique, c'était impossible de l'emmener.

Comme elle s'apprêtait à faire chauffer de l'eau pour son thé du soir, Stéphanie resta figée devant son petit écran. Un reportage montrait Washington par un temps idyllique et des touristes qui déambulaient en t-shirt. Un fait exceptionnel en cette période de l'année. Du même souffle, le reporter annonçait que le lendemain, dimanche, on prévoyait de nouveau une chute des températures sur le Québec.

Puis ce fut Jacques Duchesneau, le chef de la police de Montréal, qui prit la parole pour annoncer que la ville se préparait un lundi d'enfer si les rues n'étaient pas rapidement déblayées durant le week-end. Le mot d'ordre devenait : débarrassons vite les toits et les panneaux de signalisation de ces amas de glace qui risquaient à tout moment de s'effondrer sur les trottoirs et la chaussée.

Le maire, revenu de ses vacances en Chine, espérait que sa ville pourrait revenir à la normale dans moins de vingt-quatre heures.

Montréal, 10 janvier 1998, 9 h

Dans la région de Montréal, des milliers de bras s'étaient mis à l'ouvrage et le déglaçage se poursuivait inlassablement. De plus en plus de propriétaires, inquiets pour leur toiture, avaient engagé des couvreurs pour tenter de dégager leurs maisons de leur gangue de glace.

Dans les résidences épargnées par le verglas, les gens étaient figés devant leur petit écran à suivre les bulletins d'informations, tandis que d'autres avaient retroussé leurs manches pour offrir de l'aide à des voisins, des parents, des amis. Dans les rues, c'était parfois à la hache qu'il fallait dégager les pneus des voitures, littéralement collés au sol.

Cela faisait déjà cinq jours que tout le sud-ouest du Québec était plongé dans le chaos, et la température qui allait encore chuter inquiétait la Sécurité civile.

Immobilisée sous la glace, Montréal avait peine à se remettre debout. Et comme si le moral n'était pas déjà assez atteint, voilà que des spécialistes d'Hydro-Québec laissaient entendre que des événements semblables risquaient de se reproduire !

Stéphanie Blois-Dumont avait fini par convaincre son frère David et sa compagne Charlotte de venir s'installer chez elle. Ensemble, ils tentaient de recréer une certaine normalité, d'établir une routine, alors qu'ils avaient le sentiment d'avoir perdu toute notion du temps et de l'importance des choses.

Le premier ministre avait d'ailleurs invité les gens disposant toujours d'électricité à accueillir des sinistrés. Une ligne sans frais avait été mise à la disposition des familles prêtes à recueillir des gens. Plusieurs grandes entreprises ayant pignon sur rue dans le centre-ville de Montréal avaient par ailleurs accédé à la demande des autorités et décidé de ne pas ouvrir leurs portes le lendemain, de manière à ne pas encombrer les rues de travailleurs se rendant au boulot, et surtout pour économiser l'électricité et faciliter le rétablissement progressif dans les zones les plus touchées. Les conséquences économiques de la crise se profilaient déjà mais, pour l'instant, personne n'osait avancer un chiffre d'estimation des pertes.

Une semaine après le début de la panne, près d'un million de personnes étaient toujours privées de courant. Et plusieurs d'entre elles apprirent avec stupéfaction que cela risquait de durer encore une semaine de plus, voire deux. Les météorologues d'Environnement Canada ne se montraient guère rassurants. Les températures s'annonçaient plus froides pour les trois ou quatre prochains jours, faisant osciller le thermomètre entre moins cinq et moins quinze degrés Celsius. Et pour couronner le tout, la neige devait également se mettre de la partie au cours des prochaines heures.

Chez les Désy, on n'avait pas le cœur à sourire. En dépit d'appels répétés de parents et amis, Jean-Paul et Julie avaient décidé de «camper» sur leur position, c'est-à-dire dans la cuisine bien chauffée par le poêle à bois. Jean-Paul avait réussi à faire une bonne provision de bûches, même si le bois était de plus en plus difficile à trouver dans la région et se vendait à prix d'or, de piles pour la radio et de bougies pour l'éclairage. Malheureusement, il avait fallu se résoudre à vider le réfrigérateur et le congélateur, et à se débarrasser de plusieurs centaines de dollars de denrées. Adieu saumons, sangliers et cerfs, langoustines et bons petits plats en sauce !

Les coûts de la catastrophe allaient à coup sûr se chiffrer à plusieurs millions de dollars. Certains journalistes avançaient même déjà la somme faramineuse d'un demi-milliard, sans compter les dommages subis par Hydro-Québec.

Le gouvernement promettait que les sinistrés recevraient rapidement une aide d'urgence pour tenir le coup. Le montant n'était pas mirobolant, soixante-quinze dollars par sinistré par semaine, mais pour plusieurs qui se retrouvaient les poches vides, les premiers chèques de subsistance seraient les bienvenus.

Pour les Désy, le cauchemar ne se terminerait que trois semaines plus tard, une fois que les lignes hydroélectriques seraient rétablies. Ils avaient finalement dû se résoudre à quitter leur domicile et avaient trouvé refuge à Québec, dans la famille de Jean-Paul, avec Gypsie.

Pour d'autres sinistrés, ce qu'on appellerait désormais la Crise du verglas aura duré près de cinq semaines. En effet, ce ne sera que le 8 février, soit presque trente-cinq jours après le début de la panne, que le courant sera enfin rétabli dans les deux dernières municipalités touchées, soit Sainte-Brigide-d'Iberville et Sainte-Sabine, près de Farnham.

Montréal, 12 janvier 1998, 14 h 35

La voiture de Pierre Dumont se glissa avec adresse entre deux automobiles stationnées à angle, en face de chez lui. Il remarqua que la petite Suzuki de la vieille dame d'à côté, la maîtresse de Hush le beagle, était endommagée. Peut-être une branche d'arbre était-elle tombée sur le véhicule! songea-t-il.

Sa clé tourna dans la serrure de l'entrée et Stéphanie sursauta. Il ne l'avait pas prévenue de son retour, car il ne savait pas exactement combien de temps allait durer le «débriefing» à Washington, puis sa visite au Centre de coordination Québec-Ottawa dans l'édifice Hydro-Québec à Montréal. Finalement, tout avait été beaucoup plus vite qu'il ne l'aurait cru, surtout à Montréal, car la crise perdurait et le premier ministre n'avait eu que fort peu de temps à lui consacrer.

Évidemment, on avait fait jurer le secret à tous les membres de l'équipe sur tous les détails de leur mission en Antarctique. Il espérait donc que Stéphanie serait compréhensive et ne prendrait pas trop mal son silence sur ce qui s'était réellement passé là-bas.

Lorsqu'elle l'aperçut, elle lui sauta dans les bras. Elle avait été tellement inquiète pour lui. Il l'embrassa fougueusement, mais entendant des voix dans le salon, il ralentit ses ardeurs.

– Qui est-là ? fit-il, curieux et légèrement agacé.

– Mon frère et sa femme. Ils se sont réfugiés ici il y a quelques jours. Le courant n'est pas encore rétabli sur la Rive-Sud.

Dumont grimaça. En faisant route vers chez lui, il avait eu d'autres idées en tête que de faire la conversation avec son beau-frère. Et surtout, il craignait que tous trois ne se montrent un peu trop curieux quant à son voyage en Antarctique.

À peine eut-il déposé son sac dans leur chambre que Stéphanie lui demanda comment s'était passé le voyage. Elle referma la porte derrière eux.

– Très bien. La mission a été menée rondement et sans problèmes particuliers…

– Tu es sûr ? Tu as un drôle d'air… continua Stéphanie en glissant sa main dans son dos pour l'attirer vers elle.

– Je ne peux pas t'en dire beaucoup, tu sais. J'ai juré. Mais je t'en dirai un peu plus quand nous serons seuls.

Il la prit dans ses bras et chercha ses lèvres, mais elle le repoussa légèrement pour attraper ses yeux.

– Et la chercheuse ?

– Isabelle ? Que veux-tu savoir ?

– Comment ça s'est passé avec elle ? J'imagine…

Il lui posa l'index sur la bouche.

– N'imagine rien, Steph. Tu vas te faire du mal. Je t'ai promis que je te dirais tout ce que je peux te dire sans trahir mon serment. Quant à Isabelle, eh bien, nous avons collaboré ensemble pour mener à bien ce travail, et voilà, il n'y a rien à dire de plus !

– Tu vas la revoir ? insista Stéphanie, ses yeux sombres brillant de larmes retenues.

– Peut-être… ou peut-être pas ! Je n'ai pas un horaire de travail qui facilite les contacts sociaux, comme tu l'as déjà toi-même déploré. De toute façon, puis-qu'elle t'intrigue tellement, je te promets que tu la rencontreras. Nous l'inviterons à dîner… au resto, précisa-t-il en la voyant froncer les sourcils.

Puis il enveloppa Stéphanie de ses bras et l'embrassa fiévreusement.

Épilogue

Dans son édition du 15 janvier 1998, le *Wall Street Journal* annonça le départ à la retraite de Sean E. Flagerty, PDG d'Ultimate Systems Providers. Le plus important quotidien économique des États-Unis accompagnait la nouvelle d'une biographie élogieuse de Flagerty qui évoquait ses origines canadiennes, sa longue carrière au service du groupe présenté comme «l'entreprise emblématique de ce que le président Eisenhower appelait le complexe militaro-industriel». On rappelait sa contribution en tant qu'ingénieur d'abord, et de *chief technological officer* ensuite, aux innovations qui avaient permis à USP de devenir le chef de file des entreprises intégrées de technologie militaire de la planète. Le journal s'étonnait que le porte-parole d'UPS ait déclaré aux médias que Sean Flagerty ne ferait aucun commentaire sur ce départ subit. L'article soulignait enfin que Flagerty rassemblait depuis des décennies une vaste documentation sur le scientifique Nikola Tesla et qu'il avait l'intention de consacrer sa retraite à la rédaction de la biographie du savant croate. L'analyste des titres technologiques du journal écrivait, de son côté, un papier sur les performances boursières exceptionnelles du groupe USP sous la gouverne de Flagerty.

Samedi 17 janvier 1998, 23h32

Le site Internet *Drudge Report* du journaliste conservateur Matt Drudge mit en ligne une «exclusivité mondiale». Drudge affirmait que l'hebdomadaire *Newsweek* avait décidé de ne pas publier, dans le numéro qui partait sous presse le soir même, un article d'un de ses journalistes d'enquête révélant que le président Bill Clinton avait eu une liaison amoureuse avec une stagiaire de la Maison-Blanche âgée de vingt-trois ans. Drudge poursuivait: «La jeune femme visitait souvent un petit cabinet privé à proximité du Bureau ovale où elle affirme avoir satisfait les préférences sexuelles du président.» Matt Drudge ajoutait qu'il avait appris que des bandes magnétiques de conversations téléphoniques intimes existaient.

Le mercredi suivant, le *Washington Post*, appartenant au même groupe de presse que *Newsweek*, publia l'information. Bill Clinton allait démentir avec véhémence la liaison jusqu'à ce que l'existence de la robe souillée de Monica Lewinsky soit révélée quelques mois plus tard.

* * *

Le 26 janvier, le *New York Times* révéla que deux hauts responsables du Pentagone, Josh Cummings, président du Defense Policy Board, et Steve Watters, sous-secrétaire adjoint à la Défense, avaient remis leur démission au secrétaire à la Défense William Cohen.

Citant des sources qui requéraient l'anonymat, le correspondant du journal attribuait le départ des deux hommes à des divergences d'opinion sur le développement de systèmes d'armes avancées. CBS, qui rapportait également la nouvelle, signalait que les deux hommes étaient proches de groupes de réflexion conservateurs de la capitale américaine. Les deux organes d'information indiquaient que d'autres démissions et des mutations étaient attendues dans divers services du département de la Défense, parmi les cadres civils et les officiers supérieurs.

* * *

Camp David, Maryland, 1ᵉʳ février 1998, 10 h 30
Bill Clinton aimait consacrer ses dimanches matin de congé à Camp David à la lecture de la volumineuse édition dominicale du *New York Times*. Il commençait toujours par le supplément littéraire, format tabloïd. Un articulet au bas de la page 7 attira son attention : «HarperCollins signs up former USP CEO for Tesla bio». Le titre était chapeauté d'une photo d'un Sean Flagerty souriant, serrant la main de la présidente de la grande maison d'édition.

«Le fils de pute a refait surface» ragea Clinton intérieurement.

Il laissa tomber le tabloïd sur le sol, se leva du divan et marcha vers la grande fenêtre du pavillon rustique dans l'espoir que le panorama des monts Catoctin apaise sa colère.

Le front appuyé contre la vitre embuée, Clinton bouillait de ne rien pouvoir faire contre Flagerty, même si cette racaille venait de ruiner sa réputation et menaçait sa présidence.

Une fois Siple Station mise hors d'état de nuire, il n'y avait plus de raison de poursuivre la recherche de Flagerty. L'ordre secret d'arrestation qu'il avait donné au directeur du FBI avait été rappelé. Inculper Flagerty entraînerait inévitablement la divulgation des expériences de guerre climatique auxquelles les États-Unis se livraient et, de surcroît, à partir de l'Antarctique. Tout cela constituait une violation flagrante de deux traités internationaux dont ils étaient signataires.

Bill Clinton avait mal à la tête à force de se concentrer sur ces événements. Si le chantage auquel Flagerty l'avait soumis était rendu public, il n'aurait de choix que de remettre immédiatement sa démission. Quant à sa liaison avec la petite Lewinsky, il était convaincu de pouvoir s'en tirer. C'était la parole d'une stagiaire contre celle du président des États-Unis. «Après tout, elle n'a aucune preuve» se rassura-t-il. Un sourire éclaira son visage alors qu'il se remémorait un de leurs moments intimes. Il retourna vers le divan, ramassa les pages sportives du *Times* et reprit sa lecture.

Washington DC, 5 février 2005 (toutes les agences)
Sandy Berger, l'ancien conseiller à la Sécurité nationale des États-Unis de Bill Clinton, a plaidé coupable ce matin d'avoir sciemment retiré des documents secrets des Archives nationales des États-Unis. Une caméra de surveillance avait capté le subterfuge de monsieur Berger alors qu'il avait demandé à consulter des documents de l'administration Clinton de la période 97-98.

Les documents provenaient d'une boîte scellée qui n'avait jamais été consultée. Monsieur Berger a expliqué au tribunal qu'il avait caché les documents dans sa veste pour les emporter chez lui où il les a découpés en lanières avec des ciseaux avant de les jeter à la poubelle. Berger a été condamné à dix mille dollars d'amende et s'est vu retirer son habilitation de sécurité pour une période de trois ans. Ni le procureur fédéral ni l'avocat de monsieur Berger n'ont voulu divulguer le sujet des documents détruits.

Bibliographie

Le Monde diplomatique
- « Les apprentis sorciers du climat »
  <www.monde-diplomatique.fr/2002/07/BOVET/16644>
- « Le climat, otage des lobbies industriels »
  <www.monde-diplomatique.fr/2001/02/SINAI/14866>

Parlement européen
Procès-verbal du 28/01/1999 – Édition définitive
« Environnement, sécurité et affaires étrangères »
Article : A4-0005/1999
<www.europarl.eu.int/plenary/default_fr. htm>

Les Rapports du GRIP (Groupe de recherche et d'information sur la paix et la sécurité)
Le programme HAARP : science ou désastre ? (par Luc Mampaey)
<www.grip.org/pub/rapports/rg98-5_haarp. pdf>

Convention EnMod
(Comité international de la Croix-Rouge)
<www.icrc.org/dih.nsf/FULL/460?OpenDocument>

Traité sur l'Antarctique
(Centre de documentation et de recherche sur la paix et les conflits)
< www.obsarm.org/obsnuc/traites-et-conventions/francais/ antarctique.htm>

Stanford University
ELF-VLF Wave-injection and Magnetospheric Probing with HAARP
<www-star.stanford.edu/~vlf/buoy/Documents/BuoyScienceDescription. pdf>

Group NO HAARP
PO Box 916 Homer
AK 99603 USA
<www.haarp.net>

HAARP (Site officiel)
<www.haarp.alaska.edu/index.html>

• BEARDEN, Tom. *Fer de Lance, A Briefing of Soviet Scalar Electromagnetic Weapons*, 2002.

• Collectif. *Coucou, c'est Tesla. L'énergie libre*, Paris, Les éditions Félix, 1997.

• FILTERMAN, Marc. *Les Armes de l'ombre*, Paris, Éditions Carnot, 2001.

• HERSH, Seymour M. *The Dark Side of Camelot*, New York, Little, Brown and Company, 1997.

• MANNING Jeane et BEGICH, Nick, Dr. *Angels Don't Play this HAARP (Advances in Tesla Technology)*, Anchorage, Alaska, Earthpulse Press, 1995 (Traduction française: *Les anges ne jouent pas de cette HAARP*, Montréal, Éditions Louise Courteau, 2003).

• Referral to the United States House of Representatives pursuant to Title 28, United States Code, § 595(c) Submitted by The Office of the Independent Counsel September 9, 1998 (Rapport du procureur indépendant Kenneth Star).

Cet ouvrage a été composé en Times corps 12/14
et achevé d'imprimer au Canada en février 2006
sur les presses de Quebecor World Lebonfon, Val-d'Or.